서술형에 더 강해지는 중학 영문법

LEVEL 3

서술형에 더 강해지는 중학 영문법

- **꼼꼼하게!** 주요 문법 포인트별 정리
- **차곡차곡!** 기본 문제부터 실전 유형까지
- **빈틈없이!** 서술형 빈출 문법과 함정 문제까지
- **실력 UP!** 누적테스트로 내신 완성

학습자의 마음을 읽는 **동아영어콘텐츠연구팀**

동아영어콘텐츠연구팀은 동아출판의 영어 개발 연구원, 현장 선생님,
그리고 전문 원고 집필자들이 공동연구를 통해 최적의 콘텐츠를 개발하는 연구조직입니다.

원고 개발에 참여하신 분들

강남숙 강윤희 김지영 김지형 배윤경 윤희진 이지현 임선화 홍미정 홍석현

교재 기획에 도움을 주신 분들

구현정 김라영 니콜 이지혜

서술형에
더 강해지는
중학 영문법

LEVEL 3

How to Study 이렇게 공부하자!

STEP 1 문법으로 기본기 쌓기

문법 개념 다지기/바로 개념 확인하기

문법을 알아야 정확한 쓰기가 가능하니 꼭 출제되는 문법 항목을
빠짐없이 콕콕 짚어서 정리하고 개념까지 확인하자!

STEP 2 문법으로 서술형 쓰기

서술형 기본 유형 익히기

문법과 서술형 쓰기는 별개가 아니야! 배운 문법으로 서술형에
자주 출제되는 기본 유형 문제들을 풀다 보면 문법부터 서술형
쓰기까지 한 번에 연습할 수 있어!

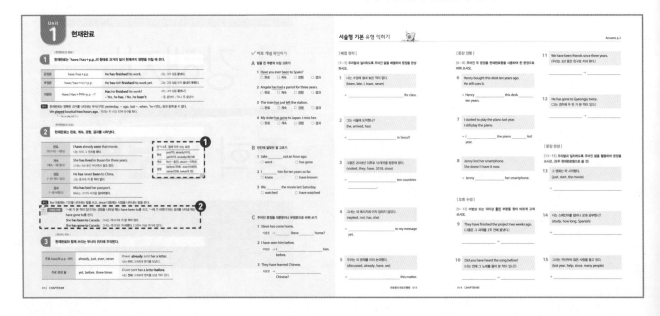

암기 노트 ❶

암기해 두면 유용한 표현이니 꼭 머릿속에 저장하자!

 서술형 빈출 ❷

어느 학교에서나 꼭 출제되는 서술형 포인트는 한번 더 확인하자!!

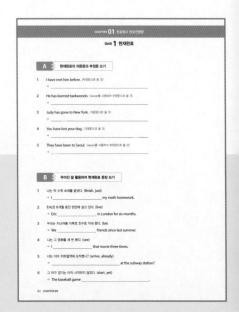

문장 쓰기 WORKBOOK

아직 자신이 없니? 걱정하지 마. 쓰기에 기본이 되는 문장 구조
이해와 기본적으로 알아야 할 단어의 변화형 등을 잘 알고 있는지
WORKBOOK을 통해 한 번 더 연습할 수 있어!

STEP 3 — 서술형 실력 쌓기

기출에서 뽑은 난이도별 서술형 문제

학교 시험에서 가장 많이 출제되는 문제를 뽑아 기본에서 심화까지 순차적으로 풀다 보면 서술형, 이제 어렵지 않아!

STEP 4 — 진짜 실력 키우기

시험에 강해지는 실전 TEST

자, 이제 진짜 시험 시간! 객관식과 서술형 모두 풀어보면서 실전처럼 진짜 실력을 확인해 보자!

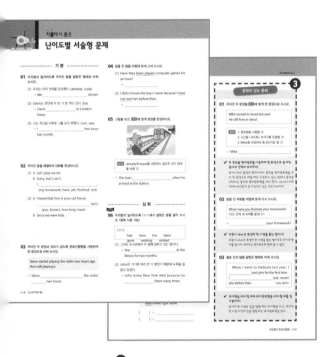

함정이 있는 문제 ③

알고 있었는데 답을 쓸 때 실수해서 감점되거나 틀린 적 있지?
'아차!' 해서 틀리는 함정들을 미리 파악하여 새는 점수를 방지하자고!

4단원마다 누적 TEST

끝난 줄 알았지?
앞 단원에서 배웠던 내용을 모두 모아 진짜 영어 실력을 키워 보자!

Contents 배울 내용을 살펴보자!

Ⅰ 품사

문장을 만들기 위해서는 재료가 되는 단어가 필요해요. 단어는 성격에 따라 8가지 종류로 나눌 수 있는데 이를 '품사'라고 해요.

명사	사람, 사물, 동물의 이름을 나타내는 말 역할: 주어, 목적어, 보어로 쓰임	**Pengsu** is a **penguin.** **펭수**는 **펭귄**이다.
대명사	명사를 대신하는 말 역할: 주어, 목적어, 보어로 쓰임	**He** lives in Korea. **그**는 한국에 산다. Many people like **him.** 많은 사람들이 **그**를 좋아한다.
동사	동작과 상태를 나타내는 말 역할: 문장의 동사로 쓰임	He **wants** to **be** a creator. 그는 크리에이터가 **되고 싶어 한다.**
형용사	사람과 사물의 성질이나 상태를 나타내는 말 역할: 명사를 꾸미거나 보어로 쓰임	He is very **large.** 그는 매우 **크다.** He has a **round** head. 그는 **둥근** 머리를 가지고 있다.
부사	시간, 장소, 원인, 방법, 정도, 빈도 등을 나타내는 말 역할: 동사, 형용사, 부사, 문장 전체를 꾸밈	He likes tuna **very** much. 그는 참치를 **매우** 많이 좋아한다.
전치사	명사나 대명사 앞에 쓰여 시간, 장소, 방향, 이유, 수단 등을 나타내는 말	You can meet him **in** the video. 너는 영상**에서** 그를 만날 수 있다.
접속사	단어와 단어, 구와 구, 문장과 문장을 연결하는 말	He is humorous **and** creative. 그는 재미있**고** 창의적이다.
감탄사	놀람, 기쁨, 슬픔 등의 감정을 나타낼 때 하는 말	**Wow!** How wonderful! **와!** 얼마나 대단한지!

II 문장의 요소

영어의 문장은 주어와 동사가 기본 요소예요. 동사의 의미와 성격에 따라 그 뒤에 목적어가 오기도 하고 보어가 오기도 해요.

나는 개를 좋아한다.

주어	'**누가, 무엇이**'에 해당하는 말로 동작이나 상태의 주체가 되는 말 (명사, 대명사를 쓸 수 있음)
동사	'**~이다, ~하다**'에 해당하는 말로 주어의 동작이나 상태를 설명하는 말
목적어	'**무엇을**'에 해당하는 말로 동작의 대상이 되는 말 (명사, 대명사를 쓸 수 있음)

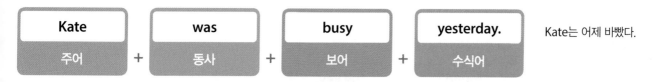

Kate는 어제 바빴다.

보어	주어나 목적어를 보충 설명하는 말 (명사, 대명사, 형용사를 쓸 수 있음)
수식어	다른 문장 성분을 꾸며 의미를 더해 주는 말 (형용사, 부사를 쓸 수 있음)

---

tips **보어와 목적어는 어떻게 구분하나요?**

아래 문장에서 my dog은 목적어일까요, 보어일까요?

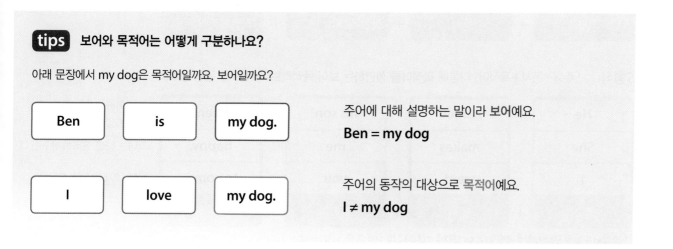

주어에 대해 설명하는 말이라 보어예요.
Ben = my dog

주어의 동작의 대상으로 목적어예요.
I ≠ my dog

III 문장의 형식   영어 문장은 다음과 같이 5가지 문장 형식으로 쓰여요.

1형식   「**주어＋동사**」만으로 구성된 문장이에요.

그는 걸었다.

나는 (빨리) 달렸다.

2형식   「**주어＋동사**」 다음에 **주어를 설명하는 보어**(주격보어)가 오는 문장이에요.

그들은 내 친구이다.

그 소녀는 행복해 보인다.

3형식   「**주어＋동사**」 다음에 **목적어가 1개** 오는 문장이에요.

우리는 열쇠를 찾았다.

Jane은 스키 타는 것을 좋아한다.

4형식   「**주어＋동사**」 다음에 **목적어가 2개** 오는 문장이에요. 「'～에게'(간접목적어)＋'～을'(직접목적어)」의 순서로 써요.

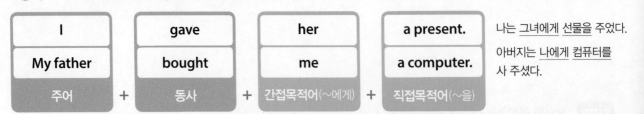

나는 그녀에게 선물을 주었다.

아버지는 나에게 컴퓨터를 사 주셨다.

5형식   「**주어＋동사＋목적어**」 다음에 **목적어를 설명하는 보어**(목적격보어)가 오는 문장이에요.

그는 아들을 Eden이라고 이름 지었다.

그녀는 나를 행복하게 만든다.

나는 네가 오기를 원한다.

* 수식어구는 문장의 형식을 판단하는 데 영향을 미치지 않는다는 것을 기억하세요!

IV 구와 절

'구'는 두 개 이상의 단어로 이루어져 문장의 일부로 쓰이고, '절'은 주어와 동사를 포함한 것으로 문장의 일부를 이루어요. 구와 절은 문장 안에서 명사, 형용사, 부사의 역할을 해요.

문장에서 명사 역할

I like him.
명사

나는 **그를** 좋아한다.

I like a handsome man.
명사구

나는 **잘생긴 남자를** 좋아한다.

I think that he is handsome.
명사절

나는 **그가 잘생겼다고** 생각한다.

문장에서 형용사 역할

I have delicious bread.
형용사

나는 **맛있는** 빵을 가지고 있다.

I have bread to eat for lunch.
형용사구

나는 **점심으로 먹을** 빵이 있다.

I have bread that my mom baked for me.
형용사절

나는 **엄마가 나를 위해 구워 준** 빵이 있다.

문장에서 부사 역할

I study English hard.
부사

나는 영어를 **열심히** 공부한다.

I study English in the library.
부사구

나는 영어를 **도서관에서** 공부한다.

I study English because I like it.
부사절

나는 **영어를 좋아하기 때문에** 영어를 공부한다.

---

tips 문장 vs. 절은 어떻게 다른가요?

아래 문장에서 she loves me는 '문장'일까요, '절'일까요?
문장과 절 모두 주어와 동사가 있어요. 하지만 절은 전체 문장의 일부로 쓰여요.

She loves me. 　　　　문장　　대문자로 시작하고, 문장 끝에는 마침표가 있어요.

I know that she loves me. 　　절　　전체 문장의 일부로 쓰여서 하나의 문장 성분으로 쓰여요.

CHAPTER

01

완료형과 완료진행형

Unit 1 현재완료

Unit 2 과거완료, 완료진행형

완료형은 특정 시점 이전의 일이 특정 시점까지 영향을 미치거나 관련이 있을 때 쓰고, **완료진행형**은 특정 시점 이전의 일이 말하는 순간에도 계속 진행되고 있음을 강조할 때 쓴다.

현재완료	I **have** just **finished** my homework. 나는 막 내 숙제를 **끝냈다.**
과거완료	I **had** already **finished** my homework when she came home. 나는 그녀가 집에 왔을 때 내 숙제를 이미 **끝냈다.**
현재완료진행	I **have been studying** English for two hours. 나는 두 시간 동안 영어를 **공부하고 있다.**
과거완료진행	I **had been studying** English for two hours when she came home. 나는 그녀가 집에 왔을 때 두 시간 동안 영어를 **공부하고 있었다.**

현재완료

1 현재완료는 「have/has+p.p.」의 형태로 과거의 일이 현재까지 영향을 미칠 때 쓴다.

긍정문	have/has+p.p.	He **has finished** his work.	그는 그의 일을 **끝냈다.**
부정문	have/has+not+p.p.	He **has not finished** his work yet.	그는 그의 일을 아직 **끝내지 못했다.**
의문문	Have/Has+주어+p.p. ~?	**Has** he **finished** his work? – Yes, he **has**. / No, he **hasn't**.	그는 그의 일을 **끝냈니?** – 응, 끝냈어. / 아니, 못 끝냈어.

주의 현재완료는 명확한 과거를 나타내는 부사(구)인 yesterday, ~ ago, last ~, when, 「in+연도」 등과 함께 쓸 수 없다.
　　We **played** baseball **two hours ago**. 우리는 두 시간 전에 야구를 했다.
　　　└ have played (×)

2 현재완료는 완료, 계속, 경험, 결과를 나타낸다.

완료 (막/이미 ~했다)	I **have** already **seen** that movie. 나는 이미 그 영화를 **봤다.**
계속 (계속 ~해 왔다)	She **has lived** in Busan for three years. 그녀는 3년 동안 부산에서 **살고 있다.**
경험 (~한 적이 있다)	He **has** never **been** to China. 그는 중국에 **가 본 적이 없다.**
결과 (~해 버렸다)	Mia **has lost** her passport. Mia는 그녀의 여권을 **잃어버렸다.**

암기 노트 함께 자주 쓰는 표현

완료	just(막), already(이미), yet(아직), recently(최근에)
계속	for(~ 동안), since(~ 이후로)
경험	before(전에), ever(이제껏), never(전혀), twice(두 번)

주의 for 다음에는 기간을 나타내는 말을 쓰고, since 다음에는 시점을 나타내는 말을 쓴다.

서술형 빈출 '~에 가 본 적이 있다'라는 경험을 나타낼 때는 have been to를 쓰고, '~에 가 버렸다'라는 결과를 나타낼 때는
have gone to를 쓴다.
She **has been to** Canada. 그녀는 캐나다에 **가 본 적이 있다.**
She **has gone to** Canada. 그녀는 캐나다로 **가 버렸다.** (그래서 지금 여기에 없다.)

3 현재완료와 함께 쓰이는 부사의 위치에 주의한다.

주로 have와 p.p. 사이	already, just, ever, never	I have **already** sent her a letter. 나는 **이미** 그녀에게 편지를 보냈다.
주로 문장 끝	yet, before, three times	I have sent her a letter **before**. 나는 **전에** 그녀에게 편지를 보낸 적이 있다.

서술형 기본 유형 익히기

✔ 바로 개념 확인하기

A 밑줄 친 부분의 쓰임 고르기

1 Have you ever <u>been</u> to Spain?
☐ 완료　　☐ 계속　　☐ 경험　　☐ 결과

2 Angela <u>has had</u> a parrot for three years.
☐ 완료　　☐ 계속　　☐ 경험　　☐ 결과

3 The train <u>has just left</u> the station.
☐ 완료　　☐ 계속　　☐ 경험　　☐ 결과

4 My sister <u>has gone</u> to Japan. I miss her.
☐ 완료　　☐ 계속　　☐ 경험　　☐ 결과

B 빈칸에 알맞은 말 고르기

1 Jake _____ out an hour ago.
☐ went　　　　　☐ has gone

2 I _____ him for ten years so far.
☐ knew　　　　　☐ have known

3 We _____ the movie last Saturday.
☐ watched　　　☐ have watched

C 주어진 문장을 의문문이나 부정문으로 바꿔 쓰기

1 Steve has come home.
의문문 → _____ Steve _____ home?

2 I have seen him before.
부정문 → I _____ _____ _____ him
before.

3 They have learned Chinese.
의문문 → _____ _____ _____
Chinese?

│ 배열 영작 │

[1~5] 우리말과 일치하도록 주어진 말을 배열하여 문장을 완성하시오.

1 나는 수업에 절대 늦은 적이 없다.
(been, late, I, have, never)

→ _____ for class.

2 그는 서울에 도착했니?
(he, arrived, has)

→ _____ in Seoul?

3 그들은 2018년 이후로 10개국을 방문해 왔다.
(visited, they, have, 2018, since)

→ _____ ten countries
_____.

4 그녀는 내 메시지에 아직 답하지 않았다.
(replied, not, has, she)

→ _____ to my message
yet.

5 우리는 이 문제를 이미 논의했다.
(discussed, already, have, we)

→ ___ _____ this matter.

| 문장 전환 |

[6~8] 주어진 두 문장을 현재완료형을 사용하여 한 문장으로 바꿔 쓰시오.

6 Henry bought this desk ten years ago.
He still uses it.

→ Henry _____ this desk _____ ten years.

7 I started to play the piano last year.
I still play the piano.

→ I _____ the piano _____ last year.

8 Jenny lost her smartphone.
She doesn't have it now.

→ Jenny _____ her smartphone.

| 오류 수정 |

[9~12] 어법상 또는 의미상 <u>틀린</u> 부분을 찾아 바르게 고쳐 쓰시오.

9 They have finished the project two weeks ago.
(그들은 그 과제를 2주 전에 끝냈다.)

_____ → _____

10 Did you have heard the song before?
(너는 전에 그 노래를 들어 본 적이 있니?)

_____ → _____

11 We have been friends since three years.
(우리는 3년 동안 친구로 지내 왔다.)

_____ → _____

12 He has gone to Gyeongju twice.
(그는 경주에 두 번 가 본 적이 있다.)

_____ → _____

| 문장 완성 |

[13~15] 우리말과 일치하도록 주어진 말을 활용하여 문장을 쓰시오. (모두 현재완료형으로 쓸 것)

13 그 영화는 막 시작했다.
(just, start, the movie)

→ _____

14 너는 스페인어를 얼마나 오래 공부했니?
(study, how long, Spanish)

→ _____

15 그녀는 작년부터 많은 사람을 돕고 있다.
(last year, help, since, many people)

→ _____

Unit 2
과거완료, 완료진행형

| 과거완료의 쓰임 |

1 과거완료는 「had+p.p.」의 형태로 과거의 한 시점 이전의 일이 그 시점까지 영향을 미칠 때 쓴다.

완료 (막/이미 ~했었다)	The tickets **had** already **sold** out when we arrived. 우리가 도착했을 때 표가 이미 **팔렸었다**.
계속 (계속 ~해 왔었다)	He **had waited** for an hour when she came. 그녀가 왔을 때 그는 한 시간 동안 **기다려 왔었다**.
경험 (~한 적이 있었다)	I **had** never **traveled** abroad until last year. 나는 작년까지 외국을 **여행한 적이 없었다**.
결과 (~해 버렸었다)	She **had lost** her wallet, so she had no money yesterday. 그녀는 지갑을 **잃어버렸어서** 어제 돈이 없었다.

| 대과거 |

2 대과거란 과거의 일어난 일 중 더 먼저 일어난 일을 가리키는데, 과거완료를 써서 표현한다.

과거	대과거	
When I arrived,	she **had** already **left**.	내가 도착했을 때, 그녀는 이미 **떠났었다**.
I realized	that I **had left** my bag on the bus.	나는 버스에 가방을 **두고 내린** 것을 깨달았다.
I was upset	because Tom **had lied** to me.	나는 Tom이 나에게 **거짓말을 했었기** 때문에 화가 났었다.

주의 after나 before 등 시간의 전후관계가 명확하게 드러나는 접속사가 쓰인 경우에는 과거완료 대신 과거를 쓸 수 있다.
We had dinner after the soccer game **had ended**. 우리는 축구 경기가 끝난 후에 저녁을 먹었다.
= We had dinner after the soccer game **ended**.

| 완료진행형 |

3 현재완료진행형은 have/has been -ing로, 과거완료진행형은 had been -ing로 쓴다.

현재완료진행 **have/has been -ing**	I **have been reading** the book since this morning. 나는 오늘 아침 이후로 그 책을 **읽고 있다**. (지금도 읽고 있음)	*과거에 시작된 일이 현재 말하는 시점 에도 계속되는 상황
과거완료진행 **had been -ing**	I **had been reading** the book until he came. 나는 그가 왔을 때까지 그 책을 **읽고 있었다**. (그가 왔을 때도 읽고 있었음)	*과거 어느 한 시점 이전에 시작된 일이 그 시점에도 계속되는 상황

tips 현재완료(계속) vs. 현재완료진행형
'계속'을 나타내는 현재완료와 현재완료진행형은 의미가 거의 같지만, 동작이 계속되고 있음을 강조하고 싶을 때 현재완료진행형을 쓴다.
It **has rained** since yesterday. 어제부터 비가 내리고 있다.
It **has been raining** since yesterday. 어제부터 **비가 내리고 있다**. (지금 비가 내리고 있음을 강조)

서술형 기본 유형 익히기

✔ 바로 개념 확인하기

A 밑줄 친 부분의 쓰임 고르기

1 I had never seen a rainbow until then.
☐ 완료　☐ 계속　☐ 경험　☐ 결과

2 Dad had worked as a banker until he quit.
☐ 완료　☐ 계속　☐ 경험　☐ 결과

3 The rain had stopped when you left the house.
☐ 완료　☐ 계속　☐ 경험　☐ 결과

4 He had left his bag at home, so he had to go back home.
☐ 완료　☐ 계속　☐ 경험　☐ 결과

B 빈칸에 알맞은 말 고르기

1 When I arrived, the party _____.
☐ already ended　☐ had already ended

2 I had never eaten kebab until I _____ Turkey.
☐ visited　☐ had visited

3 He was late for school because he _____ the bus.
☐ has missed　☐ had missed

C 주어진 단어를 활용하여 완료진행형으로 쓰기

1 She _____ Korean since she moved here in 2018. (teach)

2 We _____ for her until she arrived. (wait)

3 Steve _____ computer games for three hours when his mom entered his room. (play)

| 배열 영작 |

[1~5] 우리말과 일치하도록 주어진 말을 배열하여 문장을 완성하시오.

1 우리가 도착했을 때 콘서트는 이미 시작했었다.
(had, already, the concert, started)

→ _____
when we arrived.

2 그녀는 내게 뉴욕에 가 본 적이 없었다고 말했다.
(never, she, been, had, to)

→ She told me that _____
New York.

3 나는 똑같은 곡을 사흘 동안 연습하고 있다.
(have, practicing, been, I, for)

→ _____ the same song
_____ three days.

4 그들은 캐나다로 이사 가기 전에 한국에서 10년 동안 살았었다.
(had, before, they, lived, moved, in)

→ They _____ Korea for ten
years _____ to Canada.

5 나는 내 휴대 전화를 집에 두고 와서 너에게 전화할 수 없었다. (my, had, cell phone, left, because, I)

→ I couldn't call you _____
_____ at home.

| 문장 전환 |

[6~7] 주어진 두 문장을 완료진행형을 사용하여 한 문장으로 바꿔 쓰시오.

6 They started to watch TV two hours ago.
They are still watching TV.

→ They _____
for two hours.

7 He started to live with us in 2010.
He is still living with us.

→ He _____ since 2010.

| 오류 수정 |

[8~11] 밑줄 친 말을 어법에 맞게 고쳐 쓰시오.

8 He has already left when we went there.
(우리가 거기에 갔을 때 그는 이미 떠났었다.)

→ _____

9 I have waiting for Tom for two hours.
(나는 Tom을 두 시간 동안 기다리고 있다.)

→ _____

10 We have been playing games for an hour
when he came.
(그가 왔을 때 우리는 한 시간째 게임을 하고 있었다.)

→ _____

11 My father has been used this computer for ten
years.
(나의 아버지는 이 컴퓨터를 10년 동안 쓰고 계신다.)

→ _____

| 문장 완성 |

[12~15] 우리말과 일치하도록 주어진 말을 활용하여 문장을 완성하시오.

12 어제까지 이틀 동안 눈이 내리고 있었다.
(snow, for, until)   *완료진행형을 쓸 것

→ It _____
yesterday.

13 그는 다리를 다쳐서 어제 축구를 할 수 없었다.
(injure his leg, play)   *대과거는 과거완료로 쓸 것

→ He _____,
so he _____ soccer yesterday.

14 그녀는 그때까지 유명인을 만났던 적이 전혀 없었다.
(never, meet, then)

→ She _____ any celebrity
_____.

15 내가 집에 왔을 때 내 여동생은 이미 저녁을 먹었다.
(already, have dinner, come)   *시제 주의

→ My sister _____
when I _____ home.

난이도별 서술형 문제

·············· 기 본 ··············

01 우리말과 일치하도록 주어진 말을 알맞은 형태로 바꿔 쓰시오.

(1) 우리는 이미 저녁을 요리했다. (already, cook)

→ We _____ _____ _____ dinner.

(2) Davis는 런던에 두 번 가 본 적이 있다. (be)

→ Davis _____ _____ to London twice.

(3) 나는 지난달 이후로 그를 보지 못했다. (not, see)

→ I _____ _____ _____ him since last month.

02 주어진 말을 배열하여 대화를 완성하시오.

(1) A Let's play soccer.

B Sorry, but I can't.

I _____ .

(my homework, have, yet, finished, not)

(2) A I heard that Tom is your old friend.

_____ him?

(you, known, how long, have)

B Since we were kids.

03 주어진 두 문장과 의미가 같도록 완료진행형을 사용하여 한 문장으로 바꿔 쓰시오.

Steve started playing the violin two hours ago. He is still playing it.

→ Steve _____ the violin _____ two hours.

04 밑줄 친 말을 어법에 맞게 고쳐 쓰시오.

(1) Have they been played computer games for an hour?

→ _____

(2) I didn't know the boy's name because I have not met him before then.

→ _____

05 그림을 보고, 조건 에 맞게 문장을 완성하시오.

조건 already와 leave를 사용하되, 필요한 경우 형태를 바꿀 것

→ The train _____ when he arrived at the station.

·············· 심 화 ··············

신유형

06 우리말과 일치하도록 |보기|에서 알맞은 말을 골라 쓰시오. (중복 사용 가능)

|보기| had   have   has   been
gone   working   worked

(1) 그녀는 도서관에서 두 달째 일하고 있는 중이다.

→ She _____ _____ _____ at the library for two months.

(2) John은 거기에 여러 번 가 봤었기 때문에 뉴욕을 잘 알고 있었다.

→ John knew New York well because he _____ _____ there many times.

07 주어진 조건에 맞게 문장을 바꿔 쓰시오.

> 조건 1. 현재완료형으로 바꿔 쓸 것
> 2. ever를 포함할 것

Did you meet Dave?

→ ______________________ Dave?

08 주어진 두 문장을 의미가 같도록 완료형을 사용하여 한 문장으로 바꿔 쓰시오.

(1) John came home at 11 o'clock.
I already went to bed then.

→ I ______________________
when John ______________________.

(2) I got up this morning at 7 o'clock.
Ken already had breakfast then.

→ Ken ______________________
when I ______________________.

09 주어진 대답에 알맞은 질문이 되도록 조건에 맞게 쓰시오.

A ______________________?
B I have been doing yoga for three years.

> 조건 1. how long을 포함할 것
> 2. 총 7단어로 쓸 것

10 밑줄 친 부분이 어법상 틀린 것 두 개를 골라 기호를 쓰고, 바르게 고쳐 쓰시오.

ⓐ I have never missed a class until today.
ⓑ The baseball game has not finished when I arrived there.
ⓒ They have known each other in 2012.
ⓓ My dad had been painting the fence for two hours when I got home.

(　　) → ______________________
(　　) → ______________________

함정이 있는 문제

01 주어진 두 문장을 조건에 맞게 한 문장으로 쓰시오.

> Mike moved to Seoul last year.
> He still lives in Seoul.

> 조건 1. 완료형을 사용할 것
> 2. 시간을 나타내는 부사구를 포함할 것
> 3. Mike를 포함하여 총 8단어로 쓸 것

→ Mike ______________________.

✔ 두 문장을 현재완료를 사용하여 한 문장으로 쓸 때는 동사의 선택에 주의하자!

과거시제의 문장과 현재시제의 문장을 현재완료형을 써서 한 문장으로 바꿀 때는 지속되고 있는 상태나 동작을 나타내는 동사로 현재완료형을 써야 한다. move(이사하다)와 live(살다) 중 지속되고 있는 것은 live이다!

02 밑줄 친 부분을 어법에 맞게 다시 쓰시오.

> When have you finished your homework?
> (너는 언제 네 숙제를 끝냈니?)

→ ______________________ your homework?

✔ 의문사 when은 특정한 한 시점을 묻는 말이다!

의문사 when은 특정한 한 시점을 묻는 말이므로 과거와 현재를 동시에 나타내는 현재완료와 함께 쓸 수 없다.

03 괄호 안의 말을 알맞은 형태로 바꿔 쓰시오.

> When I went to Vietnam last year, I ______________ (eat) pho for the first time.
> I ______________________ (eat, never) pho before then.
> *pho 쌀국수

✔ 과거형을 써야 할 때와 과거완료형을 써야 할 때를 잘 구분하자!

과거의 한 시점의 일을 말할 때는 과거형을 쓰고, 과거의 한 시점 이전의 일을 말할 때는 과거완료형을 쓴다.

시험에 강해지는

실전 TEST

시험일		월	일
시간			/ 40분
문항 수	객관식 10	/	서술형 10
점수			/ 100점

01 빈칸에 알맞은 말이 순서대로 짝지어진 것은? (2점)

> • I have never seen a musical _____ I was twelve.
> • I have not eaten out _____ a week.

① since – on
② since – for
③ for – since
④ when – on
⑤ when – for

02 주어진 두 문장을 한 문장으로 바꿔 쓸 때, 빈칸에 알맞은 것은? (3점)

> I lost my textbook. I don't have it now.
> → I _____ my textbook.

① had
② have had
③ had lost
④ have lost
⑤ have been losing

03 |보기|의 밑줄 친 부분과 쓰임이 같은 것은? (4점)

> |보기| I have finished cleaning my room.

① My cousin has gone to Canada.
② We have not eaten lunch yet.
③ I have lived in Busan since 2012.
④ Have you ever been to the National Museum?
⑤ I have studied for the final test for an hour.

04 빈칸에 공통으로 알맞은 것은? (4점)

> • He _____ read the book twice before he watched the film.
> • Mike was shocked because somebody _____ stolen his bike during the night.

① has
② had
③ have
④ was
⑤ been

05 우리말과 일치하도록 할 때, 빈칸에 알맞은 말이 순서대로 짝지어진 것은? (3점)

> 내가 그를 봤을 때, 그는 한 시간째 농구를 하고 있던 중이었다.
> → He _____ basketball for an hour when I _____ him.

① was playing – saw
② was playing – have seen
③ has been playing – saw
④ had been playing – saw
⑤ had been playing – have seen

06 다음 대화 중 어법상 틀린 것은? (5점)

① A Is this book interesting?
　 B I have no idea. I've never read it.
② A Have you been to Greece?
　 B Yes, I traveled there three years ago.
③ A Who's the boy next to Junho?
　 B I don't know. I've never seen him before.
④ A Is your mom at home?
　 B No. She has just gone out.
⑤ A How long have you lived here?
　 B I have lived here in 2018.

신유형
07 어법상 틀린 부분을 찾아 바르게 고친 것은? (5점)

> When I arrived at the classroom, I found that someone has broken the window.

① arrived → had arrived
② found → find
③ found → had found
④ has → had
⑤ broken → broke

08 우리말을 영어로 바르게 옮긴 것은? (4점)

① 나는 아직 영국에 가 본 적이 없다.
→ I have not gone to England yet.
② 그는 5년째 한국어를 가르치고 있다.
→ He has been teaching Korean for five years.
③ 그녀는 5시 이후로 계속 컴퓨터를 고치고 있다.
→ She is fixing the computer since 5 o'clock.
④ 야구 경기는 아직 시작하지 않았다.
→ The baseball game doesn't start yet.
⑤ Tom은 3년 전에 인도를 방문했다.
→ Tom has visited India three years ago.

신유형

09 빈칸 ⓐ~ⓔ에 들어갈 말로 알맞지 <u>않은</u> 것은? (5점)

• I broke the mug that Jane ____ⓐ____ for me.
• He ____ⓑ____ to Europe several times.
• She ____ⓒ____ Chinese hard last year.
• I ____ⓓ____ for him since this morning.
• I ____ⓔ____ for two hours when she entered the room.

① ⓐ had made
② ⓑ has been
③ ⓒ has studied
④ ⓓ have been waiting
⑤ ⓔ had been sleeping

고난도

10 어법상 <u>틀린</u> 문장의 개수는? (5점)

ⓐ Ann has not finished the book yesterday.
ⓑ How long have you known Lucy?
ⓒ I have never met a movie star until I saw him yesterday.
ⓓ It has been snowing since the last three days.

① 없음　② 1개　③ 2개　④ 3개　⑤ 4개

서 술 형

[서술형1] |보기|에서 알맞은 동사를 골라 올바른 형태로 바꿔 쓰시오. (4점, 각 2점)

|보기|	go	be	come

(1) I arrived at home at 6, but Mom wasn't at home. She _____ to the market.

(2) He _____ to Busan three times, so he knows many famous places in Busan.

[서술형2] 우리말과 일치하도록 주어진 말을 배열하여 문장을 쓰시오. (6점, 각 3점)

(1) Jane은 그를 만나기 전까지 오페라를 본 적이 없었다.
(she, until, had, him, watched, an opera, never, met)
→ Jane _____
_____.

(2) 그들은 그때까지 얼마나 오랫동안 버스를 기다리고 있었나요? (they, the bus, been, until, waiting for, then, how long, had)
→ _____
_____

[서술형3] 주어진 두 문장과 의미가 같도록 한 문장으로 바꿔 쓰시오. (4점, 각 2점)

(1) He bought a car five years ago.
He still has the car.

→ He _____ five years.

(2) The game started at 2 o'clock.
We arrived at the stadium at 3 o'clock.

→ _____ when we arrived at the stadium.

[서술형4] 그림을 보고, 주어진 말을 활용하여 문장을 완성하시오. (8점, 각 4점)

<an hour ago>   <now>

Mike   Jenny

(1) Mike _____.

(listen to music, for)

(2) Jenny _____.

(already, eat her hamburger)

[서술형5] 다음을 읽고, 조건 에 맞게 문장을 완성하시오.

(8점, 각 4점)

I moved to London 10 years ago. I was six then.
I still live in London.

조건 1. 현재완료형을 사용하여 한 문장으로 쓸 것
2. since와 for를 한 번씩 사용하여 문장을 쓸 것

(1) I _____.

(2) I _____.

[서술형6] 주어진 조건 에 맞게 대화의 빈칸에 알맞은 말을 쓰시오. (6점, 각 3점)

조건 1. 완료형을 사용할 것
2. 다음 단어를 한 번씩 사용하되, 필요한 경우 형태를 바꿀 것
just, not, clean, finish

A Mom, I _____ my room.
Can I play computer games now?
B No, you can't. You _____
your homework yet.

[서술형7] 주어진 문장을 지시에 맞게 바꿔 쓰시오. (8점, 각 4점)

She reads the book.

(1) not, yet를 추가하여 현재완료로 쓸 것
→ She _____.

(2) since this morning을 추가하여 현재완료진행형으로 쓸 것
→ She _____.

[서술형8] 주어진 글의 내용과 일치하도록 완료진행형을 사용하여 한 문장으로 쓸 때, 빈칸에 알맞은 말을 쓰시오. (5점)

Jessie started watching TV at 5. Jessie's father came home at 7. She was still watching TV then.

→ When Jessie's father came home, she _____ _____ _____ TV for two hours.

[서술형9] 대화를 읽고, 대화의 내용을 요약하는 문장을 조건 에 맞게 쓰시오. (5점)

A Is it raining outside?
B Yes, it's raining.
A When did it start raining?
B It started raining two hours ago.

조건 1. 주어 It으로 시작할 것
2. 완료진행형을 쓸 것
3. for를 포함하여 7단어의 문장으로 쓸 것

→ _____

[서술형10] 다음 글에서 어법상 틀린 부분을 찾아 바르게 고쳐 쓰시오. (6점)

Robert is a 45-year-old man. He lives in Seoul with his wife and two sons. He lived in Seoul since 2010. He has been teaching English for ten years.

_____ → _____

CHAPTER

02

조동사

Unit 1 조동사

Unit 2 조동사+have p.p.

조동사는 동사 앞에 쓰여 동사에 다양한 의미를 더해 준다. 「조동사+have p.p.」는 과거에 대한 추측, 후회, 유감 등을 나타낸다.

| 조동사 | You **should** study English.   너는 영어를 공부해야 한다. |

| 조동사+have p.p. | You **should have studied** English.   너는 영어를 공부했어야 했는데. |

Unit 1 조동사

| 조동사의 의미 |

1 조동사는 동사에 능력, 허락, 요청, 추측, 의무 등 여러 가지 의미를 더해 준다.

can	능력 (= be able to)	He **can**(= **is able to**) speak English.	그는 영어를 말할 **수 있다**.
	허락 (= may)	You **can** use my smartphone.	너는 내 스마트폰을 사용해도 **된다**.
	요청 (= will)	**Can** you pass me the bread?	제게 빵 좀 건네 **줄래요**? *would나 could를 쓰면 정중한 표현이 된다.
	강한 부정적 추측	The story **can't** be true.	그 이야기가 사실일 **리가 없다**.
may	허락 (= can)	**May** I ride your bike?	제가 당신 자전거를 타**도 될까요**?
	약한 추측 (= might)	She **may** know the answer.	그녀는 그 답을 알**지도 모른다**.
must	의무 (= have to)	You **must**(= **have to**) speak loudly.	너는 크게 말**해야 한다**.
	강한 추측	Elsa is crying. She **must** be sad.	Elsa가 울고 있다. 그녀는 슬픈 **것이 틀림없다**.
should	의무, 충고 (= ought to)	You **should**(= **ought to**) listen to her.	너는 그녀의 말을 들**어야 한다**. *ought to의 부정은 ought not to로 쓴다.

주의 have to의 부정형인 don't have to는 '~할 필요가 없다'라는 의미로, 금지를 나타내는 must not과 의미가 다르다.
You **don't have to** come here. 너는 여기에 올 **필요가 없다**. 〈불필요〉
You **must not** come here. 너는 여기에 오면 **안 된다**. 〈금지〉

| 다양한 조동사 표현 |

2 두 개 이상의 단어가 모여 조동사의 역할을 하는 표현을 알아 둔다.

had better	충고	You **had better** go there. You **had better not** go there.	너는 거기에 가는 **것이 좋겠다**. 너는 거기에 가지 **않는 것이 좋겠다**.
would rather	선호	I **would rather** stay at home. I **would rather not** stay at home.	나는 **차라리** 집에 있**겠다**. 나는 **차라리** 집에 있**지 않겠다**.
used to	과거의 습관 (= would)	He **used to** walk to school last year.	그는 작년에 학교에 걸어가**곤 했다**.
	과거의 상태	There **used to** be a big tree near here.	이 근처에 큰 나무가 (예전에) **있었다**.

주의 used to가 과거의 습관을 나타낼 때는 would로 바꿔 쓸 수 있지만, 과거의 상태를 나타낼 때는 바꿔 쓸 수 없다.

서술형 빈출 조동사 used to와 동사 use를 사용하는 표현을 혼동하지 않도록 주의한다.

used to+동사원형 (~하곤 했다)	He **used to cook** fish for dinner.	그는 저녁 식사로 생선을 **요리하곤 했다**.
be used to+동사원형 (~하는 데 사용되다)	This pan **is used to cook** fish.	이 냄비는 생선을 **요리하는 데 사용된다**.
be used to -ing (~하는 데 익숙하다)	He **is used to cooking** fish.	그는 생선을 **요리하는 데 익숙하다**.

✔ 바로 개념 확인하기

A 밑줄 친 조동사의 의미 고르기

1 You <u>can</u> watch TV after dinner.
☐ 능력　　　☐ 허락　　　☐ 요청

2 Kate <u>may</u> be sick.
☐ 능력　　　☐ 허락　　　☐ 추측

3 She <u>must</u> be nervous about the test.
☐ 의무　　　☐ 허락　　　☐ 추측

B 우리말과 일치하도록 빈칸에 알맞은 말 고르기

1 너는 아무것도 할 필요가 없다.
→ You _____ do anything.
☐ must not　　　☐ don't have to

2 우리는 더 멀리 가지 않는 게 좋겠다.
→ We _____ go any further.
☐ had not better　　　☐ had better not

3 우리는 함께 테니스를 치곤 했다.
→ We _____ play tennis together.
☐ used to　　　☐ would rather

C 의미가 같도록 밑줄 친 말 바꿔 쓰기

1 Emily <u>can</u> play the flute well.
→ Emily _____ _____ _____ play the flute well.

2 You <u>must</u> wear a helmet when you ride a bike.
→ You _____ _____ wear a helmet when you ride a bike.

3 You <u>should not</u> skip breakfast.
→ You _____ _____ _____ skip breakfast.

| 배열 영작 |

[1~5] 우리말과 일치하도록 주어진 말을 배열하여 문장을 완성하시오.

1 너는 그 소문을 믿어서는 안 된다.
(believe, to, ought, not)　　*not의 위치 주의

→ You _____ that rumor.

2 너는 오늘 밤에 집에 머무는 것이 좋겠다.
(stay, had, at home, better)

→ You _____ tonight.

3 나는 차라리 지금 이것을 사지 않겠다.
(would, buy, rather, not)

→ I _____ this now.

4 그는 내일 일찍 올 필요가 없다.
(does, have, not, to, early, come)

→ He _____ tomorrow.

5 그녀는 쉽게 그 문제를 풀 수 있었다.
(solve, able, was, the problem, to)

→ She _____ easily.

| 문장 완성 |

[6~9] 우리말과 일치하도록 |보기|에서 알맞은 조동사와 주어진 말을 활용하여 문장을 완성하시오. (|보기|의 말은 한 번씩만 사용할 것)

| |보기| can   must   have to   used to |

6   John이 그녀의 남동생일 리가 없다. (her brother)

→ John _____.

7   저쪽 편에 놀이터가 있었다. (there, a playground)

→ _____
over there.

8   너는 이것에 대해 누구에게도 말해서는 안 된다.
(tell, anyone)

→ You _____
about this.

9   우리는 이번 금요일에 학교에 갈 필요가 없다.
(go to school)

→ We _____
this Friday.

| 오류 수정 |

[10~12] 어법상 또는 의미상 틀린 부분을 찾아 바르게 고쳐 쓰시오.

10   You had not better come home late.
(너는 집에 늦게 오지 않는 것이 좋겠다.)

_____ → _____

11   You don't have to use your cell phone in class.
(너는 수업 중에 휴대 전화를 사용해서는 안 된다.)

_____ → _____

12   He is used to call me late at night.
(그는 밤 늦게 내게 전화하곤 했었다.)

_____ → _____

| 문장 전환 |

[13~15] 주어진 문장과 의미가 같도록 지시에 맞게 바꿔 쓰시오.

13 have to를 사용할 것

He must finish this project tomorrow.

→ He _____ this project
tomorrow.

14 be able to를 사용할 것

She can bake cookies alone.

→ She _____ cookies alone.

15 used to를 사용할 것

There was a bookstore here. But it is not here
anymore.

→ There _____ a bookstore
here.

Unit 2 — 조동사+have p.p.

1 | should have p.p. |

should have p.p.는 '~했어야 했는데'라는 의미로 과거의 일에 대한 후회와 유감을 나타낸다.

You **should have told** the truth.	너는 진실을 말했어야 했는데.	*결국 그 일을 하지 않았다는 의미임
You **should not have told** the truth.	너는 진실을 말하지 말았어야 했는데.	*결국 그 일을 했다는 의미임

 서술형 빈출 should have p.p.는 과거의 일에 대한 후회나 유감을 나타내는 문장으로 바꿔 쓸 수 있다.
I **should have asked** her name. 나는 그녀의 이름을 물어봤어야 했는데.
= I **am sorry that** I **didn't** ask her name. 나는 그녀의 이름을 묻지 않아서 유감이다.
= I **regret that** I **didn't** ask her name. 나는 그녀의 이름을 묻지 않았던 것을 후회한다.

2 | must have p.p. |

must have p.p.는 '~했음에 틀림없다'라는 의미로 과거의 일에 대한 강한 추측을 나타낸다.

He **must have been** hungry.	그는 배가 고팠음에 틀림없다.
He **must have broken** the window.	그가 창문을 깨뜨렸음에 틀림없다.

 서술형 빈출 must have p.p.는 과거의 일에 대해 확신을 나타내는 문장으로 바꿔 쓸 수 있다.
I **must have left** my umbrella on the bus. 나는 버스에 내 우산을 두고 내렸음에 틀림없다.
= **It is certain that** I left my umbrella on the bus. 내가 버스에 내 우산을 두고 내렸던 것이 확실하다.
= **I am sure that** I left my umbrella on the bus. 나는 버스에 내 우산을 두고 내렸다고 확신한다.

3 | can't have p.p. |

can't have p.p.는 '~했을 리가 없다'라는 의미로 과거의 일에 대한 강한 의심을 나타낸다.

She **can't have stolen** your bike.	그녀가 너의 자전거를 훔쳤을 리가 없다.

주의 could have p.p.는 과거의 일에 대한 가능성을 나타낸다.
She **could have passed** the exam last year. 그녀는 작년에 시험을 통과할 수도 있었다.

4 | may(might) have p.p. |

may(might) have p.p.는 '~했을지도 모른다'라는 의미로 과거의 일에 대한 약한 추측을 나타낸다.

They **may(might) have seen** him.	그들은 그를 봤을지도 모른다.
He **may(might) have read** the book.	그는 그 책을 읽었을지도 모른다.

tips might have p.p.는 may have p.p.보다 좀 더 약한 추측의 의미를 나타낸다.

✔ **바로 개념** 확인하기

A 밑줄 친 말의 의미 고르기

1 Scott <u>should have brushed</u> his teeth.
- ☐ 닦았어야만 했다
- ☐ 닦았어야 했는데 안 닦았다

2 Judy <u>must have been angry</u> with me.
- ☐ 화를 내야만 했었다
- ☐ 화가 났었음에 틀림없다

3 He <u>can't have understood</u> the book.
- ☐ 이해할 수 없었다
- ☐ 이해했을 리가 없다

B 빈칸에 알맞은 말 고르기

1 Dave _____ have told a lie. He is honest.
- ☐ must
- ☐ can't

2 I'm so tired. I _____ have stayed up late.
- ☐ should
- ☐ should not

3 Judy didn't come to the meeting.
She _____ have forgotten it.
- ☐ must
- ☐ can't

C 우리말과 일치하도록 알맞은 조동사와 주어진 말 활용하여 빈칸에 쓰기

1 그 음식은 상했었을지도 모른다. (go)
→ The food _____ _____ _____ bad.

2 너는 어제 그 영화를 봤어야 했는데. (watch)
→ You _____ _____ _____ the movie yesterday.

3 아침 식사는 맛있었음에 틀림없다. (be)
→ The breakfast _____ _____ _____ delicious.

| 배열 영작 |

[1~5] 우리말과 일치하도록 주어진 말을 배열하여 문장을 완성하시오.

1 너는 어젯밤에 일찍 잠자리에 들었어야 했는데.
(bed, have, should, gone, to)

→ You _____ early last night.

2 누군가 실수를 했음에 틀림없다.
(have, must, made, a mistake)

→ Someone _____.

3 너는 휴대 전화를 교실에 두고 왔을지도 모른다.
(have, might, your cell phone, left)

→ You _____ in the classroom.

4 나는 그에게 무례하지 말았어야 했는데.
(have, should, been, not, rude)

→ I _____ to him.

5 그가 그것을 말했을 리가 없다.
(said, can't, have, that)

→ He _____

| 오류 수정 |

[6~8] 어법상 또는 의미상 **틀린** 부분을 찾아 바르게 고쳐 쓰시오.

6 You must have heard about this.
(너는 이것에 대해 들었을지도 모른다.)

_____ → _____

7 He should have not lied to me.
(그는 내게 거짓말을 하지 말았어야 했는데.)

_____ → _____

8 They must not have lost the game.
(그들이 경기에서 졌을 리가 없다.)

_____ → _____

| 문장 전환 |

[9~11] 주어진 문장과 의미가 같도록 must have p.p. 또는 should have p.p.를 사용하여 바꿔 쓰시오.

9 He regrets that he didn't go to the concert.

→ He _____ to the concert.

10 I am sure that it rained last night.

→ It _____ last night.

11 It is certain that she went to the shopping mall yesterday.

→ She _____ to the shopping mall yesterday.

| 문장 완성 |

[12~15] 우리말과 일치하도록 주어진 말을 활용하여 문장을 완성하시오. (알맞은 조동사를 추가할 것)

12 그들은 비행기를 놓쳤을지도 모른다. (miss)

→ They _____ the flight.

13 그는 혼자서 그것을 다했을 리가 없다. (do, it)

→ He _____ all by himself.

14 그들은 아무것도 먹지 말았어야 했는데.
(eat, anything)

→ They _____ .

15 누군가가 내 방에 들어왔었음에 틀림없다.
(come into)

→ Someone _____ my room.

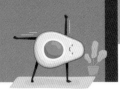
난이도별 서술형 문제

·············· **기 본** ··············

01 대화의 빈칸에 알맞은 말을 |보기|에서 골라 쓰시오.
(|보기|의 말은 한 번씩만 사용할 것)

| |보기| must   may   can |

(1) A I need some help. _____ you carry the
box, please?
B Sure.

(2) A James is not in his room. Where is he?
B I don't know. He _____ be in the yard.

02 우리말과 일치하도록 have to와 주어진 말을 활용하여
문장을 완성하시오.

(1) 우리는 버스를 잡기 위해 뛸 필요가 없다. (run)
→ We _____ to catch
the bus.

(2) 제가 내일까지 그 일을 끝마쳐야 하나요? (finish)
→ _____ the work
by tomorrow?

03 그림을 보고, 주어진 말을 활용하여 엄마의 말을 완성하
시오.

> It's raining. You _____
> your raincoat.

→ It's raining. You _____
your raincoat. (better, wear)

04 빈칸에 알맞은 말을 조건 에 맞게 쓰시오.

> 조건 1. 문맥에 맞는 조동사를 추가할 것
> 2. rain을 알맞은 형태로 바꿔 쓸 것

The street is wet. It _____
last night.

신유형
05 대화의 빈칸에 알맞은 말을 <A>와 <B>에서 하나씩 골
라 알맞은 형태로 바꿔 쓰시오.

| —<A>— | —<B>— |
| should   have to | leave   go |

A Why are you so late?
B I _____ to the library to
borrow some books.
A You _____ home earlier.
B I know. I'm really sorry.

·············· **심 화** ··············

06 |보기|에서 알맞은 조동사를 골라 주어진 말을 활용하여
문장을 완성하시오. (|보기|의 말은 한 번씩만 사용할 것)

| |보기| may   can   must |

(1) We have to swim across this river.
_____ you _____? (swim)

(2) Don't throw away this dictionary. Someone
_____ it. (need)

(3) Alice hasn't eaten anything all day. She
_____ now. (hungry)

07 우리말과 일치하도록 주어진 말을 배열하시오.

(1) 너는 너무 많이 먹지 않는 것이 좋겠다.

(eat, you, had, too much, better, not)

→ _____

(2) 우리는 그렇게 오래 기다릴 필요가 없다.

(don't, to, wait, we, so long, have)

→ _____

08 대화의 빈칸에 알맞은 말을 조건 에 맞게 쓰시오.

A I saw Sujin riding a bike in the park this morning.

B It _____ _____ _____ Sujin. She broke her leg a few days ago.

> 조건 1. be를 알맞은 형태로 바꿀 것
> 2. 문맥에 맞는 조동사를 추가할 것

09 어법상 틀린 부분을 찾아 바르게 고쳐 쓰시오.

(1) He was used to play table tennis when he was young. (그는 어렸을 때 탁구를 치곤 했다.)

_____ → _____

(2) I would not rather eat the cake.
(나는 차라리 그 케이크를 먹지 않겠다.)

_____ → _____

고난도
10 다음 글을 읽고, 조건 에 맞게 마지막 문장을 완성하시오.

> I had a sore throat yesterday. Mom told me to see a doctor, but I didn't. That was a mistake. I _____.

> 조건 1. 과거의 일에 대한 후회나 유감을 나타낼 것
> 2. 본문에 제시된 표현을 사용할 것
> 3. I를 포함하여 6단어의 완전한 문장으로 쓸 것

01 주어진 문장에 not을 넣어 문장을 다시 쓰시오.

(1) You had better tell the truth.

→ You _____.

(2) You ought to go there now.

→ You _____.

✔ 조동사 표현에 따라 not의 위치가 다르다는 것을 기억하자!

had better는 had better 다음에 not을 쓰지만, ought to 는 ought와 to 사이에 not을 쓴다.

02 어법 또는 의미에 맞게 문장을 바르게 고쳐 쓰시오.

> I was used to get up early.
> (나는 일찍 일어나곤 했다.)

→ _____

✔ 조동사 used to와 동사 use를 사용하는 표현을 헷갈리지 말자!

조동사 used to는 '~하곤 했다'라는 과거의 습관을 나타내고, 「be used to+동사원형」은 '~하는 데 사용되다'라는 의미를 나타낸다.

03 주어진 조건 에 맞게 문장을 완성하시오.

> 조건 1. 「조동사+have p.p.」를 사용할 것
> 2. must와 should 중 알맞은 조동사를 골라 쓸 것

I failed the exam because I didn't study hard. I _____ hard.

✔ 「조동사+have p.p.」에서 조동사에 따른 의미 차이를 꼭 기억하자!

must have p.p.를 쓰면 '공부를 열심히 했음에 틀림없다'라는 의미가 되고, should have p.p.를 쓰면 '공부를 열심히 했어야 했는데 하지 않았다'라는 의미가 된다. 주어진 상황에 적합한 말이 무엇일지 판단하여 알맞은 표현을 사용하자!

시험에 강해지는

실전 TEST

시험일	월	일
시간		/ 40분
문항 수	객관식 10 /	서술형 10
점수		/ 100점

01 빈칸에 공통으로 알맞은 것은? (3점)

> • You _____ turn off your cell phone in the theater.
> • She is smiling. She _____ be happy.

① can   ② may   ③ must
④ used to   ⑤ should

02 대화의 빈칸에 알맞은 것은? (3점)

> A My ankle really hurts.
> B You _____ put some ice on it right away.

① are able to   ② used to
③ would rather   ④ had better
⑤ don't have to

03 빈칸에 알맞은 것은? (4점)

> I don't have the key. I _____ it on my way home.

① had to lose   ② had better lose
③ don't have to lose   ④ might have lost
⑤ should have lost

04 우리말 의미가 알맞지 <u>않은</u> 것은? (4점)

① My grandfather used to be a soldier.
  → 나의 할아버지는 군인이셨다.
② You had better not go out late at night.
  → 너는 밤 늦게 나가지 않는 게 좋겠다.
③ We don't have to go to school tomorrow.
  → 우리는 내일 학교에 가면 안 된다.
④ He might call me tonight.
  → 그는 오늘 밤에 나에게 전화할지도 모른다.
⑤ I would rather stay at home and watch TV.
  → 나는 차라리 집에 머무르면서 TV나 봐야겠다.

05 의미가 같도록 바꿔 쓸 때, 알맞지 <u>않은</u> 것은? (4점)

① Edie can speak five languages.
  = Edie is able to speak five languages.
② You should exercise regularly.
  = You ought to exercise regularly.
③ You may stay at my house tonight.
  = You can stay at my house tonight.
④ We must be careful when we handle glass.
  = We have to be careful when we handle glass.
⑤ There used to be a big tree in front of the school.
  = There would be a big tree in front of the school.

06 빈칸에 알맞은 말이 순서대로 짝지어진 것은? (4점)

> • Ostriches have wings, but they ___(A)___ fly.
> • You ___(B)___ fill out the form with a pen.
> • I'm not sure, but David ___(C)___ be playing soccer now.

	(A)	(B)	(C)
①	can't	may	must
②	can't	must	may
③	may not	can	must
④	may not	must	can
⑤	must not	can	may

07 어법상 <u>틀린</u> 것은? (4점)

① You have to wear your seat belt.
② I have not to go to the doctor.
③ He had to cook dinner for us.
④ She has to look after her sister all day.
⑤ Do I have to go to the classroom now?

08 주어진 문장과 의미가 같은 것은? (4점)

> It is certain that they were at home last night.

① They had to be at home last night.
② They can't have been at home last night.
③ They must have been at home last night.
④ They should have been at home last night.
⑤ They didn't have to be at home last night.

고난도

09 대화의 밑줄 친 부분이 어색한 것은? (5점)

① A I didn't do well on the test today.
  B You must have studied last night.
② A I can't find my wallet.
  B You might have left it in the taxi.
③ A What's the matter?
  B My back hurts. I shouldn't have carried the boxes alone.
④ A I think John broke the window yesterday.
  B He can't have broken it. He went camping two days ago.
⑤ A Alice didn't call me back yesterday.
  B She must have forgotten to check her messages.

신유형

10 빈칸에 들어갈 조동사가 같은 것끼리 묶인 것은? (5점)

> ⓐ The workers worked all day. They _____ be tired.
> ⓑ It is cold in here. _____ you close the door?
> ⓒ You _____ have watched the match! It was really fantastic!
> ⓓ Jane won first place in the speech contest. She _____ have practiced hard.

① ⓐ, ⓑ   ② ⓑ, ⓒ   ③ ⓐ, ⓓ
④ ⓑ, ⓓ   ⑤ ⓒ, ⓓ

서술형

[서술형1] |보기|에서 알맞은 조동사를 골라 주어진 말을 활용하여 대화를 완성하시오. (6점, 각 2점)

> |보기| may   can't   must

(1) A I heard that Jim caught a bad cold.
  B Jim _____ sick. (be) I saw him jogging at the park this morning.

(2) A May I speak to Jason?
  B Sorry, but you _____ the wrong number. (have) There is no one here by that name.

(3) A John isn't in class. Do you know why?
  B I don't know. He _____ sick. (be)

신유형

[서술형2] 밑줄 친 말을 활용하여 대화를 완성하시오.
(6점, 각 3점)

(1) A I have to study tonight. The math test is tomorrow.
  B No, you _____ study tonight. The test was postponed until next Friday.

(2) A _____ go to the meeting now?
  B Yes, you have to go to Room 13 to attend the meeting.

[서술형3] 우리말과 일치하도록 주어진 말을 활용하여 문장을 쓰시오. (9점, 각 3점)

(1) 나는 차라리 파티에 가지 않겠다. (would, go)
  → I _____ to the party.

(2) 그가 그런 짓을 했을 리가 없다. (do)
  → He _____ such a thing.

(3) 너는 박물관에서 사진을 찍지 않아야 한다.
  (ought, take)
  → You _____ pictures in the museum.

[서술형4] 대화의 밑줄 친 말과 의미가 같도록 조건에 맞게 바꿔 쓰시오. (5점)

> A James plays the guitar very well.
> B I am pretty sure that he practiced a lot.

> 조건 1. 「조동사+have p.p.」를 사용할 것
> 2. He로 시작하는 6단어의 한 문장으로 쓸 것

→ _____

[서술형5] 밑줄 친 부분을 문맥에 맞게 고쳐 쓰시오. (6점, 각 3점)

(1) My brother has just had a whole pizza by himself. He must be hungry now.

→ _____

(2) You don't have to cross the street when the light is red.

→ _____

[서술형6] 주어진 문장과 의미가 같도록 조건에 맞게 바꿔 쓰시오. (6점)

> I regret that I didn't listen to my parents.

> 조건 1. 「조동사+have p.p.」를 사용할 것
> 2. I를 주어로 하고 총 7단어의 한 문장으로 쓸 것

→ _____

[서술형7] 대화를 읽고, 대화의 내용에 맞게 밑줄 친 부분을 고쳐 쓰시오. (4점)

> A Where was James last night? He didn't answer the phone.
> B I'm not sure. He must have gone to the library to study.

→ _____

신유형

[서술형8] 그림을 보고, |보기|에서 필요한 말을 골라 문장을 완성하시오. (중복 사용 가능) (6점, 각 3점)

<10 years ago>　　　　<now>

| |보기| | used | there | be | to | climb |

(1) _____ a big tree in front of the house 10 years ago.

(2) She _____ the tree when she was young.

[서술형9] 대화의 밑줄 친 우리말과 일치하도록 주어진 말을 활용하여 문장을 완성하시오. (6점, 각 3점)

> A Excuse me. Is this the right train going to Sadang Station?
> B (1) 오, 당신은 2호선을 탔어야 했는데. (2) 당신은 세 정거장을 더 가야 합니다. Then you can transfer to Line Number 2.
> A Thank you so much.

(1) Oh, you _____ Line Number 2. (take)

(2) You _____ three more stations. (have, go)

고난도

[서술형10] 주어진 글의 마지막 질문에 대한 답을 조건에 맞게 쓰시오. (6점)

> It is snowing a lot. Your brother is going out without his umbrella. What would you say to him?

> 조건 1. had better와 take를 사용할 것
> 2. 6단어로 된 완전한 문장으로 쓸 것

→ _____

CHAPTER

03

to부정사 Ⅰ

Unit 1 to부정사의 용법

Unit 2 to부정사 구문

to부정사는 「to+동사원형」의 형태로, 문장에서 명사, 형용사, 부사처럼 쓰인다.

| 명사적 용법 | I like **to study** English.
나는 영어를 **공부하는 것을** 좋아한다. |

| 형용사적 용법 | It is time **to study** English.
영어를 **공부할** 시간이다. |

| 부사적 용법 | I will go to New York **to study** English.
나는 영어를 **공부하기 위해** 뉴욕에 갈 것이다. |

Unit 1

to부정사의 용법

| to부정사의 명사적 용법 |

1 **to부정사는 명사처럼 쓰여 주어, 목적어, 보어 역할을 한다.**

주어	**To make good friends** is important. = **It** is important **to make good friends**. 가주어 진주어	좋은 친구를 사귀는 것은 중요하다. *to부정사가 주어로 쓰인 경우에는 3인칭 단수 취급하여 단수 동사를 쓴다.
목적어	I want **to make good friends**.	나는 좋은 친구를 사귀는 것을 원한다.
보어	My goal is **to make good friends**.	나의 목표는 좋은 친구를 사귀는 것이다.

 서술형 빈출 「의문사+to부정사」는 문장에서 명사처럼 쓰이고, 「의문사+주어+should+동사원형」으로 바꿔 쓸 수 있다.
He didn't know **how to cook**. 그는 어떻게 요리해야 할지 몰랐다.
= He didn't know **how he should cook**.

| to부정사의 형용사적 용법 |

2 **to부정사는 형용사처럼 쓰여 앞에 있는 명사를 수식한다.**

명사+to부정사	I need something **to drink**. 나는 **마실** 무언가가 필요하다.
명사+to부정사+전치사	I need something **to sit on**. 나는 **앉을** 무언가가 필요하다.
-thing+형용사+to부정사	I need something hot **to drink**. 나는 **마실** 뜨거운 무언가가 필요하다.

암기 노트 「명사+to부정사+전치사」

a toy **to play** with	가지고 놀 장난감
a fork **to eat** with	먹는 데 쓸 포크
paper **to write** on	쓸 종이
a pen **to write** with	쓸 펜
a house **to live** in	살 집
a friend **to talk** to	이야기할 친구
a bag **to put** things in	물건을 넣을 가방

| to부정사의 부사적 용법 |

3 **to부정사는 부사처럼 쓰여 문맥에 따라 다양한 의미를 나타낸다.**

목적 (~하기 위해서) = in order to = so as to	He studied hard (**in order**) **to pass** the exam.	그는 시험에 **통과하기 위해** 열심히 공부했다.
감정의 원인 (~해서)	She was happy **to meet** BTS.	그녀는 BTS를 **만나서** 행복했다.
판단의 근거 (~하다니)	He must be foolish **to believe** them.	그들을 **믿다니** 그는 어리석음이 틀림없다.
결과 (~해서 …하다)	The girl grew up **to be** a famous artist.	그 소녀는 자라서 유명한 예술가가 **되었다**.
형용사 수식 (~하기에)	This book is easy **to understand**.	이 책은 **이해하기에** 쉽다.

✔ 바로 개념 확인하기

A 밑줄 친 to부정사의 용법 고르기

1 My dream is <u>to become a movie director</u>.
☐ 명사적 용법　　　　☐ 형용사적 용법

2 We were surprised <u>to hear the news</u>.
☐ 형용사적 용법　　　☐ 부사적 용법

3 It is not easy <u>to take care of a pet</u>.
☐ 명사적 용법　　　　☐ 부사적 용법

4 There are many friends <u>to help you</u>.
☐ 형용사적 용법　　　☐ 부사적 용법

B 밑줄 친 부분의 의미 고르기

1 She has no time <u>to sleep</u> these days.
☐ 잠을 잘　　　　　　☐ 잠을 자기 위해서

2 I felt sad <u>to hear the news</u>.
☐ 그 소식을 들은　　　☐ 그 소식을 들어서

3 It is important <u>to manage time well</u>.
☐ 시간을 잘 관리하는 것은
☐ 시간을 잘 관리하기 위해서

C 우리말과 일치하도록 주어진 말 활용하여 쓰기

1 나는 뭐라고 말해야 할지 모르겠다. (what, say)
→ I don't know _____ _____ _____.

2 나는 마실 차가운 무언가가 필요하다.
(drink, cold, something)
→ I need _____ _____ _____.

3 그녀는 쓸 펜이 없다. (write, with)
→ She doesn't have a pen _____ _____
_____.

| 배열 영작 |

[1~5] 우리말과 일치하도록 주어진 말을 배열하여 문장을 완성하시오.

1 네 약속을 지키는 것은 필요하다.
(necessary, it, keep, to, is)

→ _____ your promises.

2 나는 이 책들을 넣을 가방이 필요하다.
(a bag, put, these books, to, in)

→ I need _____.

3 그녀는 읽을 재미있는 무언가를 샀다.
(interesting, to, something, read)

→ She bought _____.

4 우리는 먹는 데 쓸 숟가락이 없다.
(eat, to, spoons, with)

→ We don't have _____.

5 그들은 우리를 거기에서 봐서 놀랐다.
(surprised, were, see, to, us)

→ They _____ there.

│ 문장 전환 │

[6~8] 주어진 문장과 의미가 같도록 지시에 맞게 바꿔 쓰시오.

6 가주어 it을 사용할 것

> To have a dream is important.

→ It _____ .

7 to부정사를 사용할 것

> I don't know how I should get there.

→ I don't know _____ there.

8 should를 포함할 것

> Tell me what to do now.

→ Tell me _____ now.

│ 오류 수정 │

[9~11] 어법상 <u>틀린</u> 부분을 찾아 바르게 고쳐 쓰시오.

9 I have important something to tell you.

_____ → _____

10 They found a new house to live last month.

_____ → _____

11 To watch their games are exciting.

_____ → _____

│ 문장 완성 │

[12~15] 우리말과 일치하도록 주어진 말을 활용하여 문장을 완성하시오.

12 그는 휴일에 어디로 갈지 결정할 수 없다.
(can't, go, decide, to)

→ He _____
for the holidays.

13 시끄러운 곳에서 집중하기는 불가능하다.
(impossible, concentrate, it)

→ _____
in a noisy place.

14 그 아이들은 가지고 놀 장난감들을 찾고 있다.
(toys, play)

→ The kids are looking for _____ .

15 그는 자라서 유명한 배우가 되었다.
(grow up, be, a famous actor)

→ He _____

to부정사 구문

1 to부정사의 의미상의 주어는 to부정사 앞에 「for / of+목적격」으로 나타낸다.

의미상의 주어			
for+목적격	It is easy to help him. It is easy **for me** to help him.	그를 돕는 것은 쉽다. **내가** 그를 돕는 것은 쉽다.	
of+목적격	It is rude to do so. It is rude **of her** to do so.	그렇게 행동하는 것은 무례하다. **그녀가** 그렇게 행동하는 것은 무례하다.	

↳ 사람의 성격이나 태도를 나타내는 형용사

> 암기 노트 「of+목적격」을 쓰는 형용사
> kind, nice, wise, clever, foolish, rude, careless, polite, considerate 등

2 too ~ to와 enough to는 so ~ that 구문으로 바꿔 쓸 수 있다.

too+형용사/부사+**to**+동사원형 = **so**+형용사/부사+**that**+주어+**can't**+동사원형 (너무 ~해서 …할 수 없다)	He is **too** young **to understand** it. = He is **so** young **that** he **can't** understand it. 그는 **너무** 어려서 그것을 이해할 **수 없다**. The box was **too** big **for me to carry.** = The box was **so** big **that I couldn't** carry it. 그 상자는 **너무** 커서 내가 옮길 **수 없었다**. ↳ 의미상의 주어가 that절의 주어가 된다.
형용사/부사+**enough**+**to**+동사원형 = **so**+형용사/부사+**that**+주어+**can**+동사원형 (…할 만큼 충분히 ~하다)	He is old **enough to understand** it. = He is **so** old **that** he **can** understand it. 그는 그것을 이해할 **수 있을** 만큼 **충분히** 나이를 먹었다. The box was small **enough for me to carry.** = The box was **so** small **that I could** carry it. 그 상자는 내가 옮길 **수 있을** 만큼 **충분히** 작았다.

3 seem to는 '~하는 것처럼 보이다'라는 의미로 It seems that ~으로 바꿔 쓸 수 있다.

주어+**seem to**+동사원형
= **It seems that**+주어+동사
(~하는 것처럼 보이다, ~인 것 같다)
	He **seems to be** tired. 그는 피곤한 것처럼 **보인다**.
	            ↳ 주절과 시제 일치
	= **It seems that** he is tired.
	
	He **seemed to be** tired. 그는 피곤한 것처럼 **보였다**.
	            ↳ 주절과 시제 일치
	= **It seemed that** he was tired.

바로 개념 확인하기

A for와 of 중 알맞은 말 골라 쓰기

1 It is very hard _____ me to get up early.

2 It was so nice _____ you to invite her to dinner.

3 It was foolish _____ him to make the same mistake.

4 It was impossible _____ us to solve the problem.

B 빈칸에 알맞은 말 고르기

1 It is _____ warm to wear a jacket.
☐ so   ☐ too

2 Jake is _____ to go to school.
☐ enough old   ☐ old enough

3 Angela seems _____ a cold.
☐ having   ☐ to have

4 The coffee was too hot _____.
☐ to drink   ☐ to drink it

C 밑줄 친 부분과 바꿔 쓸 수 있는 것 고르기

1 He is so strong that he can lift a car.
☐ too strong to lift
☐ strong enough to lift

2 This shirt is so small that I can't wear it.
☐ too small to wear it
☐ too small for me to wear

3 It seems that she gets along well with him.
☐ She seems to get along well
☐ She seems getting along well

배열 영작

[1~5] 우리말과 일치하도록 주어진 말을 배열하여 문장을 완성하시오.

1 내가 우산을 버스에 두고 내린 것은 부주의했다.
(was, me, of, leave, careless, to, it)

→ _____

　　the umbrella on the bus.

2 우리가 일주일 안에 이 일을 끝내는 것은 불가능하다.
(impossible, is, us, for, finish, it, to)

→ _____

　　this work in a week.

3 그녀는 여기 있는 모두를 아는 것처럼 보인다.
(seems, it, that, knows, she)

→ _____ everyone

　　here.

4 그녀는 학생 선거에서 당선될 만큼 충분히 인기가 있었다. (to, enough, popular, win)

→ She was _____ the

　　student election.

5 너무 어두워서 나는 그의 얼굴을 볼 수 없었다.
(me, dark, for, too, see, to)

→ It was _____

　　his face.

| 문장 전환 |

[6~8] 주어진 문장을 to부정사를 사용하여 바꿔 쓰시오.

6 He is so smart that he can win the quiz show.

→ He is _____
the quiz show.

7 The ramen is so spicy that he can't eat it.

→ The ramen is _____ .

8 It seems that the chocolate cake tastes good.

→ The chocolate cake _____ .

[9~11] 주어진 문장을 that절을 사용하여 바꿔 쓰시오.

9 We were too tired to walk anymore.

→ We _____
anymore.

10 She is tall enough to reach the top shelf.

→ She _____
the top shelf.

11 They seemed to be happy with the results.

→ It _____
with the results.

| 오류 수정 |

[12~15] 어법상 틀린 부분을 찾아 바르게 고쳐 쓰시오.

12 It was wise for you to ask for help.

_____ → _____

13 She is enough rich to buy a big house.

_____ → _____

14 The desk is too old that we can't use it.

_____ → _____

15 It is not easy of him to make new friends.

_____ → _____

난이도별 서술형 문제

························· 기 본 ·························

01 우리말과 일치하도록 주어진 말을 배열하시오.

(1) 우리는 저녁으로 먹을 것이 없다.

(nothing, to, have, eat)

→ We _____ for dinner.

(2) 그는 이 책들을 넣을 상자가 필요하다.

(these books, a box, to, in, put)

→ He needs _____ .

02 주어진 문장과 의미가 같도록 to부정사를 사용하여 바꿔 쓰시오.

(1) I don't know what I should do next.

→ I don't know _____ next.

(2) I want to learn how I should play the guitar.

→ I want to learn _____ .

03 어법상 틀린 부분을 찾아 바르게 고쳐 쓰시오.

(1) It was rude for him to leave the table early.

_____ → _____

(2) The water is enough clean to drink.

_____ → _____

04 주어진 문장과 의미가 같도록 too ~ to 구문을 사용하여 바꿔 쓰시오.

(1) I am so tired that I can't go to the park.

→ I am _____ .

(2) The plate was so hot that she couldn't touch it.

→ The plate was _____ .

05 그림을 보고, 조건 에 맞게 문장을 완성하시오.

> 조건   1. to부정사를 사용할 것
> 2. glad, get을 반드시 쓸 것

She was _____

_____ from him.

························· 심 화 ·························

06 괄호 안의 말을 배열하여 대화를 완성하시오.

(1) A Have you decided _____

_____ ? (to, for, London, leave, when)

B Yes, I will leave next Monday.

(2) A What's wrong? You look sad.

B I have _____ .

(to, no, talk, friend, to)

신유형 고난도

07 대화의 빈칸에 알맞은 말을 조건 에 맞게 쓰시오.

> 조건   1. too ~ to 또는 enough to 구문을 사용할 것
> 2. difficult, smart, solve를 사용할 것
> 3. 의미상의 주어가 필요한 경우에는 추가할 것

A Can you help me with this math problem, Dad? This is _____ .

B Sure, let me see. It is not that difficult. You are _____ . Why don't you try one more time?

08 두 문장의 의미가 같도록 주어진 말로 시작하여 문장을 쓰시오.

(1) You seem to know a lot about music.

= It seems _____ about music.

(2) He seemed to be sick.

= It seemed _____ .

신유형

09 이메일의 밑줄 친 우리말과 일치하도록 주어진 말을 활용하여 문장을 완성하시오.

New Message

To   Cc   Bcc
Subject

Hi, Susan. I want to thank you for your kindness. When I lost my dog in the park, you looked for him with me. (1) 네가 나를 도와준 것은 매우 친절했어. (2) 너 같은 친구가 있어서 나는 매우 운이 좋아.

With love,
Kate

Send

(1) It was very _____ .
(kind, help)

(2) I am so _____ like you. (lucky, have)

10 어법상 또는 의미상 틀린 문장 두 개를 골라 기호를 쓰고, 틀린 부분을 바르게 고쳐 쓰시오.

ⓐ This soup is too hot to eat.
ⓑ He studied hard to become a doctor.
ⓒ We were very happy in order to win the match.
ⓓ This book is not easy enough of you to understand.

(   ) _____ → _____

(   ) _____ → _____

함정이 있는 문제

01 어법상 틀린 부분을 찾아 바르게 고쳐 쓰시오.

> To get up early on Sundays are not easy for me.

_____ → _____

✔ to부정사구가 주어로 쓰인 경우에는 무조건 3인칭 단수 취급한다!

to부정사가 주어로 쓰인 경우에는 to부정사구 전체를 3인칭 단수 취급한다. 동사 바로 앞에 있는 단어 Sundays에 속지 말자!

02 우리말과 일치하도록 주어진 말을 배열하여 문장을 완성하시오.

그는 차를 운전할 만큼 충분히 나이가 들지 않았다.

(a car, not, enough, drive, old, to)

→ He is _____ .

✔ not의 위치에 주의하자!

to부정사가 있다고 무조건 to 앞에 not을 쓰지 않도록 주의하자! not to drive로 쓰면 '운전을 할 수 없다'는 의미가 된다.

03 두 문장의 의미가 같도록 바꿔 쓰시오.

Tom was too full to eat any more.

→ Tom was _____ _____ that he _____ _____ any more.

✔ to부정사구를 that절로 바꿀 때, that절의 시제에 주의하자!

to부정사를 that절로 바꿀 때, to부정사의 동사는 주절의 시제에 맞춰 동사의 형태를 바꿔야 하는 것을 명심하자!

시험에 강해지는

실전 TEST

시험일		월	일
시간			/ 40분
문항 수	객관식 10	/	서술형 10
점수			/ 100점

01 빈칸에 공통으로 알맞은 것은? (3점)

> • It is important _____ me to win the prize.
> • This science magazine is difficult _____ him to read.

① to   ② for   ③ of
④ with   ⑤ by

02 |보기|의 밑줄 친 부분과 용법이 같은 것은? (3점)

> |보기| I need a basket to put these oranges in.

① I have nothing to say to you.
② I am pleased to see you again.
③ This coffee machine is easy to use.
④ It is impossible to do it by tomorrow.
⑤ He went to the market to buy some fruits.

03 두 문장의 의미가 같도록 할 때, 빈칸에 알맞은 것은? (3점)

> It seems that David is surprised because of the news.
> = David seems _____ because of the news.

① surprise
② to surprise
③ to surprised
④ be surprised
⑤ to be surprised

04 우리말과 일치하도록 할 때, 빈칸 ⓐ에 들어갈 말로 알맞은 것은? (4점)

> 네가 그렇게 말한 것은 현명했다.
> → It _____ wise _ⓐ_ _____ _____ say so.

① of   ② be   ③ to
④ for   ⑤ you

05 두 문장의 의미가 서로 다른 것은? (4점)

① To go camping is very exciting.
 = It is very exciting to go camping.
② My friend swims every day to stay healthy.
 = My friend swims every day in order to stay healthy.
③ She seems to know a lot about him.
 = It seems that she knows a lot about him.
④ This book is so interesting that they can finish it in a day.
 = This book is too interesting for them to finish in a day.
⑤ Can you tell me how to use this machine?
 = Can you tell me how I should use this machine?

06 대화의 빈칸에 알맞은 말이 순서대로 짝지어진 것은? (4점)

> **A** Can you carry the boxes with me?
> They are _____ heavy for me to carry.
> **B** Sure. I'm strong _____ to carry them by myself.
> **A** Thank you so much.

① too – so   ② too – enough
③ so – so   ④ so – too
⑤ enough – enough

07 주어진 문장과 의미가 같도록 바르게 바꿔 쓴 것은? (4점)

> This pen is too expensive for him to buy.

① This pen is so expensive that I can buy.
② This pen is so expensive that I can't buy it.
③ This pen is so expensive that he can't buy.
④ This pen is so expensive that he can buy it.
⑤ This pen is so expensive that he can't buy it.

고난도

08 어법상 틀린 것끼리 묶인 것은? (5점)

ⓐ It is impossible for me to finish the work.
ⓑ It was very nice for you to help me.
ⓒ This milk is too hot me to drink.
ⓓ He was disappointed to fail the test.
ⓔ I took the subway to get there on time.

① ⓐ, ⓑ   ② ⓑ, ⓒ   ③ ⓑ, ⓒ, ⓓ
④ ⓑ, ⓒ, ⓔ   ⑤ ⓐ, ⓓ, ⓔ

신유형 **고난도**

09 주어진 문장에 대한 각 사람의 설명 중 알맞지 <u>않은</u> 것을 <u>모두</u> 고르면? (5점)

ⓐ The room is big enough for everyone sleep in.
ⓑ Would you like cold something to drink?

① 은우: ⓐ는 enough to 구문이므로 sleep 앞에 to를 써야 해.
② 지현: ⓑ에서 something은 drink의 목적어이므로 to drink something으로 써야 해.
③ 우주: ⓐ에서 전치사 in 다음에 it을 추가해야 해.
④ 소미: ⓑ에서 -thing으로 끝나는 단어는 형용사가 뒤에서 수식하므로 something cold로 써야 해.
⑤ 익준: ⓐ는 The room is so big that everyone can sleep in it.으로 바꿔 쓸 수 있어.

10 밑줄 친 ①~⑤ 중 어법상 <u>틀린</u> 것은? (5점)

Do you want ①to be a writer? Then, you need ②to have a pen ③to write all the time. When something comes to mind, it is very important ④to write it at once. Keep that in mind ⑤in order to be a good writer.

[서술형1] 그림을 보고, 각 사람이 할 말을 주어진 말을 활용하여 완성하시오. (6점, 각 3점)

(1)

I need _____
_____.
(a spoon, eat)

(2)

I need _____
_____.
(warm, something, wear)

[서술형2] 우리말과 일치하도록 **조건**에 맞게 쓰시오.
(6점, 각 3점)

조건   1. It으로 시작하는 완전한 문장으로 쓸 것
         2. 주어진 단어를 반드시 포함할 것

(1) 영어를 배우는 것은 어렵다. (difficult, learn)
  → _____

(2) 네가 말을 타는 것은 위험하다. (dangerous, ride)
  → _____

[서술형3] |보기|에서 알맞은 말을 골라 자연스러운 문장이 되도록 알맞은 형태로 바꿔 쓰시오. (6점, 각 2점)

|보기| go to bed early   be ninety
        send an email

(1) Tom turned on the computer _____.

(2) My grandmother lived _____.

(3) He must be tired _____.

[서술형 **4**] 두 문장의 의미가 같도록 to부정사를 사용하여 문장을 완성하시오. (6점, 각 3점)

(1) It is so dark that I can't read the letter.

= It is too _____ the letter.

(2) This article is so easy that he can read it.

= This article is _____ .

[서술형 **5**] 우리말과 일치하도록 주어진 말을 배열하여 문장을 완성하시오. (6점, 각 3점)

(1) 결승 경기는 우리가 보기에 흥미진진했다.
(us, for, exciting, was, watch, to)

→ The final match _____ .

(2) 그가 그녀에게 전화하지 않았던 것은 어리석었다.
(not, him, her, foolish, to, of, call)

→ It was _____ .

고난도
[서술형 **6**] 주어진 말을 활용하여 대화를 완성하시오. (6점, 각 3점)

(1) A Can you go jogging with me?

B No, I can't. I'm _____ .
(too, tired, to)

(2) A This house is very old. There is no one in it.

B Yes, nobody _____ .
(seem, live, here)

[서술형 **7**] 어법상 틀린 문장 두 개를 골라 기호를 쓰고, 틀린 부분을 바르게 고쳐 쓰시오. (6점, 각 3점)

ⓐ I don't know how to ride a bike.
ⓑ I need a place to live when I move to Busan.
ⓒ Can you tell me what to doing next?
ⓓ Do you have a chair to sit on?

( ) _____ → _____

( ) _____ → _____

[서술형 **8**] 그림을 보고, 조건에 맞게 문장을 완성하시오.
(8점, 각 4점)

조건 1. (1)은 to부정사를, (2)는 that을 사용할 것
2. short, ride, the roller coaster를 포함할 것
3. 두 문장 모두 같은 의미를 나타낼 것

(1) The boy is _____ .

(2) The boy is _____ .

[서술형 **9**] 밑줄 친 ⓐ~ⓓ 중 어법상 틀린 것을 골라 기호를 쓰고, 바르게 고쳐 쓰시오. (5점)

A Excuse me. Can you tell me ⓐ<u>how to get to City Hall</u>?

B Sure. Taking the subway is the easiest way ⓑ<u>to get there</u>.

A Oh, thank you. Then, where is the nearest subway station?

B It's just around the corner. The subway station is ⓒ<u>easy to find</u>.

A It's so nice ⓓ<u>for you to help me</u>. Thank you.

( ) → _____

고난도
[서술형 **10**] 밑줄 친 우리말을 조건에 맞게 쓰시오. (5점)

Chanho likes to listen to classical music. When I ask him about classical music, he always answers my questions. <u>그는 클래식 음악에 대해 많이 알고 있는 것처럼 보인다.</u>

조건 1. He seems로 시작하고 a lot을 포함할 것
2. 9단어의 완전한 문장으로 쓸 것

→ _____

CHAPTER

04

to부정사 Ⅱ

Unit 1 다양한 형태의 목적격보어

Unit 2 to부정사와 동명사

to부정사는 목적어를 보충 설명하는 목적격보어로 쓰일 수 있다. 문장의 동사에 따라 목적격보어로 to부정사, 동사원형, 분사 등을 쓸 수 있다.

| want 등 | My mom **wants** me **to study** English.
엄마는 내가 영어를 **공부하기를 원하신다.** |

| 지각동사 | My mom **saw** me **studying** English.
엄마는 내가 영어를 **공부하고 있는 것을 보셨다.** |

| 사역동사 | My mom **made** me **study** English.
엄마는 내가 영어를 **공부하게 시키셨다.** |

다양한 형태의 목적격보어

| want + 목적어 + to부정사 |

1 **want, ask, allow, tell 등은 목적격보어로 to부정사를 쓴다.**

	목적어	목적격보어	
I want	him	**to be** a singer.	나는 그가 가수가 **되기**를 원한다.
		to go there.	나는 그가 거기에 **가기**를 원한다.

암기 노트 목적격보어로 to부정사를 쓰는 동사

want (원하다)	allow (허락하다)
tell (말하다)	expect (기대하다)
ask (요청하다)	order (명령하다)
advise (충고하다)	force (강요하다)
persuade (설득하다)	encourage (격려하다)

| 지각동사 + 목적어 + 동사원형 / 현재분사 |

2 **지각동사는 목적격보어로 동사원형이나 현재분사를 쓴다.**

	목적어	목적격보어	
I saw	him	**play** the piano.	나는 그가 피아노를 **치는 것**을 **봤다**.
		playing the piano.	

암기 노트 지각동사

see, watch, look at	보다
hear, listen to	듣다
feel	느끼다
notice	알아차리다

tips 목적격보어로 현재분사를 쓰는 이유: 진행 중인 동작임을 강조하기 위해 쓴다.

서술형 빈출 목적어와 목적격보어가 수동의 관계일 때는 목적격보어로 과거분사를 쓴다.
I heard <u>my name</u> **called**. 나는 내 이름이 **불려지는 것**을 들었다.
　　　　　목적어　　목적격보어(수동)

| 사역동사 + 목적어 + 동사원형 |

3 **사역동사는 목적격보어로 동사원형을 쓴다.**

	사역동사	목적어	목적격보어		
He	**made**	us	**clean** the room.	그는 우리가 방을 **청소하게**	시켰다.
	had				했다.
	let				허락했다.

주의 get이 '~를 …하게 하다'라는 의미의 사역동사로 쓰일 때는 목적격보어로 to부정사를 쓴다.
He **got** us **to clean** the room. 그는 우리가 방을 **청소하게 했다**.

서술형 빈출 목적어와 목적격보어가 수동의 관계일 때는 목적격보어로 과거분사를 쓴다.
He had <u>me</u> **wash** his car. 그는 내가 그의 차를 **세차하게** 했다.
　　　　목적어 목적격보어(능동)
He had <u>his car</u> **washed**. 그는 그의 차를 **세차되게** 했다.
　　　　목적어 목적격보어(수동)

tips help는 목적격보어로 to부정사와 동사원형을 모두 쓸 수 있다.
I **helped** him **(to) move** the box. 나는 그가 그 상자를 **옮기는 것**을 도왔다.

✔ 바로 개념 확인하기

A 목적격보어에 밑줄 긋기

1 She asked him to be quiet.

2 Mom had me wash my hands.

3 I saw Emily whisper something to Tom.

4 Dave helped me to study English.

B 빈칸에 알맞은 말 고르기

1 I saw him _____ the street.
☐ crossing   ☐ to cross

2 The doctor advised him _____ regularly.
☐ exercise   ☐ to exercise

3 Olivia let her dog _____ on her bed.
☐ sleep   ☐ to sleep

4 Jason had his bike _____.
☐ fixing   ☐ fixed

5 She got me _____ the bag.
☐ carry   ☐ to carry

C 주어진 말을 알맞은 형태로 바꿔 쓰기

1 His parents won't allow him _____ camping with his friends. (go)

2 I felt someone _____ my shoulder. (touch)

3 The teacher had the desks _____ to another classroom. (move)

| 배열 영작 |

[1~5] 우리말과 일치하도록 주어진 말을 배열하여 문장을 완성하시오.

1 그녀는 그에게 그 사진들을 이메일로 보내줄 것을 요청했다. (asked, to, the pictures, him, send)

→ She _____
by email.

2 엄마는 내가 헬멧 없이 자전거 타는 것을 허락하지 않으신다. (allow, to, my bike, me, ride, doesn't)

→ My mom _____
without a helmet.

3 내 친구가 그녀를 이 동아리에 가입하게 했다.
(join, to, got, her)

→ My friend _____ this club.

4 우리는 그가 버스 정류장에 서 있는 것을 봤다.
(standing, saw, him, we)

→ _____ at the bus stop.

5 그들은 라디오에서 연주되는 음악을 듣고 있다.
(listening to, played, the music)

→ They are _____
on the radio.

| 오류 수정 |

[6~9] 어법상 **틀린** 부분을 찾아 바르게 고쳐 쓰시오.

6 I told him be careful.

_____ → _____

7 He had his tablet PC fix.

_____ → _____

8 She heard someone to knock on the door.

_____ → _____

9 I helped her finding her bag yesterday.

_____ → _____

| 문장 완성 |

[10~13] 우리말과 일치하도록 주어진 말을 활용하여 문장을 완성하시오.

10 내가 스트레스를 받을 때, 초콜릿은 나를 기분 좋게 만든다. (make, chocolate, feel good)

→ _____

when I'm stressed.

11 우리는 바닥이 흔들리는 것을 느꼈다.
(feel, the floor, shake)

→ We _____.

12 그녀는 우리가 파티에 가지 않기를 원했다.
(want, go, not)

→ She _____ to
the party.

13 그는 그의 자전거가 수리되게 했다.
(his bike, repair, have)

→ He _____.

| 문장 전환 |

[14~15] 주어진 문장과 의미가 같도록 지시에 맞게 바꿔 쓰시오.

14 make 대신 get을 쓸 것

My sister makes me wash the dishes every evening.

→ My sister _____
every evening.

15 allow 대신 let을 쓸 것

He didn't allow us to enter his room.

→ He didn't _____

Unit 2

to부정사와 동명사

| 동명사 또는 to부정사를 목적어로 취하는 동사 |

1 목적어로 to부정사 또는 동명사만 취하는 동사들이 있다.

목적어	
to부정사	I want **to swim** in the sea. 나는 바다에서 **수영하기를** 원한다.
동명사	I enjoy **swimming** in the sea. 나는 바다에서 **수영하기를** 즐긴다.

암기 노트　to부정사 또는 동명사만 목적어로 취하는 동사

동사+to부정사		동사+동명사	
agree to	**decide** to	**avoid** -ing	**consider** -ing
expect to	**hope** to	**enjoy** -ing	**finish** -ing
manage to	**need** to	**keep** -ing	**mind** -ing
plan to	**promise** to	**quit** -ing	**practice** -ing
tend to	**want** to	**stop** -ing	**give up** -ing

주의 begin, continue, hate, like, love, prefer, start 등은 to부정사와 동명사를 모두 목적어로 취할 수 있다.
They continued **to talk(talking)** on the phone.　그들은 전화로 **이야기하는 것을** 계속했다.

| 목적어의 형태에 따라 의미가 달라지는 동사 |

2 remember, forget, try는 목적어의 형태에 따라 의미가 달라진다.

I remember	**to meet** you.	나는 너를 **만날** 것을 기억한다.
	meeting you.	나는 너를 **만난** 것을 기억한다.
I tried	**to fix** it.	나는 그것을 **고치려고 노력했다.**
	fixing it.	나는 그것을 **고치려고 (한번) 해 봤다.**

암기 노트　목적어의 형태에 따른 의미

remember to	~**할 것을** 기억하다
remember -ing	~**한 것을** 기억하다
forget to	~**할 것을** 잊다
forget -ing	~**한 것을** 잊다
try to	~**하려고 노력하다**
try -ing	(시험 삼아) ~**해 보다**

주의 stop은 동명사만을 목적어로 취하는 동사이다. stop 다음에 오는 to부정사는 목적을 나타내는 부사적 용법으로 목적어가 아닌 것에 유의한다.
She stopped **talking** with him.　그녀는 그와 **이야기하는 것을** 멈췄다.
She stopped **to talk** with him.　그녀는 그와 **이야기하기 위해** (하던 일을) 멈췄다.

| 동명사의 관용 표현 |

3 동명사가 쓰이는 관용 표현은 형태와 의미를 외워 둔다.

He **can't help falling** in love with her.
그는 그녀와 사랑에 **빠지지 않을 수 없다.**
전치사
I **look forward to seeing** you again.
나는 너를 다시 **만나기를 고대한다.**

I **am used to going** to work by bus.
나는 버스를 타고 일하러 **가는 데 익숙하다.**

암기 노트　동명사의 관용 표현

can't help -ing	~하지 않을 수 없다
look forward to -ing	~하기를 고대하다
be used to -ing	~하는 데 익숙하다
be worth -ing	~할 가치가 있다
on -ing	~하자마자
spend+시간/돈+-ing	~하는 데 시간/돈을 쓰다

주의 관용 표현에 전치사 to가 포함된 경우, to부정사로 혼동하지 않도록 반드시 -ing까지 같이 암기하도록 한다.

✔ 바로 개념 확인하기

A 빈칸에 알맞은 말 고르기

1 You'd better quit _____ computer games.
☐ playing   ☐ to play

2 Peter decided _____ the drama club.
☐ joining   ☐ to join

3 I can finish _____ the report in an hour.
☐ writing   ☐ to write

B 우리말과 일치하도록 알맞은 말 고르기

1 너는 전에 그 영화를 봤던 것을 기억하니?
→ Do you remember _____ the movie before?
☐ watching   ☐ to watch

2 너는 담배 피는 것을 그만두어야 한다.
→ You should stop _____.
☐ smoking   ☐ to smoke

3 우산 가져가는 것을 잊지 마라.
→ Don't forget _____ your umbrella.
☐ taking   ☐ to take

C 밑줄 친 부분의 우리말 의미 고르기

1 He can't help leaving there.
☐ 떠나지 않을 수 없다
☐ 떠나는 것을 도울 수 없다

2 She spends too much money buying bags.
☐ 가방을 사는 데 너무 많은 돈을 쓴다
☐ 너무 많은 돈을 써서 가방을 살 수 없다

3 On seeing me, he ran away.
☐ 나를 보면서
☐ 나를 보자마자

서술형 기본 유형 익히기

| 배열 영작 |

[1~5] 우리말과 일치하도록 주어진 말을 배열하여 문장을 완성하시오.

1 그는 이번 주말에 방을 청소할 계획이다.
(clean, to, plans, his room, he)

→ _____

this weekend.

2 그녀는 겨울에 매일 아침 조깅하는 데 익숙하다.
(jogging, used, is, to, she)

→ _____ every

morning in winter.

3 그들은 그것을 준비하는 데 2주를 썼다.
(two weeks, they, preparing for, spent)

→ _____ it.

4 나는 그날에 대해 생각하지 않을 수 없다.
(thinking, help, I, can't)

→ _____ about

that day.

5 그녀는 처음으로 과자를 구우려고 해 봤다.
(tried, cookies, she, baking)

→ _____ for

the first time.

| 오류 수정 |

[6~8] 어법상 또는 의미상 **틀린** 부분을 찾아 바르게 고쳐 쓰시오.

6 He avoided to answer my phone calls.
(그는 내 전화 받기를 피했다.)

_____ → _____

7 You should remember locking the door.
(너는 문을 잠그는 것을 기억해야 한다.)

_____ → _____

8 We look forward to meet them again.
(우리는 그들을 다시 만나기를 고대한다.)

_____ → _____

| 문장 완성 |

[9~12] 우리말과 일치하도록 주어진 말을 활용하여 문장을 완성하시오.

9 우리는 사흘간 그에게 연락하려고 노력했다.
(try, contact, him)   *시제 주의

→ _____ for three days.

10 나는 그 소설을 읽는 것을 포기했다.
(give up, read)

→ I _____ that novel.

11 그녀는 나에게 인사하기 위해 멈췄다.   *시제 주의
(stop, say hi)

→ _____ to me.

12 우리는 이번 주말에 캠핑을 가지 않기로 결정했다.
(decide, go camping)   *not의 위치 주의

→ We _____
this weekend.

| 문장 전환 |

[13~15] 주어진 문장과 의미가 같도록 to부정사나 동명사를 사용하여 문장을 완성하시오.

13 I will never forget that I heard those words.

→ I will never forget _____.

14 Please remember that you should close the window when you leave.

→ Please remember _____
when you leave.

15 You should turn off the computer. Don't forget it.

→ Don't _____ the computer.

난이도별 서술형 문제

·················· **기 본** ··················

01 빈칸에 알맞은 말을 |보기|에서 골라 올바른 형태로 쓰시오.

|보기| cry	use	take

(1) I don't allow my sister _____ my computer.

(2) Peeling onions makes me _____ .

(3) She had her son _____ a walk with the dog.

02 우리말과 일치하도록 주어진 말을 활용하여 문장을 완성 하시오.

(1) 나는 아침에 일찍 일어나기로 약속했다.
(promise, get up early)

→ I _____
in the morning.

(2) 그는 지진에 대한 보고서를 쓰는 것을 끝냈다.
(finish, write)

→ He _____ a report about earthquakes.

03 그림을 보고, |예시|와 같이 문장을 완성하시오.

|예시| I saw a girl reading a book in the park.

(1) I saw _____ in the park.

(2) I heard _____ in the park.

04 주어진 말을 순서대로 배열하여 대화를 완성하시오.

A You look tired.
B My English test is tomorrow. _____
_____ in the library.
(spent, English, I, studying, the whole day)

05 어법상 틀린 문장을 골라 기호를 쓰고, 바르게 고쳐 다시 쓰시오.

ⓐ My brother had the printer fixed at once.
ⓑ She helped us painting the walls.
ⓒ We expected him to win the contest.

(____) → _____

·················· **심 화** ··················

06 주어진 두 문장과 의미가 같도록 한 문장으로 바꿔 쓰시오.

(1) | I bought a notebook yesterday. I remember that now. |
|---|

→ I _____ a notebook yesterday.

(2) | I had to turn off the lights before I went out. I forgot about that. |
|---|

→ I _____ the lights before I went out.

07 우리말과 일치하도록 조건 에 맞게 문장을 완성하시오.

조건 1. 다음 말을 모두 사용할 것
        make, the same, mistakes, try, not
     2. 문맥에 맞게 형태를 바꿀 것

그는 같은 실수를 하지 않으려고 노력했다.

→ He _____ .

신유형 **고난도**

08 그림을 보고, |예시|와 같이 문장을 완성하시오.

|예시|

→ He asked them to line up.

(1)

Don't play with matches.

→ She advised _____ .

(2)

Can I play computer games?

Sure.

→ Her dad let _____ .

신유형

09 빈칸에 알맞은 말을 **조건**에 맞게 쓰시오.

> We will go on a field trip next Thursday. We plan to visit many famous places in Gyeongju.
> I am _____ there.

> **조건** 1. visit를 반드시 사용할 것
> 2. 다음 중 하나를 반드시 포함할 것
> forward   help   worth

10 어법상 틀린 곳을 찾아 바르게 고친 후, **틀린** 이유를 완성하시오.

> Jenny heard someone to call her name.

_____ → _____

틀린 이유: hear는 _____동사이므로 목적격보어로
_____이나 _____를 써야 한다.

함정이 있는 문제

01 밑줄 친 <u>learn</u>을 각각 알맞은 형태로 쓰시오.

> (1) He advised me <u>learn</u> English.
> (2) He made me <u>learn</u> English.

(1) _____   (2) _____

✔ 목적격보어의 형태는 동사에 따라 달라진다!
목적격보어는 문장의 동사에 따라 형태가 달라진다.
advise 등의 동사는 to부정사를, make 등의 사역동사는
동사원형을 목적격보어로 쓴다!

02 어법상 틀린 부분을 찾아 바르게 고쳐 쓰시오.

> Grace decided to practice to swim on weekends.

_____ → _____

✔ 목적어로 to부정사 또는 동명사만을 쓰는 동사들을
반드시 암기하자!
목적어로 to부정사만을 쓸 수 있는 동사들과 동명사만을
쓸 수 있는 동사들이 있다. decide는 목적어로 to부정사
를, practice는 동명사를 쓴다.

03 우리말과 일치하도록 주어진 말을 배열하여 문장을
완성하시오. (필요한 경우, 형태를 바꿀 것)

그녀는 그들의 콘서트에 가기를 고대하고 있다.
(be, to, go, look, to their concert, forward)
→ She _____ .

✔ to부정사의 to와 전치사 to는 반드시 구분하자!
to는 전치사로 쓰일 수도 있고 to부정사에도 쓰일 수 있
다. 전치사 to가 쓰인 동명사의 관용 표현들은 꼭 기억해
두자!

실전 TEST

시험일		월	일
시간			/ 40분
문항 수	객관식 10	/ 서술형 10	
점수			/ 100점

01 빈칸에 알맞은 말이 순서대로 짝지어진 것은? (3점)

> • I saw my friend _____ on the playground.
> • I heard someone _____ on the door.

① run – knocked
② ran – knocking
③ ran – knocked
④ running – knocked
⑤ running – knocking

02 주어진 문장에서 him이 들어갈 위치로 알맞은 곳은? (3점)

> Mr. Johnson (①) made (②) stay (③) in (④) the classroom (⑤) after school.

03 |보기|의 밑줄 친 부분과 쓰임이 다른 것은? (4점)

> |보기| I like going fishing.

① She started talking to me.
② I stopped listening to music.
③ I prefer listening to pop songs.
④ I heard someone singing a song.
⑤ Do you mind opening the window?

04 밑줄 친 부분이 어법상 틀린 것은? (4점)

① I heard my name called.
② I had my phone repaired.
③ Dad had me to clean my room.
④ Tim helped me send an email.
⑤ I saw him going into the grocery store.

05 빈칸에 들어갈 수 있는 것을 모두 고르면? (4점)

> I heard the rain _____ on the roof.

① fall
② falls
③ to fall
④ falling
⑤ fallen

06 우리말 의미가 알맞은 것은? (4점)

① Tom had his new house painted.
  → Tom은 페인트가 칠해진 새 집을 가지고 있다.
② He stopped thinking about it.
  → 그는 그것에 대해 생각하는 것을 그만두었다.
③ This movie is worth seeing again.
  → 이 영화는 다시 볼 필요가 없다.
④ She made the robot wash the dishes.
  → 그녀는 설거지를 하는 로봇을 만들었다.
⑤ I tried to push the button, but I couldn't.
  → 나는 시험 삼아 버튼을 눌러봤지만, 할 수 없었다.

07 두 문장의 의미가 서로 다른 것은? (4점)

① I like to lie on the beach.
  = I like lying on the beach.
② They started to write a letter to their teacher.
  = They started writing a letter to their teacher.
③ My mom allows me to watch TV on weekends.
  = My mom lets me watch TV on weekends.
④ I remembered calling her after lunch.
  = I remembered to call her after lunch.
⑤ He helped me to move the boxes.
  = He helped me move the boxes.

신유형

08 빈칸에 들어갈 수 있는 것만 말한 사람은? (4점)

> They _____ me to pass the test.

① 진우: made, let, saw
② 종원: wanted, told, expected
③ 정민: agreed, hoped, watched
④ 미경: avoided, considered, gave up
⑤ 수아: encouraged, noticed, helped

고난도

09 어법상 틀린 문장의 개수는? (5점)

> ⓐ I can't help to worry about her.
> ⓑ She expects me be a better student.
> ⓒ I look forward to work with you.
> ⓓ We enjoy skiing in winter.
> ⓔ I am used to wear glasses.

① 1개　　　② 2개　　　③ 3개
④ 4개　　　⑤ 5개

고등유형

10 다음 (A)~(C)에서 어법상 알맞은 말이 순서대로 짝지어 진 것은? (5점)

> A What's the matter? You look upset.
> B Jason and I are on the same team for the science project. Mr. Johnson made me (A) join / to join Jason's team.
> A What is the problem with that?
> B Jason always forgets (B) doing / to do research.
> A You should talk to him about it. He should try (C) doing / to do his work.

	(A)		(B)		(C)
①	join	………	doing	………	to do
②	join	………	to do	………	to do
③	join	………	to do	………	doing
④	to join	………	to do	………	to do
⑤	to join	………	doing	………	doing

서술형

[서술형1] 우리말과 일치하도록 주어진 말을 활용하여 문장을 완성하시오. (4점, 각 2점)

(1) 나는 그녀에게 내 노트를 빌려준 것이 기억나지 않는다. (remember, lend)
　　→ I don't _____ my notebook to her.

(2) 그녀는 신문을 사기 위해 멈췄다. (stop, buy)
　　→ She _____ a newspaper.

신유형

[서술형2] Ms. Jones가 한 말을 알맞게 바꿔 문장을 완성하시오. (6점, 각 3점)

> Don't run in the classroom.

> Can you open the window, Mike?

Ms. Jones

(1) Ms. Jones told us _____.

(2) Ms. Jones asked _____.

[서술형3] 우리말과 일치하도록 |보기|에서 알맞은 말을 골라 주어진 말을 활용하여 문장을 완성하시오. (9점, 각 3점)

|보기| get a job　　　　　use chopsticks
play the guitar

(1) 나의 삼촌은 직업을 구하기 위해 노력하고 있다. (try)
　　→ My uncle is _____.

(2) 나는 그녀가 기타를 치는 소리를 들었다. (hear)
　　→ I _____.

(3) Alice는 젓가락을 사용하는 데 익숙하다. (used)
　　→ Alice _____.

[서술형4] 주어진 두 문장과 의미가 같도록 한 문장으로 바꿔 쓰시오. (6점, 각 3점)

(1)
I had to return the book to the library. I forgot it.

→ I forgot _____.

(2)
I met him in New York. I remember that.

→ I remember _____.

[서술형5] 어법상 틀린 문장 두 개를 골라 기호를 쓰고, 바르게 고쳐 다시 쓰시오. (단, 문장의 동사는 고치지 말 것) (6점, 각 3점)

ⓐ My little brother always makes me to smile.
ⓑ I heard someone shouting.
ⓒ Mom had me to eat salad for dinner.
ⓓ He will let me use his smartphone.

(   ) → _____
(   ) → _____

[서술형6] 주어진 두 문장을 조건에 맞게 한 문장으로 바꿔 쓰시오. (5점)

· I saw Tom in the park.
· Tom was playing badminton there.

조건 1. 주어진 문장에 있는 단어만을 사용하되, 형태를 바꾸지 말 것
      2. 총 8단어의 한 문장으로 쓸 것

→ _____

고난도
[서술형7] 밑줄 친 우리말을 주어진 말을 배열하여 쓰시오. (7점)

A What are you going to do this afternoon?
B 나는 내 차를 세차시킬 거야.

(my car, washed, to, I'm, have, going)
→ _____

[서술형8] 그림을 보고, 조건에 맞게 문장을 완성하시오. (5점)

조건 1. 사역동사 make를 사용할 것
      2. 과거시제로 쓸 것
      3. 엄마가 한 말을 활용하되, 인칭대명사는 알맞은 형태로 바꿀 것

→ His mom _____.

신유형
[서술형9] 우리말과 일치하도록 |보기|에서 알맞은 말을 골라 올바른 형태로 쓰시오. (6점, 각 3점)

Davis는 어렸을 때 농구 선수가 되고 싶었다. 하지만 그는 발목을 다쳐서 농구하는 것을 포기해야만 했다.

↓

Davis _____ a basketball player when he was young. But he had to _____ _____ basketball because he hurt his ankle.

|보기| want   give up   play   be

[서술형10] 대화의 밑줄 친 우리말과 일치하도록 조건에 맞게 문장을 완성하시오. (6점, 각 3점)

A You look happy. Do you have good news?
B Yes. (1) 나는 웃지 않을 수 없어. Do you remember Jane?
A Yes. She was your best friend and moved to France two years ago.
B She is going to visit Korea next week. (2) 나는 그녀를 다시 만나기를 고대하고 있어.

조건 (1) help, smile (2) look, meet를 반드시 포함할 것

(1) I _____.
(2) I'm _____ again.

01 빈칸에 공통으로 알맞은 것은?

> • You have a fever. You _____ have a cold.
> • You _____ take your passport with you when you go abroad.

① can   ② must   ③ should
④ used to   ⑤ may

02 빈칸에 알맞은 말이 순서대로 짝지어진 것은?

> • He has been playing soccer _____ three hours.
> • I have lived in Jeju-do _____ I was ten years old.

① for – for   ② since – for
③ since – during   ④ for – since
⑤ during – since

신유형
03 밑줄 친 to부정사의 용법이 같은 것끼리 묶인 것을 <u>모두</u> 고르면?

> ⓐ I don't want to sit here.
> ⓑ I need a chair to sit on.
> ⓒ He promised to be here by eleven.
> ⓓ She set the alarm to get up early.
> ⓔ I went to New York to travel.

① ⓐ, ⓑ   ② ⓐ, ⓒ   ③ ⓐ, ⓑ, ⓒ
④ ⓑ, ⓓ   ⑤ ⓓ, ⓔ

04 어법상 또는 의미상 <u>어색한</u> 것은?

① Have you ever traveled in Europe?
② When I arrived at home, my family had already finished dinner.
③ I remembered that I had left my notebook at Jim's house.
④ My uncle has been to China. He never came back to Korea.
⑤ She has been reading the history book for two hours.

05 두 문장의 의미가 같도록 할 때, 빈칸에 알맞은 것은?

> I remember that I turned off the lights in my bedroom.
> = I remember _____ off the lights in my bedroom.

① turn   ② to turn   ③ turned
④ turning   ⑤ for turning

06 우리말과 일치하도록 할 때, 빈칸에 알맞은 것은?

> 너는 점심을 가져올 필요가 없다.
> → You _____ bring your lunch.

① have to   ② must not
③ would rather   ④ ought not to
⑤ don't have to

07 주어진 문장과 의미가 같도록 바르게 바꿔 쓴 것은?

> The weather was so cold that we couldn't go hiking.

① The weather was too cold for us to go hiking.
② The weather was too cold for we go hiking.
③ The weather was so cold for us to go hiking.
④ The weather was cold enough to go hiking.
⑤ The weather was not cold enough for us to go hiking.

신유형
08 빈칸에 들어갈 수 있는 것의 개수는?

> My dad _____ me come home by 6 o'clock.

ⓐ asked   ⓑ made   ⓒ allowed
ⓓ let   ⓔ had   ⓕ ordered

① 2개   ② 3개   ③ 4개   ④ 5개   ⑤ 6개

서술형

09 주어진 문장과 의미가 같도록 조건에 맞게 문장을 완성하시오.

> 조건 1. to부정사를 사용할 것
> 2. 6단어로 쓸 것

(1) He is so rich that he can buy a car.
→ He is _____ .

(2) This hill is so steep that he can't climb it.
→ This hill is _____ .

10 우리말과 일치하도록 주어진 말을 활용하여 문장을 완성하시오.

(1) 내가 학교에 도착했을 때, 수업은 이미 시작되었다.
(get to school, already, begin)

→ When I _____ , the lesson
_____ .

(2) 나는 오늘 아침 이후로 아무것도 먹지 않았다.
(eat, anything)

→ I _____
this morning.

11 |보기|에서 알맞은 조동사를 골라 주어진 말을 활용하여 조건에 맞게 쓰시오.

> 조건 1. |보기|의 표현은 한 번씩만 사용 가능함
> 2. 각 빈칸에는 한 단어만 쓸 수 있음
> 3. 부정형은 축약형으로 쓸 것

|보기|	had better	used to	have to

(1) I _____ _____ _____ _____
_____ early because I have no class
today. (get up)

(2) It is cold outside. They _____ _____
_____ their coats. (wear)

(3) I _____ _____ _____ tennis a lot,
but I don't play much now. (play)

12 주어진 두 문장과 의미가 같도록 밑줄 친 동사를 사용하여 한 문장으로 바꿔 쓰시오.

(1)
> He met Lisa in Paris last year.
> He remembers it.

→ He _____ Lisa in Paris last
year.

(2)
> I promised to have dinner with my parents.
> I didn't forget it.

→ I _____ with
my parents.

13 밑줄 친 말을 「조동사+have p.p.」를 사용하여 한 문장으로 바꿔 쓰시오.

> I didn't get a good grade on the math
> test today. I regret that I didn't study hard
> yesterday.

→ _____

14 각 문장에서 어법상 틀린 부분을 찾아 바르게 고쳐 쓰시오.

> (1) It is foolish for her to believe him again.
> (2) I saw him to talk to the teacher this
> morning.

(1) _____ → _____
(2) _____ → _____

고난도

15 주어진 말을 활용하여 대화를 완성하시오. (필요한 경우, 형태를 바꿀 것)

> A I decided to learn _____ .
> (how, to, play)
> B That's great. When do you start?
> A The lesson begins next Monday.
> I'm really _____ it.
> (look, forward, learn)

CHAPTER

05

수동태

Unit 1 수동태의 형태

Unit 2 4형식·5형식 문장의 수동태

수동태는 주어가 어떤 동작의 대상이 되어 그 영향을 받거나 당하는 것을 의미한다.

| 능동태 | King Sejong **made** Hangeul. 세종대왕은 한글을 **만들었다.** |

| 수동태 | Hangeul **was made** by King Sejong. 한글은 세종대왕에 의해 **만들어졌다.** |

수동태의 형태

1 수동태는 「be동사+p.p.+by+행위자」의 형태로 쓴다.

능동태	Sue wrote the letter.	Sue가 그 편지를 썼다.
수동태	The letter **was written by** Sue.	그 편지는 Sue에 의해 쓰였다.

서술형 빈출 동사 뒤에 전치사나 부사가 연결되어 있는 동사구 문장을 수동태로 바꿀 때는 전치사나 부사를 빠뜨리지 않도록 주의한다.

He **takes care of** two babies. 그는 아기 두 명을 돌본다.
→ Two babies **are taken care of** by him.

암기 노트 동사구의 수동태

be looked **after**	돌봐지다
be taken care **of**	
be laughed **at**	비웃음을 당하다
be turned **on / off**	켜지다 / 꺼지다
be put **off**	미뤄지다
be run **over**	치이다

2 진행형 수동태, 완료형 수동태, 조동사가 있는 수동태의 형태를 정확히 알아둔다.

진행형 수동태 **be동사+being p.p.**	A cake **is being made**.	케이크가 **만들어지고 있다**.
완료형 수동태 **have / has / had+been p.p.**	The cake **has** already **been made**.	그 케이크는 이미 **만들어졌다**.
조동사가 있는 수동태 **조동사+be p.p.**	The cake **will be made**.	그 케이크가 **만들어질 것이다**.

3 수동태에서 **by** 이외의 전치사를 쓰는 경우는 따로 암기한다.

The mountain **is covered** with snow.
그 산은 눈으로 뒤덮였다.

I **was surprised** at the wonderful view.
나는 멋진 광경에 놀랐다.

They **are worried** about the hurricane.
그들은 허리케인에 대해 걱정하고 있다.

암기 노트 by 이외의 전치사를 쓰는 동사

be filled with	~으로 가득 차 있다
be satisfied with	~에 만족하다
be worried about	~에 대해 걱정하다
be crowded with	~으로 붐비다
be interested in	~에 관심이 있다
be tired of	~에 싫증나다
be disappointed at(with)	~에 실망하다

바로 개념 확인하기

A 빈칸에 알맞은 말 고르기

1 Breakfast ＿＿＿＿＿＿ by my dad.
☐ cooked   ☐ was cooked

2 You should ＿＿＿＿＿ the lights when you go out.
☐ turn off   ☐ be turned off

3 The film festival ＿＿＿＿＿＿.
☐ has postponed   ☐ has been postponed

B 주어진 문장 수동태로 바꿔 쓰기

1 An engineer is fixing my computer.
→ My computer ＿＿＿＿ ＿＿＿＿ ＿＿＿＿ by an engineer.

2 An old lady will look after the cats.
→ The cats will ＿＿＿＿ ＿＿＿＿ ＿＿＿＿ ＿＿＿＿ an old lady.

3 James has solved the problem.
→ The problem ＿＿＿＿ ＿＿＿＿ ＿＿＿＿ ＿＿＿＿ James.

C 빈칸에 알맞은 전치사 고르기

1 The basket is filled ＿＿＿＿ strawberries.
☐ with   ☐ on   ☐ about

2 She was tired ＿＿＿＿ her job.
☐ in   ☐ of   ☐ to

3 The museum was crowded ＿＿＿＿ visitors.
☐ with   ☐ on   ☐ about

4 Peter was disappointed ＿＿＿＿ his test score.
☐ of   ☐ on   ☐ at

서술형 기본 유형 익히기

| 배열 영작 |

[1~5] 우리말과 일치하도록 주어진 말을 배열하여 문장을 완성하시오.

1 그들의 새로운 앨범이 출시되었다.
(been, has, released)

→ Their new album ＿＿＿＿＿＿＿＿＿＿＿.

2 내 자전거는 아빠에 의해 수리되고 있다.
(by, repaired, being, is)

→ My bike ＿＿＿＿＿＿＿＿＿＿＿ my dad.

3 그 이야기는 영화로 만들어질 것이다.
(will, made, be, the story)

→ ＿＿＿＿＿＿＿＿＿＿＿ into a movie.

4 그 조명은 7시에 자동으로 켜진다.
(is, on, turned, the light)

→ ＿＿＿＿＿＿＿＿＿＿＿ automatically at 7.

5 그는 우리들의 안전에 대해 걱정하고 있다.
(is, about, worried, he)

→ ＿＿＿＿＿＿＿＿＿＿＿ our safety.

| 문장 전환 |

[6~9] 주어진 문장을 수동태로 바꿔 쓰시오.

6 Everybody laughed at him.

→ He _____ .

7 Volunteers were painting the wall.

→ The wall _____ .

8 The author will write another book soon.

→ Another book _____ soon

_____ .

9 People have loved her songs for a long time.

→ Her songs _____
for a long time.

| 오류 수정 |

[10~12] 어법상 **틀린** 부분을 찾아 바르게 고쳐 쓰시오.

10 The boy is being taken care by the police.
(그 남자아이는 경찰에 의해 돌봐지고 있다.)

_____ → _____

11 Dinner will prepare at 7 p.m.
(저녁은 오후 7시에 준비될 것이다.)

_____ → _____

12 The street is always crowded by tourists.
(그 거리는 관광객들로 늘 붐빈다.)

_____ → _____

| 문장 완성 |

[13~15] 우리말과 일치하도록 주어진 말을 활용하여 문장을
완성하시오.

13 개회식은 수백만 명에 의해 시청되고 있다.
(watch, by)   *시제 주의

→ The opening ceremony _____
millions of people.

14 좌석들은 이 앱에서 예약될 수 있다.
(can, seats, book)

→ _____ on this app.

15 내 개의 발은 진흙으로 뒤덮였다.
(be, cover, feet)   *전치사 주의

→ My dog's _____ mud.

4형식·5형식 문장의 수동태

| 4형식 문장의 수동태 |

1 4형식 문장은 간접목적어와 직접목적어를 각각 주어로 하여 수동태 문장을 만들 수 있다.

능동태	John gave <u>me the money</u>. 간접목적어 직접목적어	John이 나에게 그 돈을 **주었다**.
주어가 간접목적어인 수동태	I **was given** the money by John.	나는 John에게 그 돈을 **받았다**.
주어가 직접목적어인 수동태	The money **was given to** me by John.	그 돈은 John에 의해 나에게 **주어졌다**.

> **주의** 직접목적어로만 수동태를 만들 수 있는 동사(buy, write, bring, get, cook, make, send, sell 등)에 주의한다.
> Jane bought me a new shirt. Jane은 나에게 새 셔츠를 **사 주었다**.
> → A new shirt **was bought** for me by Jane. (O)
> → I was bought a new shirt by Jane. (×)

암기 노트 수여동사에 따른 전치사

to	give, teach, send, show, tell, lend, sell, hand 등
for	buy, make, get, cook 등
of	ask

| 5형식 문장의 수동태 |

2 5형식 문장의 목적격보어가 명사, 형용사, to부정사, 분사인 경우에는 수동태 문장에서 형태가 바뀌지 않는다.

목적격보어		
명사	They called the baby Jim. → The baby **was called** Jim (by them).	그들은 그 아기를 Jim이라고 불렀다. 그 아기는 (그들에 의해) Jim이라고 **불렸다**.
형용사	The movie made me sad. → I **was made** sad by the movie.	그 영화는 나를 슬프게 만들었다. 나는 그 영화에 의해 **슬퍼졌다**.
to부정사	She allowed us to go there. → We **were allowed** to go there by her.	그녀는 우리가 거기에 가는 것을 허락했다. 우리는 그녀에 의해 거기에 가는 것이 **허락되었다**.
분사	I saw Ann watching TV. → Ann **was seen** watching TV by me.	나는 Ann이 TV를 보고 있는 것을 봤다. Ann이 TV를 보고 있는 것이 나에 의해 **목격되었다**.

| 사역동사, 지각동사의 수동태 |

3 사역동사와 지각동사의 목적격보어가 동사원형인 경우에는 수동태 문장에서 to부정사로 바뀐다.

목적격보어		
동사원형	She **made** me clean the room. → I **was made to clean** the room by her.	그녀는 내가 방을 청소하게 시켰다. 나는 그녀에 의해 방을 청소하게 **시켜졌다**.
→ to부정사	We **saw** the birds fly in the sky. → The birds **were seen to fly** in the sky by us.	우리는 하늘에서 새들이 나는 것을 봤다. 새들이 하늘을 나는 것이 우리에 의해 **목격되었다**.

> **주의** 지각동사의 목적격보어로 현재분사가 쓰인 경우에는 형태 변화 없이 그대로 쓴다.

바로 개념 확인하기

A 빈칸에 알맞은 전치사 쓰기

1 A text message was sent _____ me by Sam.

2 Delicious pasta was cooked _____ us by her.

3 The red bag was bought _____ my sister by him.

4 Some money was lent _____ Dave by Olivia.

B 주어진 문장을 수동태로 바꿔 쓰기

1 The students elected Mark school president.
→ Mark _____ _____ school president by the students.

2 The baby's smile made them happy.
→ They _____ _____ _____ by the baby's smile.

3 We saw someone entering the house.
→ Someone _____ _____ _____ the house.

C 빈칸에 알맞은 말 고르기

1 David was made _____ the report by the teacher.
☐ rewrite ☐ to rewrite

2 Amy was heard _____ a song in her room.
☐ sing ☐ singing

3 Juliet wasn't allowed _____ Romeo.
☐ to marry ☐ marrying

| 배열 영작 |

[1~5] 우리말과 일치하도록 주어진 말을 배열하여 문장을 완성하시오.

1 여기에서는 중국어가 모든 학생들에게 가르쳐진다.
(taught, is, to, Chinese)

→ _____ all students here.

2 한 남자가 길에서 춤추고 있는 것이 목격되었다.
(seen, was, a man, dancing)

→ _____ in the street.

3 베니스는 운하의 도시라고 불린다.
(called, is, the city of canals)

→ Venice _____.

4 그녀가 택시를 타는 것이 그들에 의해 목격되었다.
(seen, to, was, take, she, them, by)

→ _____ a taxi _____.

5 나는 이 자전거를 타도록 Sam에 의해 허락되었다.
(was, to, I, allowed, ride)

→ _____ this bike by Sam.

| 오류 수정 |

[6~10] 밑줄 친 부분을 어법에 맞게 고쳐 쓰시오.

6 The guitar was bought to me by Jane.

→ _____

7 They were made leave by the police.

→ _____

8 Jim was given another chance to his teacher.

→ _____

9 Someone was heard to breaking the window.

→ _____

10 He called a genius by his friends when he was young.

→ _____

| 문장 전환 |

[11~15] 주어진 문장을 수동태로 바꿔 쓰시오.

11 She sent me an email yesterday.

→ An email _____ yesterday.

12 My parents made me stay at home all day.

→ I _____ all day by my parents.

13 John saw Susan walking along the river.

→ Susan _____ by John.

14 They told him to wait for a while.

→ He _____ for a while.

15 They asked me some difficult questions at the interview.

→ I _____ at the interview.

난이도별 서술형 문제

·············· 기 본 ··············

01 주어진 문장을 수동태로 바꿀 때, 빈칸에 알맞은 말을 쓰시오.

(1) I washed my dad's car.

→ My dad's car _____ _____

_____ _____ .

(2) Mia is using my computer.

→ My computer _____ _____

_____ _____ _____ .

02 우리말과 일치하도록 괄호 안의 말을 알맞은 형태로 바꿔 문장을 완성하시오.

(1) 현장 학습이 태풍 때문에 연기되었다. (put off)

→ The field trip _____

because of the typhoon.

(2) 그 고양이는 우리 학교 학생들에 의해 돌봐진다. (take care of)

→ The cat _____ by

students in our school.

03 그림을 보고, 조건 에 맞게 문장을 완성하시오.

> 조건 1. 수동태로 쓸 것
> 2. 각 상자에서 필요한 단어를 하나씩 골라 사용하되, 필요한 경우 형태를 바꿀 것

(1) | (2)

crowd		into	at	with
worry		about	by	

(1) He is _____ _____ the test.

(2) The subway is _____ people.

04 프로그램을 보고, 예시 와 같이 문장을 완성하시오.

Program	
• Piano Solo ············	Esther Kim
• Song *DNA* ············	Ted Johnson
• Storytelling ············	Beth Taylor

> | 예시 | The piano solo will be played by Esther Kim. (play)

(1) The song *DNA* _____

_____ . (sing)

(2) The storytelling _____

_____ . (do)

05 우리말과 일치하도록 주어진 말을 배열하여 문장을 완성하시오.

(1) 멋진 가방이 나를 위해 Ann에 의해 만들어졌다. (Ann, me, by, made, for, was)

→ A nice bag _____ .

(2) 그는 그녀에 의해 게임을 하는 것이 허락되었다. (allowed, play, to, her, games, was, by)

→ He _____ .

·············· 심 화 ··············

06 주어진 문장을 지시에 맞게 바꿔 쓰시오.

> They bought her a cake.

(1) 수동태로 바꾸기

→ A cake _____ .

(2) (1)의 문장을 의문문으로 바꾸기

→ _____

신유형 **고난도**

07 |보기|에서 필요한 말만 골라 문장을 완성하시오.

| |보기| gave given was to for him |

→ Some money _____
    by Mr. Smith.

08 밑줄 친 부분이 어법상 틀린 문장 두 개를 찾아 기호를 쓰고, 바르게 고쳐 문장을 다시 쓰시오.

ⓐ I was cooked pasta by my brother.
ⓑ The street has just been cleaning by him.
ⓒ His invention was laughed at by people.
ⓓ The children were being helped by her.
ⓔ They are made to go to bed early by their parents.

(   ) → _____
(   ) → _____

09 우리말과 일치하도록 괄호 안의 말을 알맞은 형태로 바꿔 문장을 완성하시오.

(1) 그녀의 책은 2010년 이후로 많은 어린이들에게 읽혀져 왔다. (read, many children)
    → Her book _____
    _____ since 2010.

(2) 새 도서관이 우리 집 근처에 지어지고 있다. (build)
    → A new library _____
    near my house.

고등유형

10 대화의 내용을 한 문장으로 나타낼 때, 빈칸에 알맞은 말을 쓰시오.

Jane Why did you clean the board?
Tom I was late for school, so Ms. Jones made me do it.

→ Tom was _____ _____ _____ the
board for being late for school by Ms. Jones.

함정이 있는 문제

01 주어진 문장을 수동태로 바꾼 문장을 완성하시오.
My brother turned the TV off last night.
→ The TV _____
_____ last night.

✔ 동사에 딸린 부사를 빠뜨리지 말자!
「동사+부사」인 동사구에서 동사와 부사 사이에 목적어가 위치할 수 있다. 이런 문장을 수동태로 바꿀 때, 부사 off를 빠뜨리지 않도록 주의한다.

02 주어진 문장을 수동태로 바꿔 쓰시오.
My family named the dog Bob.
→ _____

✔ 수동태 문장의 주어는 목적어만 될 수 있다!
목적격보어로 명사가 쓰인 경우, 명사가 두 개 나와 마치 목적어가 두 개인 것처럼 보인다. 하지만 목적격보어인 Bob은 수동태 문장의 주어로 쓸 수 없다는 것을 기억하자!

03 그림을 보고, 괄호 안의 말을 알맞은 형태로 바꿔 문장을 완성하시오. (과거시제로 쓸 것)

John

→ She _____
by John. (see, play the violin)

✔ 본 사람과 바이올린을 연주한 사람을 구분하자!
그림에서 바이올린을 연주하는 사람은 여자이고 그것을 본 사람은 John이다. saw를 쓰면 그녀가 본 것이 되어 능동의 의미가 되므로 '그녀가 보여지다'라는 수동의 의미가 되도록 수동태를 써야 한다. 지각동사의 수동태 문장에서는 목적격보어로 to부정사나 분사를 써야 하는 것도 주의하자!

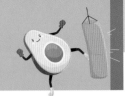

시험에 강해지는

실전 TEST

시험일	월	일
시간		/ 40분
문항 수	객관식 10 / 서술형 10	
점수		/ 100점

01 빈칸에 알맞은 것은? (3점)

> *Gimbap* will _____ by my dad.

① make ② be made
③ be making ④ is made
⑤ is making

02 빈칸에 been이 들어갈 수 있는 것은? (4점)

① I felt that I was _____ watched.
② A bridge will _____ built in the river soon.
③ A variety of fruits were _____ sold in the market.
④ The injured man is _____ treated in the hospital.
⑤ Olive oil has _____ used for cooking for a long time.

03 빈칸에 들어갈 말이 다른 것은? (3점)

① Her eyes were filled _____ tears.
② This cake is covered _____ fresh cream.
③ He was tired _____ her stories about her trip.
④ This place is crowded _____ skiers in winter.
⑤ Henry is very satisfied _____ his new cell phone.

신유형
04 우리말을 영어로 바꿀 때, 쓰이지 않는 단어는? (4점)

> 많은 로봇들이 위험한 장소에서 사용되고 있다.

① are ② been ③ used
④ being ⑤ dangerous

05 우리말을 영어로 옮긴 것 중 어법상 틀린 것은? (4점)

① 저녁 식사가 곧 제공될 것이다.
  → Dinner will be served soon.
② 우리는 그 영화로 인해 슬퍼졌다.
  → We were made sad by the movie.
③ 그 이야기는 영화로 만들어지고 있다.
  → The story is being making into a movie.
④ Jane이 그녀의 남자친구를 만나고 있는 것이 목격되었다.
  → Jane was seen meeting her boyfriend.
⑤ 내가 집에 도착했을 때, 불이 켜졌다.
  → When I arrived at home, the light was turned on.

06 빈칸에 알맞은 말이 순서대로 짝지어진 것은? (4점)

> • You were seen _____ soccer at the park.
> • I was made _____ for the math test by my mother.

① play – to study ② to play – study
③ to play – studying ④ playing – study
⑤ playing – to study

07 주어진 문장을 수동태로 바르게 바꾼 것을 모두 고르면? (4점)

> She gave me an apple.

① I gave an apple by her.
② I was given an apple by her.
③ I was given to an apple by her.
④ An apple was given me by her.
⑤ An apple was given to me by her.

신유형

08 주어진 문장을 수동태로 바꿔 쓸 때, 네 번째로 오는 단어는? (4점)

> I allowed them to stay in my house.

① to   ② me   ③ stay
④ were   ⑤ allowed

고난도

09 어법상 틀린 부분을 바르게 고친 사람을 모두 고르면? (5점)

> ⓐ My puppy was ran over by a car.
> ⓑ The children are taken care of their parents.
> ⓒ A lot of money was donated to the nursing home by a businessman.
> ⓓ A beautiful cake was made to their teacher by them.

① 가은: ⓐ ran → run
② 민준: ⓐ over by → over
③ 민서: ⓑ of → of by
④ 지민: ⓒ was donated → donated
⑤ 현빈: ⓓ to → for

고난도

10 주어진 문장을 수동태로 바꾼 것 중 알맞지 않은 것은? (5점)

① I bought my sister some flowers.
　→ My sister was bought some flowers by me.
② Tom will send a message to you.
　→ A message will be sent to you by Tom.
③ We saw him breaking the window.
　→ He was seen breaking the window.
④ He had never told his family the truth.
　→ The truth had never been told to his family by him.
⑤ Your father is washing the car.
　→ The car is being washed by your father.

서술형

신유형

[서술형 **1**] 주어진 문장을 지시대로 바꿔 쓰시오. (6점, 각 2점)

> James planted these trees.

(1) 수동태로 바꿔 쓸 것
　→ _____

(2) (1)을 부정문으로 바꿔 쓸 것
　→ _____

(3) (1)을 의문문으로 바꿔 쓸 것
　→ _____

[서술형 **2**] 두 문장의 의미가 같도록 빈칸에 알맞은 말을 쓰시오. (9점, 각 3점)

(1) Mom didn't make the white dress.
　→ The white dress _____ _____ by Mom.

(2) My uncle has taught me French.
　→ French _____ _____ _____ to me by my uncle.

(3) The singer is singing my favorite pop song.
　→ My favorite pop song _____ _____ _____ by the singer.

[서술형 **3**] 다음 문장을 주어진 말로 시작하는 수동태로 바꿔 쓰시오. (4점, 각 2점)

> Dad gave me a teddy bear.

(1) I _____ by Dad.

(2) A teddy bear _____ by Dad.

[서술형 **4**] 어법상 틀린 부분을 찾아 바르게 고쳐 쓰시오. (3점)

> I was allowed going out last night by my mom.

_____ → _____

[서술형5] 주어진 문장을 수동태로 바꿔 쓰시오. (9점, 각 3점)

(1) The doctor advised him to exercise regularly.
  → He _____ regularly
    by the doctor.

(2) Her parents made her go there.
  → She _____ there by her parents.

(3) We saw the boy picking up trash.
  → The boy _____ up trash by us.

[서술형6] 우리말과 일치하도록 괄호 안의 말을 바르게 배열하시오. (6점, 각 3점)

(1) 이 개들은 우리에게 돌봄을 받아야 한다.
  (by, after, these dogs, us, be, should, looked)
  → _____

(2) 이 캐릭터는 전 세계 많은 사람들에게 사랑받아왔다.
  (many people, this character, by, been, has, loved)
  → _____
    all over the world.

고난도

[서술형7] |보기|에서 알맞은 말을 골라 전치사를 추가하여 문장을 완성하시오. (6점, 각 2점)

|보기|	filled	satisfied	crowded

My family went up to the mountain top on New Year's Day to see the sunrise. The top was (1) _____ _____ people from everywhere. Everybody's face was (2) _____ _____ joy when the sun rose up. We were very (3) _____ _____ the beautiful sunrise.

[서술형8] 주어진 질문에 알맞은 답이 되도록 괄호 안의 말을 활용하여 문장을 완성하시오. (3점)

A What is your dog called?
B My dog _____ . (call, Choco)

[서술형9] 그림을 보고, 조건에 맞게 문장을 완성하시오. (8점, 각 4점)

조건	1. 각각 sing과 in the tree를 모두 포함할 것
	2. 현재분사형을 사용할 것

(1) She heard _____ .

(2) The birds _____
    by her.

신유형 **고난도**

[서술형10] 우리말과 일치하도록 조건에 맞게 문장을 완성하시오. (6점, 각 3점)

(1) 그는 그의 학급 친구들에 의해 반장으로 선출되었다.

조건	1. elect, class president, classmates를 사용할 것
	2. 7단어로 쓸 것

  → He _____ .

(2) 나는 제시간에 도착할 것이라고 기대되었다.

조건	1. expect, arrive, on time을 사용할 것
	2. 6단어로 쓸 것

  → I _____ .

CHAPTER

06

분사와 분사구문

Unit 1 분사의 쓰임

Unit 2 분사구문, with+명사+분사

분사는 명사를 수식하거나 주어나 목적어를 보충 설명한다. 분사구문은 분사를 이용하여 부사절을 부사구로 바꾼 구문이다.

분사	I was **surprised** at the **shocking** news. 나는 **충격적인** 뉴스에 **놀랐다.**
분사구문	**Having** nothing to do, they are bored. 할 일이 **없어서** 그들은 지루하다.

Unit 1 분사의 쓰임

분사의 의미

1 현재분사는 능동, 진행의 의미를 나타내고, 과거분사는 수동, 완료의 의미를 나타낸다.

현재분사 (동사원형+-ing)	능동 · 진행 (~하는, ~하고 있는)	a boy **painting** the wall a **burning** house	벽을 칠하고 있는 소년 **불타고 있는** 집
과거분사 (동사원형+-ed)	수동 · 완료 (~해진, ~된)	a wall **painted** in red a **burned** house	빨간색으로 **칠해진** 벽 **불에 탄** 집

주의 분사의 형태는 수식을 받는 명사와 능동의 관계인지 수동의 관계인지에 따라 결정된다.

a man **building** a house 집을 짓는 남자 (→ A man **builds** a house.)

the house **built** of bricks 벽돌로 **지어진** 집 (→ The house **was built** of bricks.)

분사의 위치

2 분사가 단독으로 수식할 때는 명사 앞에서, 분사구인 경우에는 명사 뒤에서 수식한다.

분사+명사	The **sleeping** baby is pretty.	자고 있는 아기가 귀엽다.
명사+분사구	The baby **sleeping** on the bed is pretty.	침대 위에서 **자고 있는** 아기가 귀엽다.

감정을 나타내는 분사

3 감정을 나타내는 분사는 감정을 불러일으키면 현재분사, 감정을 느끼면 과거분사를 쓴다.

현재분사	The movie is very **moving**.	그 영화는 매우 **감동을 준다**.
과거분사	We were **moved** when we saw the movie.	우리는 그 영화를 봤을 때 **감동받았다**.

암기 노트 감정을 나타내는 분사

현재분사		과거분사		현재분사		과거분사	
surprising	놀라게 하는	surprised	놀란	boring	지루하게 하는	bored	지루한
amazing	놀라게 하는	amazed	놀란	tiring	피곤하게 하는	tired	피곤한
moving	감동을 주는	moved	감동받은	confusing	혼란스럽게 하는	confused	혼란스러운
satisfying	만족스럽게 하는	satisfied	만족한	embarrassing	당황하게 하는	embarrassed	당황한
exciting	신나게 하는	excited	신이 난	disappointing	실망하게 하는	disappointed	실망한

바로 개념 확인하기

A 빈칸에 알맞은 말 고르기

1 Kate is my friend _____ next door.
☐ living   ☐ lived

2 They are looking for the _____ treasure.
☐ hiding   ☐ hidden

3 I found a _____ baby under the tree.
☐ crying   ☐ cried

B 우리말과 일치하도록 주어진 말 배열하기

1 깨진 유리
(broken, glass, the)
→ _____

2 바이올린을 연주하고 있는 소녀
(the violin, playing, the girl)
→ _____

3 Tolstoy에 의해 쓰인 소설
(written, Tolstoy, by, a novel)
→ _____

C 빈칸에 알맞은 말 고르기

1 The food at the restaurant was _____.
☐ satisfying   ☐ satisfied

2 I think that the book is very _____.
☐ boring   ☐ bored

3 They are _____ to travel together.
☐ exciting   ☐ excited

4 Angela is not _____ in sports.
☐ interesting   ☐ interested

서술형 기본 유형 익히기

| 배열 영작 |

[1~5] 우리말과 일치하도록 주어진 말을 배열하여 문장을 완성하시오.

1 이것들은 작년에 유럽에서 찍힌 사진들이다.
(taken, photos, Europe, in)

→ These are _____
last year.

2 연을 날리고 있는 소년은 Jane의 남동생이다.
(a kite, flying, the boy)

→ _____ is Jane's
brother.

3 우리는 18세기에 지어진 성을 방문했다.
(built, in the 18th century, a castle)

→ We visited _____.

4 혼란스러운 사람들이 고함을 지르기 시작했다.
(confused, the, people)

→ _____ started
to yell.

5 그것은 내가 당황스럽게 느끼게 했다.
(me, made, embarrassed, feel)

→ It _____.

| 빈칸 완성 |

[6~8] 알맞은 말을 골라 빈칸에 쓰시오.

6 surprising / surprised

• My father looked _____.
• The news must be _____.

7 exciting / excited

• The soccer game was _____.
• I was _____ during the soccer game.

8 tiring / tired

• I was very _____ after the trip.
• The trip was very _____.

| 오류 수정 |

[9~12] 어법상 틀린 부분을 찾아 바르게 고쳐 쓰시오.

9 The language using here is English.

_____ → _____

10 The trip was a satisfied experience for us.

_____ → _____

11 The song singing by BTS is No.1 today.

_____ → _____

12 I have news exciting to tell you.

_____ → _____

| 문장 완성 |

[13~15] 우리말과 일치하도록 주어진 말을 활용하여 문장을 완성하시오.

13 우리를 보고 있는 남자아이를 아니?
(the boy, look at)

→ Do you know _____?

14 그녀는 카드에 적힌 말을 읽기 시작했다.
(the words, on the card, write)

→ She started to read _____
_____.

15 그 쇼에는 깜짝 놀라게 할 초대 가수 몇 명이 있었다.
(some, guest singers, surprise)

→ The show had _____
_____.

Unit 2

분사구문, with+명사+분사

| 분사구문 만드는 법 |

1 분사구문은 부사절의 접속사와 주어를 삭제한 후, 동사를 현재분사형으로 바꿔 만든다.

부사절   While I walked on the street, I met my teacher.
        ①   ② ③

분사구문   **Walking** on the street, I met my teacher.

길을 **걷다가** 나는 내 선생님을 만났다.

① 접속사 삭제
② 주절의 주어와 같으면 삭제(다르면 씀)
③ 주절의 시제와 같으면 현재분사형

주의 분사구문의 부정은 분사 앞에 not이나 never를 쓴다.
Because he didn't know Spanish, he didn't understand her.   그는 스페인어를 몰라서 그녀를 이해하지 못했다.
→ **Not knowing** Spanish, he didn't understand her.

| 분사구문의 의미 |

2 분사구문은 문맥에 따라 시간, 이유, 조건, 양보, 동시동작의 의미를 나타낸다.

시간 (~할 때, ~하기 전/후에) when, after, before 등	**Hearing** the news, I was shocked. 그 뉴스를 **들었을 때**, 나는 충격을 받았다. (→ When I heard the news, I was shocked.)
이유 (~ 때문에) because, since, as	**Being** hungry, she ate all of the cake. 배가 **고파서** 그녀는 케이크를 전부 먹었다. (→ Because she was hungry, she ate all of the cake.)
조건 (만약 ~하면) if	**Turning** left, you can find the bookstore. 왼쪽으로 **돌면** 서점을 찾을 수 있다. (→ If you turn left, you can find the bookstore.)
양보 (비록 ~이지만) though, although	**Studying** hard, he failed the exam. 열심히 **공부했지만**, 그는 시험에 실패했다. (→ Although he studied hard, he failed the exam.)
동시동작 (~하면서) while, as	**Listening** to music, she did her homework. 음악을 **들으면서** 그녀는 숙제를 했다. (→ While she listened to music, she did her homework.)

주의 분사구문의 의미를 명확히 나타내고 싶을 때는 접속사를 분사 앞에 쓸 수 있다.
While listening to music, she did her homework.

| with+명사+분사 |

3 「with+명사+분사」는 '~한 채로, ~하면서'라는 의미를 나타낸다.

		암기 노트 「with+명사+분사」	
with+명사+현재분사 (~가 …한 채로)	He listened to me **with his eyes** shining. 그는 **눈을 빛내면서** 내 말을 들었다.	with one's legs crossed	다리를 꼰 채로
with+명사+과거분사 (~가 …된 채로)	He listened to me **with his arms** folded. 그는 **팔짱을 낀 채로** 내 말을 들었다.	with one's eyes closed	눈을 감은 채로
		with one's hand waving	손을 흔들면서
		with the TV turned on	TV를 켠 채로

✔ **바로 개념** 확인하기

A 밑줄 친 부분을 분사구문으로 바꿔 쓰기

1 When I arrived at the airport, I called my mother.

→ _____ at the airport, I called my mother.

2 As he didn't have money, he couldn't take a taxi.

→ _____ _____ money, he couldn't take a taxi.

3 If you go straight two blocks, you'll see the theater.

→ _____ straight two blocks, you'll see the theater.

B 밑줄 친 부분의 의미 고르기

1 Studying hard, you can pass the exam.
☐ 열심히 공부한다면   ☐ 열심히 공부했지만

2 Taking a shower, he sang a song loudly.
☐ 샤워를 하면서   ☐ 샤워를 한다면

3 Opening the box, I found a map in it.
☐ 상자를 열었지만   ☐ 상자를 열었을 때

4 Being sick, I couldn't go to school.
☐ 아팠지만   ☐ 아팠기 때문에

C 빈칸에 알맞은 말 고르기

1 Rachel sat with her legs _____.
☐ crossing   ☐ crossed

2 He said goodbye with his hand _____.
☐ waving   ☐ waved

3 She fell asleep with the TV _____ on.
☐ turning   ☐ turned

| 배열 영작 |

[1~5] 우리말과 일치하도록 주어진 말을 배열하여 문장을 완성하시오.

1 숲 속을 걷다가 우리는 다람쥐를 보았다.
(in, walking, the woods)

→ _____, we saw a squirrel.

2 내 숙제를 끝내지 못해서 나는 영화를 보러 갈 수 없었다. (finishing, not, my homework)

→ _____, I couldn't go to the movies.

3 충고가 좀 필요해서 그는 내게 전화를 했다.
(some, needing, advice)

→ _____, he called me.

4 신문을 읽으면서 그녀는 아침을 먹었다.
(while, a newspaper, reading)

→ _____, she had breakfast.

5 그는 불을 켠 채로 잠이 들었다.
(the light, with, turned on)

→ He fell asleep _____.

| 문장 전환 |

[6~8] 주어진 문장을 분사구문으로 바꿔 쓰시오.

6 Because he had enough time, he helped me.

→ _____, he helped me.

7 As she was busy, she couldn't go to the party.

→ _____, she couldn't go to the party.

8 Before she left for work, she locked the door.

→ Before _____, she locked the door.

[9~10] 주어진 문장을 알맞은 접속사를 넣어 부사절이 있는 문장으로 바꿔 쓰시오.

9 Being cold, I turned on the heater.

→ _____, I turned on the heater.

10 Doing your best now, you can be a good player.

→ _____, you can be a good player.

| 오류 수정 |

[11~13] 어법상 또는 의미상 **틀린** 부분을 찾아 바르게 고쳐 쓰시오.

11 Feeling not well, I didn't go out.
(기분이 좋지 않아서 나는 외출하지 않았다.)

_____ → _____

12 He ran to me with his arms waved in the air.
(그는 팔을 공중에서 흔들며 내게로 뛰어왔다.)

_____ → _____

13 Sat on a bench, I waited for him.
(벤치에 앉아서 나는 그를 기다렸다.)

_____ → _____

| 문장 완성 |

[14~15] 우리말과 일치하도록 주어진 말을 활용하여 문장을 완성하시오.

14 그는 눈을 감은 채 음악을 듣고 있다.
(eyes, close)

→ He is listening to music _____.

15 그녀는 팔짱을 낀 채로 생각을 하고 있었다.
(arms, fold)

→ She was thinking _____.

기출에서 뽑은

난이도별 서술형 문제

·················· 기 본 ··················

01 주어진 말을 알맞은 형태로 바꿔 쓰시오.

(1) Look at the _____ window. (break)

(2) Did you hear the _____ news? (shock)

(3) We saw a _____ star and made a wish. (fall)

02 그림을 보고, 주어진 말을 알맞은 형태로 바꿔 쓰시오.

→ The girl _____ the game is _____. (watch, excite)

03 어법상 틀린 부분을 찾아 바르게 고쳐 쓰시오.

(1) The bottles filling with water are for the players.

_____ → _____

(2) The questions asked of me were very embarrassed.

_____ → _____

04 밑줄 친 부분을 분사구문으로 바꿔 쓰시오.

(1) Because he didn't wear a coat, he felt cold.

→ _____, he felt cold.

(2) As I felt too scared, I couldn't move.

→ _____, I couldn't move.

05 그림을 보고, 조건에 맞게 문장을 완성하시오.

조건 1. with를 포함한 분사구문의 형태로 쓸 것
2. talk on the phone, her legs, cross를 사용하되, 필요한 경우 형태를 바꿀 것
3. 8단어로 쓸 것

She is _____

_____.

·················· 심 화 ··················

06 |보기|에서 알맞은 말을 골라 올바른 형태로 바꿔 쓰시오.

|보기| complain   boil   save

(1) I usually eat _____ eggs for breakfast.

(2) The boy _____ from the fire looked fine.

(3) There are a few customers _____ about our service.

07 빈칸에 알맞은 말을 |보기|에서 골라 쓰시오.

(1) |보기| confusing   confused

• The road signs were very _____.

• I was _____, so I turned on the navigator.

(2) |보기| satisfying   satisfied

• The movie was so _____.

• I'm especially _____ with the acting of the actors.

08 우리말과 일치하도록 주어진 말을 활용하여 분사구문이 포함된 문장을 쓰시오.

(1) 피곤해서 우리는 하루 종일 집에 머물렀다.
(feel, tired, stay at, all day)
→ ______________________

(2) 문을 열었을 때, 나는 그 편지를 발견했다.
(open, find)
→ ______________________

고난도

09 |보기|에서 알맞은 접속사를 골라 밑줄 친 부분을 부사절로 바꿔 쓰시오. (|보기|의 접속사는 한 번씩만 사용할 것)

|보기| because though if when

(1) Hearing the news, we were surprised.
→ ______________________, we were surprised.

(2) Turning right, you will find the bank.
→ ______________________, you will find the bank.

(3) Not knowing how to use the machine, he looked for someone to ask.
→ ______________________, he looked for someone to ask.

신유형

10 밑줄 친 ⓐ~ⓔ 중 어법상 틀린 것 두 개를 골라 기호를 쓰고, 바르게 고쳐 쓰시오.

I'm ⓐinterested in taking pictures. Here are some pictures ⓑtaking last weekend. This is a picture of the cookies ⓒbaked by my sister, and this is a picture of my mom. She was ⓓsurprised since I opened the door suddenly. Taking snapshots of my daily life is very ⓔexcited.

(   ) → ______________
(   ) → ______________

함정이 있는 문제

01 우리말과 일치하도록 write의 알맞은 형태를 빈칸에 쓰시오.

(1) 편지를 쓰고 있는 소녀가 Jane이다.
→ The girl ________ the letter is Jane.

(2) 나는 영어로 쓴 편지를 받았다.
→ I got a letter ________ in English.

✔ 분사의 형태는 수식을 받는 명사를 기준으로 결정하자!
(1)에서는 소녀가 편지를 쓰는 것이므로 능동의 의미를 나타내는 현재분사를 쓴다. 하지만 (2)의 경우에는 누군가가 편지를 쓴 것이므로 수동의 의미를 나타내는 과거분사를 쓴다.

02 밑줄 친 부분을 분사구문으로 바꿔 쓰시오.

As he is not very hungry, he didn't eat anything.
→ ______________________, he didn't eat anything.

✔ not의 위치에 주의하자!
be동사의 부정문은 be동사 다음에 not을 쓰지만, 분사구문으로 바뀌면 분사 앞에 not을 써야 하는 것에 주의하자!

03 우리말과 일치하도록 주어진 말을 활용하여 문장을 완성하시오. (필요한 경우, 형태를 바꿀 것)

Kate는 눈을 감은 채로 음악을 들었다.
→ Kate listened to music ______________.
(her eyes, close, with)

✔ 특별한 구문의 자주 쓰이는 표현은 꼭 암기하자!
'~한 채로'라는 의미를 나타내는 「with+명사+분사」는 적절한 분사의 형태와 어순을 묻는 문제가 자주 출제된다. 따라서 자주 쓰이는 표현들은 평소에 암기해 두자!

시험에 강해지는

실전 TEST

시험일		월	일
시간			/ 40분
문항 수	객관식 10	/	서술형 10
점수			/ 100점

01 밑줄 친 말을 알맞은 형태로 바꾼 것은? (3점)

> Who is the man take pictures of her?

① takes   ② taking   ③ took

④ taken   ⑤ be taken

02 빈칸에 알맞은 말이 순서대로 짝지어진 것은? (4점)

> • My teacher told us a ___(A)___ story.
> • He bought me a bag ___(B)___ from France.
> • The man ___(C)___ for drunk driving will lose his license.

	(A)		(B)		(C)
①	moved	⋯⋯	imported	⋯⋯	arrested
②	moved	⋯⋯	importing	⋯⋯	arrested
③	moving	⋯⋯	imported	⋯⋯	arrested
④	moving	⋯⋯	importing	⋯⋯	arresting
⑤	moving	⋯⋯	imported	⋯⋯	arresting

03 밑줄 친 부분이 어법상 틀린 것은? (4점)

① The dog walking beside him looks cute.

② Look at the helicopter flying in the sky.

③ Firefighters are rescuing people from the burning building.

④ The news that he failed the test was disappointing.

⑤ Anyone interesting in movies can join our club.

신유형

04 주어진 우리말을 8단어의 영어 문장으로 쓸 때, 세 번째로 오는 단어는? (5점)

> 그 질문에 대답하고 있는 학생이 내 아들이다.

① is   ② my   ③ student

④ question   ⑤ answering

고난도

05 어법상 틀린 문장을 모두 고르면? (5점)

① The singer's costume was shocking.

② My sister looked worrying about the test.

③ Books written in English are not sold here.

④ The baby slept in the bed looks like an angel.

⑤ Do you know the boy talking with a foreigner?

06 빈칸에 알맞은 것은? (3점)

> The teacher was watching the students with his arms _____.

① fold   ② folded   ③ folding

④ to fold   ⑤ being folded

07 두 문장의 의미가 같도록 바꿔 쓸 때, 빈칸에 알맞은 것은? (3점)

> Arriving at the airport, I realized I didn't bring my passport.
> = _____ I arrived at the airport, I realized I didn't bring my passport.

① If   ② Since   ③ When

④ Though   ⑤ Because

082　CHAPTER **06**

08 밑줄 친 부분을 분사구문으로 바르게 바꾼 것은? (4점)

As he didn't have enough money, he couldn't buy a new bike.

① Having enough money
② No having enough money
③ Having never enough money
④ Not having enough money
⑤ Having not enough money

09 밑줄 친 부분을 부사절로 바꾼 것 중 알맞지 <u>않은</u> 것은? (4점)

① <u>Feeling tired</u>, she went straight to bed.
 → Since she felt tired
② <u>Listening to music</u>, he did his homework.
 → If he listened to music
③ <u>Watching TV</u>, I heard someone knocking on the door.
 → When I watched TV
④ <u>Being hungry</u>, I didn't give up going on a diet.
 → Though I was hungry
⑤ <u>Living next door</u>, I see her often.
 → Because I live next door

10 어법상 올바른 문장의 개수는? (5점)

ⓐ We felt satisfying with the trip.
ⓑ I will show you around the amazing city.
ⓒ The scared children began crying one by one.
ⓓ The man walking out from the school is my English teacher.

① 없음　　② 1개　　③ 2개
④ 3개　　⑤ 4개

서술형

[서술형1] 괄호 안의 말을 알맞은 형태로 바꿔 쓰시오. (6점, 각 2점)

(1) The rides at the amusement park looked _____. (excite)

(2) The news about a new classmate was _____ to us. (surprise)

(3) We were _____ with the food at the new restaurant. (disappoint)

[서술형2] 괄호 안의 말을 각각 알맞은 형태로 바꿔 문장을 완성하시오. (4점, 각 2점)

My mom took the (1) _____ eggs out of the (2) _____ water very carefully. (boil)

신유형

[서술형3] 우리말과 일치하도록 |보기|에서 필요한 말만 골라 배열하여 문장을 쓰시오. (5점)

|보기|	looked	boring	bored	walked
	a dog	walking	the boy	very

개를 산책시키는 그 남자아이는 매우 지루해 보였다.
 → _____

고등유형

[서술형4] 대화의 내용과 일치하도록 빈칸에 알맞은 말을 대화문에서 찾아 쓰시오. (4점)

A There are many reporters there. What are they doing?
B They are waiting for BTS, the boy group. They will stay there until the group members show up.

→ The reporters _____ _____ _____ will stay there until the group shows up.

[서술형5] 우리말과 일치하도록 조건에 맞게 문장을 쓰시오.

(10점, 각 5점)

조건 1. 괄호 안의 말을 활용할 것
　　　2. 분사구문으로 쓸 것

(1) 축구를 하다가 그는 다리를 다쳤다.
　　(play soccer, hurt his leg)
　　→ _____

(2) 이 약을 먹으면 너는 기분이 나아질 것이다.
　　(take this medicine, feel better)
　　→ _____

[서술형6] 밑줄 친 부분을 분사구문으로 바꿔 쓰시오.

(6점, 각 3점)

(1) Because he was very busy, he couldn't go to the concert.
　　→ _____, he couldn't go to the concert.

(2) As I didn't know her very well, I didn't invite her.
　　→ _____, I didn't invite her.

고난도
[서술형7] 예시와 같이 조건에 맞게 문장을 완성하시오. (6점)

예시 무대 위에서 노래하는 소녀들은 내 친구들이다.
　　→ The girls singing on the stage are my friends.

조건 1. attend, good at을 사용할 것
　　　2. 7단어로 쓸 것
　　　3. 분사를 포함할 것

이 학교에 다니는 학생들은 음악을 잘한다.
→ The students _____.

[서술형8] 어법상 틀린 문장을 골라 기호를 쓰고, 틀린 부분을 바르게 고쳐 쓰시오. (5점)

ⓐ The man shouted at people looked very upset.
ⓑ The teacher's explanation was confusing.
ⓒ Signs painted in red usually contain warning messages.

(　　) _____ → _____

[서술형9] 그림을 보고, 보기에서 필요한 말을 골라 문장을 완성하시오. (중복 사용 가능, 필요한 경우 형태를 바꿀 것)

(6점, 각 3점)

보기 hand　　eyes　　close　　wave　　with

(1)

→ She is sitting _____.

(2)

→ He drove away _____.

[서술형10] 보기에서 알맞은 접속사를 골라 밑줄 친 부분을 부사절로 바꿔 쓰시오. (8점, 각 4점)

보기 if　　when　　because　　though

(1) Leaving the house, he locked the door.
　　→ _____, he locked the door.

(2) Not having any problems, we were able to finish the project early.
　　→ _____, we were able to finish the project early.

CHAPTER

07

비교

Unit 1 원급과 비교급

Unit 2 최상급

비교는 둘 이상의 대상의 성질, 상태, 수량, 정도를 비교하는 것으로 형용사나 부사의 형태를 바꿔 나타낸다.

| 원급 | English is as **easy** as Korean. 영어는 한국어만큼 **쉽다**. |

| 비교급 | English is **easier** than math. 영어는 수학보다 **더 쉽다**. |

| 최상급 | English is the **easiest** subject. 영어는 **가장 쉬운** 과목이다. |

Unit 1 원급과 비교급

1 「as+원급+as」는 '~만큼 …한/하게'라는 의미를 나타낸다.

as+원급+as (~만큼 …한/하게)	My bag is **as big as** yours.	내 가방은 너의 것**만큼 크다**.
not as+원급+as (~만큼 …하지 않은/않게)	My bag is **not as big as** yours.	내 가방은 너의 것**만큼 크지 않다**.

| 비교급 비교 |

2 「비교급+than」은 '~보다 더 …한/하게'라는 의미를 나타낸다.

비교급+than (~보다 더 …한/하게)	Today is **colder than** yesterday.	오늘은 어제**보다 더 춥다**.
much, even, still, far, a lot +비교급+than (~보다 **훨씬** 더 …한/하게)	Today is **much colder than** yesterday.	오늘은 어제**보다 훨씬 더 춥다**.

주의 비교구문에서 비교 대상은 문법적 형태가 동일해야 한다.

<u>Reading books</u> is **more interesting than** <u>watching TV</u>. 책을 읽는 것은 TV를 보는 것**보다 더 재미있다**.
　　동명사　　　　　　　　　　　　　　　　　동명사

| 비교구문 |

3 원급과 비교급을 이용한 다양한 비교 표현을 익혀 둔다.

as+원급+as possible = as+원급+as+주어+can (가능한 한 ~한/하게)	Send me the email **as soon as possible**. = Send me the email **as soon as you can**.	**가능한 한 빨리** 나에게 이메일을 보내라.
배수사+as+원급+as (~의 -배만큼 …한/하게)	This bag is **three times as expensive as** that one.	이 가방은 저것의 **세 배만큼 비싸다**.
배수사+비교급+than (~보다 -배 더 …한/하게)	This bag is **three times more expensive than** that one.	이 가방은 저것**보다 세 배 더 비싸다**.
비교급+and+비교급 (점점 더 ~한/하게)	The car ran **faster and faster**.	그 차는 **점점 더 빨리** 달렸다.
the+비교급 ~, the+비교급 … (더 ~할수록 더 …한/하게)	**The better** you sing, **the more popular** you are.	네가 노래를 더 잘할수록 더 인기가 많다.

주의 「비교급+and+비교급」에서 비교급에 more가 붙는 경우에는 「more and more+원급」으로 나타낸다.

The story is getting **more and more interesting**. 이야기가 **점점 더 흥미있어지고** 있다.

✔ 바로 개념 확인하기

A 빈칸에 알맞은 말 고르기

1 Your room is _____ than mine.
  ☐ big   ☐ bigger

2 It was _____ more difficult than I expected.
  ☐ much   ☐ very

3 Sleeping well is as important as _____ well.
  ☐ eat   ☐ eating

B 우리말과 일치하도록 주어진 말 활용하여 쓰기

1 Dave는 그의 아빠만큼 크지 않다. (not, tall)
  → Dave is _____ _____ _____ as his father.

2 내 새 스마트폰은 예전 것보다 훨씬 더 비싸다.
  (much, expensive)
  → My new smartphone is _____ _____
  _____ _____ the older one.

3 그 쇼는 점점 더 흥미진진해지고 있다.
  (interesting, and)
  → The show is getting _____ _____
  _____ _____.

C 우리말과 일치하도록 빈칸에 알맞은 말 고르기

1 이 식물은 다른 나머지 식물들보다 네 배 더 빨리 자란다.
  → This plant grows _____than the others.
  ☐ fast four times   ☐ four times faster

2 네가 더 열심히 공부할수록 시험을 더 잘 본다.
  → _____, the better you do on a test.
  ☐ You study harder   ☐ The harder you study

| 배열 영작 |

[1~5] 우리말과 일치하도록 주어진 말을 배열하여 문장을 완성하시오.

1 그것은 다른 문제들만큼 중요하다.
  (as, other issues, as, important)

  → It is _____.

2 이 신발은 저것보다 더 비싸다.
  (these shoes, than, are, expensive, more)

  → _____ those.

3 나는 가능한 한 많이 웃으려고 노력한다.
  (much, as, laugh, as, possible)

  → I try to _____.

4 그는 더 오래 기다릴수록 더 초조해졌다.
  (the, he, longer, waited, the, anxious, more)

  → _____,
  _____ he became.

5 사생활이 점점 더 중요해지고 있다.
  (getting, is, more, important, and, more)

  → Privacy _____.

| 오류 수정 |

[6~9] 어법상 또는 의미상 **틀린** 부분을 찾아 바르게 고쳐 쓰시오.

6 This winter is very warmer than last winter.
(이번 겨울은 지난겨울보다 훨씬 더 따뜻하다.)

_____ → _____

7 This city is three times big than that city.
(이 도시는 저 도시보다 세 배 더 크다.)

_____ → _____

8 His songs got popular and popular.
(그의 노래들이 점점 더 인기를 얻었다.)

_____ → _____

9 Reading books is more helpful than play computer games. (책을 읽는 것이 컴퓨터 게임을 하는 것보다 더 도움이 된다.)

_____ → _____

| 문장 전환 |

[10~13] 주어진 문장과 의미가 같도록 지시에 맞게 바꿔 쓰시오.

10 「as+원급+as」를 사용할 것

John is more intelligent than Sam.

→ Sam is _____ John.

11 「as+원급+as+주어+can」을 사용할 것

He will come as early as possible.

→ He will come _____.

12 「배수사+비교급+than」을 사용할 것

This rope is four times as long as that rope.

→ This rope _____ that rope.

13 「the+비교급 ~, the+비교급 ....」을 사용할 것

As it snows more, people walk more carefully.

→ _____ it snows, _____ people walk.

| 문장 완성 |

[14~15] 주어진 정보를 보고, 배수사와 주어진 말을 활용하여 문장을 완성하시오.

14 The black box is 30 kg.
The green box is 10 kg.

→ The black box is _____ as the green one. (heavy)

15 My father is 40 years old.
My sister is 10 years old.

→ My father is _____ than my sister. (old)

Unit 2 최상급

→ 부록 pp.167~168

| 최상급의 형태 |

1 「the+최상급」은 '가장 ~한/하게'라는 의미를 나타낸다.

the+최상급+ in+장소, 범위	Russia is **the largest** country **in** the world. 러시아는 세계에서 **가장 큰** 나라이다.
the+최상급+ of+비교 대상	Sue is **the smartest** girl **of** the three. Sue는 셋 중에서 **가장 똑똑한** 여자아이이다.

(tips) 부사의 최상급에서는 주로 the를 생략한다.
Tom runs **fastest** in our class. Tom은 우리 반에서 **가장 빨리** 달린다.

암기 노트 헷갈리는 비교급, 최상급

good/well	better	best
bad	worse	worst
much	more	most
nice	nicer	nicest
noisy	noisier	noisiest
quickly	more quickly	most quickly
sad	sadder	saddest

| 최상급을 이용한 표현 |

2 최상급을 이용한 다양한 표현을 익혀 둔다.

one of the+최상급+복수명사 (가장 ~한 … 중 하나)	Mozart is **one of the greatest musicians** of all time. 모차르트는 역대 **가장 위대한 음악가 중 하나**이다.
the+최상급+명사+that+주어+have ever p.p. (지금껏 ~했던 중에서 가장 …한)	She is **the most beautiful woman that I have ever seen.** 그녀는 **내가 지금껏 봤던 중에서 가장 아름다운 여자**이다.

주의 「one of the+최상급+복수명사」가 문장의 주어로 쓰인 경우에는 one이 주어이므로 3인칭 단수동사를 쓴다.
One of the most popular sports in Korea is soccer. 한국에서 가장 인기 있는 스포츠 중 하나는 축구이다.

| 원급·비교급을 이용한 최상급 표현 |

3 원급이나 비교급을 이용하여 최상급의 의미를 나타낼 수 있다.

the+최상급 (가장 ~한)	Tom is **the tallest** boy in the class. Tom은 반에서 **가장 키가 큰** 남자아이이다.
비교급+than any other+단수명사 (다른 어떤 ~보다 더 …한)	Tom is **taller than any other boy** in the class. Tom은 반에서 **다른 어떤 남자아이보다 키가 더 크다.**
부정주어 ~ as+원급+as (어떤 ~도 –만큼 …하지 않은)	**No other boy** in the class is **as tall as** Tom. 반에서 **어떤 남자아이도 Tom만큼 키가 크지 않다.**
부정주어 ~ 비교급+than (어떤 ~도 –보다 …하지 않은)	**No other boy** in the class is **taller than** Tom. 반에서 **어떤 남자아이도 Tom보다 키가 크지 않다.**

주의 부정주어가 있는 문장에서 동사를 부정형으로 쓰지 않도록 주의한다.
No other boy in the class is ~~not~~ taller than Tom.

✔ 바로 개념 확인하기

A 빈칸에 알맞은 말 고르기

1 Today is the _____ day of my life.
☐ most sad   ☐ saddest

2 Mason is the wisest boy _____ my class.
☐ in   ☐ of

3 Jordan is one of the fastest _____ in my school.
☐ runner   ☐ runners

B 우리말과 일치하도록 주어진 말 활용하여 쓰기

1 파리는 세계에서 가장 신나는 도시 중 하나이다.
(exciting, city)
→ Paris is one of _____ _____ _____ _____ in the world.

2 Brad는 내가 지금껏 만났던 중에서 가장 바쁜 사람이다.
(busy, man)
→ Brad is _____ _____ _____ that I have ever met.

C |보기|의 문장과 의미가 같도록 바꿔 쓰기

> |보기| Jeju-do is the biggest island in Korea.

1 Jeju-do is _____ _____ _____ _____ island in Korea.

2 No other island in Korea is _____ _____ as Jeju-do.

3 No other island in Korea is _____ Jeju-do.

|배열 영작|

[1~5] 우리말과 일치하도록 주어진 말을 배열하여 문장을 완성하시오.

1 바티칸 시국은 세계에서 가장 작은 국가이다.
(the world, in, the, country, smallest)

→ Vatican City is _____
_____.

2 그것은 내가 지금껏 먹었던 중에서 최고의 피자이다.
(best, I, ever, have, eaten, pizza, that)

→ It is the _____
_____.

3 그 나라에서 다른 어떤 사람도 Nancy보다 부유하지 않다. (other, no, person, than, richer)

→ _____ in the country
is _____ Nancy.

4 이것은 그 도시에서 가장 오래된 다리 중 하나이다.
(oldest, the, one, of, bridges, the city, in)

→ This is _____
_____.

5 Tom이 넷 중 가장 빨리 그 문제를 풀었다.
(of, most, the four, quickly)

→ Tom solved the problem _____
_____.

| 오류 수정 |

[6~9] 어법상 또는 의미상 **틀린** 부분을 찾아 바르게 고쳐 쓰시오.

6 It is the baddest of the three songs.
(그것은 세 곡 중 가장 최악이다.)

_____ → _____

7 This is one of the most useful tip.
(이것은 가장 유용한 조언 중 하나이다.)

_____ → _____

8 No other painting is not as famous as this one.
(다른 어떤 그림도 이것만큼 유명하지 않다.)

_____ → _____

9 She is more popular than any other members in the group.
(그녀는 그룹에서 다른 어떤 멤버보다 더 인기가 많다.)

_____ → _____

| 문장 완성 |

[10~12] 우리말과 일치하도록 주어진 말을 활용하여 문장을 완성하시오.

10 이것은 내가 지금껏 봤던 중에서 가장 지루한 영화이다.
(boring, ever, watch, that, movie)

→ This is _____
_____.

11 팀에서 다른 어떤 선수도 Bolt만큼 빠르지 않다.
(no, player, as, fast)

→ _____ on the team is
_____ Bolt.

12 이곳은 이 동네에서 가장 근사한 식당 중 하나이다.
(one, nice, restaurant)

→ This is _____
in the neighborhood.

| 문장 전환 |

[13~15] 주어진 문장과 의미가 같도록 지시에 맞게 바꿔 쓰시오.

13 비교급을 사용할 것

Bill is the richest man in the world.

→ _____ in the world is
Bill.

14 최상급을 사용할 것

No other student in my class is as diligent as Cindy.

→ Cindy is _____
in my class.

15 비교급을 사용할 것

Math is the hardest subject for me.

→ Math is _____
for me.

난이도별 서술형 문제

·················· 기본 ··················

01 괄호 안의 말을 알맞은 형태로 바꿔 쓰시오.

(1) I took medicine, but my cold is getting
_____ . (bad)

(2) You were late today. Tomorrow you should
come _____ than today. (early)

(3) All students like Mr. Robinson. He is the
_____ teacher in our school. (popular)

02 우리말과 일치하도록 주어진 말을 배열하여 문장을 쓰시오.

우리 집은 Tony의 집만큼 크지 않다.
(Tony's, big, as, my house, as, is, not)

→ _____

03 우리말과 일치하도록 주어진 말을 활용하여 문장을 완성하시오.

흥민이는 우리 학교에서 최고의 축구선수이다.
(good)

→ Heungmin is _____ _____ soccer
player _____ my school.

04 그림을 보고, 조건에 맞게 문장을 완성하시오.

![mountain diagram]

조건 1. 비교급을 사용할 것
2. high와 cold를 알맞은 형태로 바꿔 쓸 것

→ _____ _____ you go up the mountain,
_____ _____ the weather gets.

05 어법상 틀린 부분을 찾아 바르게 고쳐 쓰시오.

(1) The weather is getting hot and hot.
(날씨가 점점 더 더워지고 있다.)

_____ → _____

(2) He is twice as older as his son.
(그는 그의 아들의 두 배만큼 나이가 많다.)

_____ → _____

·················· 심화 ··················

06 우리말과 일치하도록 조건에 맞게 문장을 완성하시오.

조건 1. 괄호 안의 말을 사용할 것
2. as ~ as 구문을 쓸 것

(1) 지수는 유빈이만큼 빨리 달릴 수 있다. (run, fast)
→ Jisu _____ Yubin.

(2) 오늘은 어제만큼 춥지 않다. (cold)
→ Today _____ yesterday.

(3) 이번 시험은 지난번 시험만큼 어려웠다. (difficult)
→ This exam _____
the last one.

고난도
07 괄호 안의 말을 활용하여 대화를 완성하시오.

A I went to May's concert yesterday.
B Wow! Isn't she one of the _____
_____ now? (popular, singer)
A Yes. I really love her voice. Her voice is
_____ that I
_____ . (beautiful, voice,
ever, hear)

08 그림을 보고, 조건 에 맞게 문장을 완성하시오.

 $30    $10

> 조건 1. 배수사 표현을 포함할 것
> 2. (1)은 원급, (2)는 비교급을 사용할 것
> 3. 둘 다 expensive를 사용할 것

(1) The red bag is _____

_____ the blue bag.

(2) The red bag is _____

_____ the blue bag.

09 주어진 문장과 의미가 같도록 조건 에 맞게 바꿔 쓰시오.

> 조건 1. 「the+비교급 ~, the+비교급 ....」 구문을 사용할 것
> 2. 어순에 유의할 것

As the weather gets warmer, we go out for a walk more often.

→ The warmer the weather gets, _____

_____ .

10 주어진 문장과 의미가 같도록 조건 에 맞게 문장을 완성하시오.

> Music is the most interesting subject for me.

> 조건 (1)은 비교급, (2)는 원급을 사용하여 쓸 것

(1) Music is _____

for me.

(2) No other subject is _____

for me.

함정이 있는 문제

01 주어진 우리말과 일치하도록 괄호 안의 말을 활용하여 문장을 완성하시오.

나는 요즘 점점 더 피곤해지고 있다. (tired)

→ I feel _____

these days.

✔ 비교급을 만들 때 more를 쓰는 경우에 주의하자!
「비교급+and+비교급」을 쓸 때, more를 써서 비교급을 만드는 형용사나 부사는 「more and more+원급」으로 써야 하는 것에 주의하자!

02 주어진 문장을 「the+비교급 ~, the+비교급 ....」을 사용하여 바꿔 쓰시오.

As you talk to him more, you will understand him better.

→ _____ you talk to him,

_____ .

✔ 「the+비교급 ~, the+비교급 ....」은 어순에 주의하자!
문장을 바꿔 쓰는 문제에서는 비교급에 해당하는 부분만 문장의 처음으로 이동하고 나머지 부분은 그대로 써 주면 된다. 비교급이 앞으로 갈 때 the를 써야 하는 것도 잊지 말자!

03 주어진 문장과 의미가 같도록 조건 에 맞게 문장을 완성하시오.

> 조건 1. 다음 단어 중 필요한 것만 골라 사용할 것
> other, not, as, no
> 2. 1에 주어진 단어와 주어진 문장에 쓰인 단어 외에 다른 단어는 추가할 수 없음
> (단어의 형태는 바꿀 수 있음)

Alice is the prettiest girl in my school.

→ _____ in my school

_____ .

✔ 부정주어를 조심하자!
주어에 No가 있는 경우에는 부정의 의미를 포함하고 있으므로 동사에 not을 붙일 필요가 없다. 무심코 우리말 의미만 생각하다 not을 붙이기 쉬우므로 주의하자!

시험에 강해지는

실전 TEST

시험일	월	일
시간		/ 40분
문항 수	객관식 10 /	서술형 10
점수		/ 100점

01 빈칸에 알맞은 말이 순서대로 짝지어진 것은? (3점)

> • You should sleep as _____ as possible.
> • Seoul is one of the busiest _____ in the world.

① much – city
② much – cities
③ more – city
④ most – city
⑤ most – cities

02 밑줄 친 부분과 바꿔 쓸 수 없는 것은? (3점)

> Crows are <u>much</u> more intelligent than other birds.

① far
② still
③ very
④ even
⑤ a lot

신유형

03 그림의 내용을 바르게 묘사한 사람을 <u>모두</u> 짝지은 것은? (4점)

Mia   Sue

채훈: Mia is not as tall as Sue.
기훈: Mia is taller than Sue.
미라: Sue is shorter than Mia.
지민: Sue is not as tall as Mia.

① 채훈, 기훈
② 채훈, 미라, 지민
③ 기훈, 미라
④ 기훈, 미라, 지민
⑤ 미라, 지민

고난도

04 어법상 올바른 것은? (5점)

① She can run far faster than James.
② Cats sleep twice as longer as humans.
③ Sumi has the longest hair of my school.
④ My hands are much bigger than her.
⑤ He is one of the most famous writer in Korea.

05 우리말 의미가 알맞지 <u>않은</u> 것은? (4점)

① Hojun is getting taller and taller.
→ 호준이는 키가 점점 더 크고 있다.
② I will come back as soon as I can.
→ 나는 가능한 한 빨리 돌아올 것이다.
③ The more we practice, the better we can play.
→ 우리가 더 연습할수록 더 잘 할 수 있다.
④ This is the most interesting novel that I have ever read.
→ 이것은 가장 재미있는 소설이어서 내가 읽어 봤다.
⑤ This box is three times heavier than that one.
→ 이 상자는 저것보다 세 배 더 무겁다.

06 |보기|의 문장과 의미가 같은 것은? (4점)

> |보기| No other singer in my country sings as well as David.

① David is one of the best singers in my country.
② David sings as well as any other singer in my country.
③ David sings better than any other singer in my country.
④ Any other singer in my country sings better than David.
⑤ David doesn't sing as well as any other singer in my country.

07 다음 글의 마지막 질문에 대한 답으로 알맞은 것은? (4점)

> Minho is shorter than Subin. Yumin is as tall as Subin. Jisu is shorter than Minho. Seri is taller than Yumin. Subin is not as tall as Seri. Who is the tallest of the five students?

① Jisu
② Seri
③ Subin
④ Minho
⑤ Yumin

08 빈칸에 more를 쓸 수 <u>없는</u> 것은? (4점)

① I like English _____ than math.
② Is it _____ useful as a cell phone?
③ The _____ I exercise, the stronger I get.
④ I think time is _____ important than money.
⑤ The children became _____ and _____ excited.

신유형

09 어법상 <u>틀린</u> 문장을 찾아 바르게 고친 것은? (5점)

> ⓐ No other boy is nicer than Jiho.
> ⓑ The audience got more and more bored.
> ⓒ The harder you study, the more your parents feel happy.

① ⓐ → No other boy is not nicer than Jiho.
② ⓑ → The audience got more bored and bored.
③ ⓑ → The audience got bored more and more.
④ ⓒ → The harder you study, the happier your parents feel.
⑤ ⓒ → The harder you study, the more happy your parents feel.

고등유형

10 다음 (A)~(C)에서 어법상 알맞은 말이 순서대로 짝지어진 것은? (4점)

> A Who is the tallest (A) | in / of | your class?
> B Jiwon is taller than any other (B) | student / students |.
> A Does he play basketball?
> B Yes. He is one of the best (C) | player / players | in my school.

	(A)	(B)	(C)
①	in	student	player
②	in	student	players
③	in	students	players
④	of	student	players
⑤	of	students	player

[서술형1] 주어진 정보를 이용하여 **조건** 에 맞게 빈칸에 알맞은 말을 쓰시오. (6점, 각 3점)

> **조건** 1. 반드시 원급을 사용할 것
> 2. 주어진 형용사를 사용할 것
> 3. 빈칸의 수에 맞춰 문장을 완성할 것

(1) Subin is 170 cm tall. Hojun is 178 cm tall.

→ Subin _____ _____ _____ _____ Hojun. (tall)

(2) This bike is $200. That bike is $100.

→ This bike _____ _____ _____ _____ _____ that bike. (expensive)

[서술형2] 우리말과 일치하도록 빈칸에 알맞은 말을 쓰시오. (6점, 각 3점)

(1) 가능한 한 자주 물을 마시도록 노력해라.
→ Try to drink water _____ _____ _____ possible.

(2) 우리는 기차를 잡으려고 점점 더 빨리 달렸다.
→ We ran _____ _____ _____ to catch the train.

[서술형3] 어법상 틀린 부분을 찾아 바르게 고쳐 쓰시오. (4점, 각 2점)

(1) Yerin is as prettier as a doll.
(예린이는 인형만큼 예쁘다.)

_____ → _____

(2) The movie is very more interesting than the original novel.
(그 영화는 원작 소설보다 훨씬 더 재미있다.)

_____ → _____

[서술형4] 우리말과 의미가 같도록 조건에 맞게 지시대로 문장을 완성하시오. (6점, 각 3점)

Ted는 우리 반에서 가장 성실한 학생이다.

조건 형용사 diligent를 사용할 것

(1) 최상급을 사용하여 쓸 것
→ Ted is _____
in my class.

(2) 비교급을 사용하여 쓸 것
→ Ted is _____
in my class.

[서술형5] 주어진 문장과 의미가 같도록 바꿔 쓰시오. (5점)

Let me know the result as soon as possible.

→ Let me know the result _____.

[서술형6] 우리말과 일치하도록 주어진 말을 배열하여 쓰시오.
(8점, 각 4점)

(1) 이것은 내가 지금껏 타 봤던 중에 가장 신나는 놀이기구이다.
(exciting, have, that, ever, this, the most, I, is, ride, ridden)
→ _____

(2) 그것은 가장 유명한 한국 영화 중의 하나이다.
(of, one, it, famous, the most, is, Korean movies)
→ _____

고난도
[서술형7] 주어진 문장과 의미가 같도록 문장을 완성하시오.
(4점)

Ms. Jones is the best teacher in my school.

→ _____
as Ms. Jones.

[서술형8] 두 문장의 의미가 같도록 조건에 맞게 바꿔 쓰시오.
(8점, 각 4점)

조건 「the+비교급 ~, the+비교급 ....」을 사용할 것

(1) As he talked more, I became more bored.
→ _____

(2) As you practice harder, you will sing better.
→ _____

[서술형9] 밑줄 친 ⓐ~ⓔ 중 어법상 틀린 것을 골라 기호를 쓰고, 바르게 고쳐 쓰시오. (5점)

A How much are these sneakers?
B They are 60 dollars.
A How about those?
B They are ⓐtwice as ⓑmore expensive as ⓒthese and ⓓthe most expensive sneakers ⓔin my store.

( ) → _____

신유형
[서술형10] 좌석배치도와 가격표를 보고, 주어진 말을 활용하여 문장을 완성하시오. (필요한 경우, 형태를 바꿀 것) (8점, 각 4점)

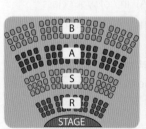

SEAT	TICKET PRICE
R	$150
S	$120
A	$80
B	$50

(1) The R seats are _____
_____ the B seats. (times, expensive, than)

(2) The _____ from the stage the seat is, the
_____ the ticket price is. (far, cheap)

CHAPTER

08

접속사

Unit 1 부사절을 이끄는 접속사

Unit 2 상관접속사, 간접의문문

접속사는 단어와 단어, 구와 구, 절과 절을 연결해 주는 말이다.

부사절 접속사 **When** she entered the room, I was studying English.
그녀가 방에 들어왔을 **때**, 나는 영어를 공부하고 있었다.

상관접속사 He speaks **both** English **and** Spanish.
그는 영어**와** 스페인어를 **둘 다** 할 줄 안다.

간접의문문 I don't know **if** she speaks Korean.
나는 그녀가 한국어를 할 줄 아**는지** 모른다.

Unit 1

부사절을 이끄는 접속사

| 시간, 조건의 부사절 |

1 when, while, until 등은 시간의 부사절을 이끌고, if와 unless는 조건의 부사절을 이끈다.

시간	**when** (~할 때)	**When** I was young, I wanted to be a cook. 내가 어렸을 **때**, 나는 요리사가 되고 싶었다.
	while (~하는 동안)	**While** my sister was sleeping, I read a book. 내 여동생이 자고 있는 **동안** 나는 책을 읽었다.
	until (~할 때까지)	We stood there **until** the sun rose. 우리는 해가 뜰 **때까지** 거기에 서 있었다.
	since (~ 이래로)	I have lived in Seoul **since** I was born. *since는 주로 완료형과 함께 쓰임 나는 태어난 **이래로** 서울에서 살고 있다.
조건	**if** (만약 ~한다면)	**If** you exercise every day, you will be healthy. **만약** 네가 매일 운동을 **한다면**, 너는 건강해질 것이다.
	unless = if ~ not (만약 ~ 않으면)	**Unless** you hurry up, you will be late. = **If** you **don't** hurry up, you will be late. **만약** 네가 서두르지 **않으면**, 너는 늦을 것이다.

주의 시간과 조건의 부사절에서는 미래시제를 나타낼 때 현재시제를 쓴다.
I will stay at home if it **rains** tomorrow. 만약 내일 비가 온다면, 나는 집에 머물 것이다.
└─ will rain (×)

| 이유, 양보, 목적의 부사절 |

2 because는 이유를, although는 양보를, so that은 목적을 나타내는 부사절을 이끈다.

이유	**because, as, since** (~ 때문에)	My mom was angry **because** I played games too much. 우리 엄마는 내가 게임을 너무 많이 했기 **때문에** 화가 나셨다.
양보	**although, though, even though** (비록 ~지만)	**Although** he is old, he is still in good health. **비록** 그는 나이가 들었**지만** 여전히 건강하다.
목적	**so that** (~하기 위해서)	He drank warm milk **so that** he could sleep well. 그는 잘 자기 **위해서** 따뜻한 우유를 마셨다.

주의 목적을 나타내는 so that과 결과를 나타내는 so ~ that을 혼동하지 않도록 주의한다.
He studied **so hard that** he could pass the exam. 그는 **매우** 열심히 공부**해서** 시험에 통과할 수 있었다. 〈결과〉
He studied hard **so that** he could pass the exam. 그녀는 시험에 통과**하기 위해서** 열심히 공부했다. 〈목적〉

tips because 다음에는 「주어+동사」가 있는 절이 이어지고, because of 다음에는 명사(구)가 온다.
Sam couldn't play tennis **because of** the rain. Sam은 비 **때문에** 테니스를 칠 수 없었다.

✔ 바로 개념 확인하기

A |보기|에서 알맞은 접속사 골라 쓰기 (한 번씩만 사용 가능)

| |보기| while   unless   since   because |

1 She wore sunglasses _____ the sunlight was very strong.

2 We have had a good time _____ we arrived here.

3 _____ I was taking a walk, I met my old friend by chance.

4 He won't go _____ you go with him.

B 빈칸에 알맞은 말 고르기

1 If you _____ now, you will be able to catch the bus.
☐ leave   ☐ will leave

2 Please wait here until the class _____ over.
☐ is   ☐ will be

3 We couldn't go on a picnic _____ the bad weather.
☐ because   ☐ because of

C 두 문장의 의미가 같도록 알맞은 접속사 쓰기

1 You may catch a cold if you don't put on your coat.
= You may catch a cold _____ you put on your coat.

2 Mark was tired, but he couldn't sleep.
= _____ Mark was tired, he couldn't sleep.

| 배열 영작 |

[1~5] 우리말과 일치하도록 주어진 말을 배열하여 문장을 완성하시오.

1 부모님이 요리하시는 동안 나는 채소를 씻었다.
(while, were, cooking, my parents)

→ _____,
I washed vegetables.

2 그들이 너희 이름을 부를 때까지 여기서 기다려라.
(until, call, your names, they)

→ Wait here _____.

3 그는 대학에 입학한 이래로 바쁘다.
(since, entered, he, university)

→ He has been busy _____.

4 비록 비가 오기 시작했지만 그 아이들은 계속 축구를 했다. (although, started, it, to, rain)

→ _____,
the kids kept playing soccer.

5 선생님은 모두가 들을 수 있도록 크게 말씀하셨다.
(so, everybody, that, hear, him, could)

→ The teacher spoke loudly _____

_____.

| 문장 완성 |

[6~8] 우리말과 일치하도록 알맞은 접속사와 주어진 말을 활용하여 문장을 완성하시오.

6 그가 도착할 때, 우리는 저녁을 먹을 것이다.
(arrive)   *시제 주의

→ We will have dinner _____ .

7 그녀는 진실을 알았지만 아무 말도 하지 않았다.
(know, the truth)

→ _____ ,
she said nothing.

8 우리가 제시간에 도착하기를 원한다면 택시를 타야 한
다. (want, arrive, in time)

→ _____ ,
we must take a taxi.

| 오류 수정 |

[9~12] 어법상 또는 의미상 **틀린** 부분을 찾아 바르게 고쳐
쓰시오.

9 She hurried that she could see the sunrise.
(그녀는 일출을 보기 위해 서둘렀다.)

_____ → _____

10 Unless you don't need this bag, don't buy it.
(네가 이 가방이 필요하지 않으면 사지 마라.)

_____ → _____

11 If the weather will be fine tomorrow, we will
go camping.
(내일 날씨가 좋으면, 우리는 캠핑을 갈 것이다.)

_____ → _____

12 I couldn't sleep last night because the loud
noise.
(나는 큰 소음 때문에 어젯밤에 잠을 잘 수 없었다.)

_____ → _____

| 문장 전환 |

[13~15] 주어진 문장과 의미가 같도록 알맞은 접속사를 사용
하여 바꿔 쓰시오.

13 If you don't try harder, you can't achieve your
goals.

→ _____ ,
you can't achieve your goals.

14 I had a lot to say, but I remained silent.

→ I remained silent _____

_____ .

15 You should get enough sleep in order to focus
during class.

→ You should get enough sleep _____

_____ .

Unit 2
상관접속사, 간접의문문

1 상관접속사는 두 단어가 짝을 이루어 단어나 구, 절을 연결한다.

	주어로 쓰인 경우	
both A **and** B (A와 B 둘 다)	복수 취급	**Both** my brother **and** I are at home now. 내 남동생과 나 둘 다 지금 집에 있다.
either A **or** B (A와 B 둘 중 하나)		**Either** John **or** I have to clean the windows. John과 나 둘 중 한 명이 창문을 닦아야 한다.
neither A **nor** B (A도 B도 아닌)	동사는 B에 일치	**Neither** his parents **nor** Eric was born in Canada. 그의 부모님도 Eric도 캐나다에서 태어나지 **않았다**.
not only A **but also** B = B **as well as** A (A뿐만 아니라 B도)		**Not only** you **but also** he likes to watch movies. = He, **as well as** you, likes to watch movies. 너**뿐만 아니라** 그도 영화 보는 것을 좋아한다.

> **주의** 짝을 이루는 단어의 형태는 문법적으로 동일해야 한다.
> Jane is **not only** kind **but also** honest. Jane은 친절할 **뿐만 아니라** 정직하다.
>   형용사   형용사
> Tom likes **both** playing baseball **and** watching TV. Tom은 야구를 하는 것과 TV를 보는 것 **둘 다** 좋아한다.
>   동명사   동명사

2 의문문이 다른 문장의 일부가 되는 간접의문문은 「의문사/if(whether)+주어+동사」의 어순으로 쓴다.

의문사가 있는 경우 「의문사+주어+동사」	I don't know. + What does he do? → I don't know **what he does**. 나는 그가 무엇을 하는지 모른다. ↜ 수 일치 주의
의문사가 없는 경우 「if(whether)+주어+동사」	I wonder. + Did you meet him yesterday? → I wonder **if(whether) you met** him yesterday. 나는 네가 어제 그를 만났는지 궁금하다. ↜ 시제 주의

> **주의** think, guess, believe, imagine 등의 동사가 쓰인 의문문에 의문사가 있는 간접의문문을 쓰는 경우에는 의문사를 문장의 맨 앞에 쓴다.
> Do you think? + Why was Jane angry?
> → **Why** do you think Jane was angry? 왜 너는 Jane이 화가 났다고 생각하니?

> **tips** 의문사가 주어일 때는 의문문 그대로 「의문사+동사」의 어순으로 간접의문문을 쓴다.
> Tell me. + Who did that?
> → Tell me **who did** that. 누가 그것을 했는지 나에게 말해라.

바로 개념 확인하기

A 빈칸에 알맞은 말 고르기

1 We can visit _____ a museum or a palace.
☐ both   ☐ either

2 The movie was _____ touching but also interesting.
☐ neither   ☐ not only

3 This flower is neither a rose _____ a tulip.
☐ nor   ☐ and

4 Olivia is good at both singing and _____.
☐ dance   ☐ dancing

B 주어진 말을 알맞은 형태로 바꿔 쓰기 (현재시제로 쓸 것)

1 Both Peter and Jake _____ from Australia. (be)

2 Neither my brother nor I _____ sports. (like)

3 Amy, as well as you, _____ interested in my club. (be)

C 빈칸에 알맞은 말 고르기

1 I want to know _____.
☐ where she lives
☐ where does she live

2 Can you tell me _____ Korean?
☐ if Judy speaks
☐ what Judy speaks

3 Why do you believe _____?
☐ is he honest
☐ he is honest

서술형 기본 유형 익히기

| 배열 영작 |

[1~5] 우리말과 일치하도록 주어진 말을 배열하여 문장을 완성하시오.

1 Jane과 Susan 둘 다 내 친구들이다.
(Jane, both, Susan, and, are)

→ _____ my friends.

2 엄마나 아빠 중 한 명이 학교 행사에 올 것이다.
(my mom, either, dad, or, going to, is, come)

*my mom을 먼저 쓸 것

→ _____
to the school event.

3 너는 그가 언제 도착할지 아니?
(will, he, when, arrive)

→ Do you know _____?

4 우리는 그들이 우리를 도와줄 수 있는지 궁금했다.
(if, could, they, help, wondered)

→ We _____ us.

5 너는 그들이 내일 어디를 갈 것이라고 생각하니?
(you, do, where, they, will, think, go)

→ _____
tomorrow?

| 문장 전환 |

[6~8] 주어진 문장과 의미가 같도록 지시에 맞게 바꿔 쓰시오.

6 not only ~ but also를 사용할 것

His parents, as well as his sister, are here.

→ _____ here.

7 neither ~ nor를 사용할 것

This movie is not interesting.
It is not moving, either.

→ This movie is _____.

8 both ~ and를 사용할 것

Getting enough sleep is important for children.
Getting enough sleep is also important for adults.

→ Getting enough sleep is important _____

_____.

[9~12] 주어진 두 문장을 간접의문을 사용하여 한 문장으로 바꿔 쓰시오.

9 I wonder. Did he arrive safely?   *시제 주의

→ I wonder _____.

10 Do you know? How much is the car?

→ Do you know _____?

11 Tell me. Can you go to the concert?

→ Tell me _____.

12 Do you think? Why did she say that?   *어순 주의

→ _____ that?

| 오류 수정 |

[13~15] 어법상 또는 의미상 틀린 부분을 찾아 바르게 고쳐 쓰시오.

13 Neither Jane nor John want to go there.
(Jane도 John도 거기에 가기를 원하지 않는다.)

_____ → _____

14 I don't know what should I do first.
(나는 먼저 무엇을 해야 할지 모르겠다.)

_____ → _____

15 I enjoy both watching and play the game.
(나는 그 게임을 보는 것과 하는 것을 둘 다 즐긴다.)

_____ → _____

접속사 **103**

난이도별 서술형 문제

·················· 기 본 ··················

01 우리말과 일치하도록 알맞은 접속사와 주어진 말을 활용하여 빈칸에 알맞은 말을 쓰시오.

(1) 네가 내일 일찍 일어나면, 우리는 일찍 떠날 수 있다. (get up)

→ _____ _____ _____ _____ early tomorrow, we can leave early.

(2) 그는 90세이지만, 여전히 아침마다 조깅을 하러 간다. (be ninety)

→ _____ _____ _____ _____ , he still goes jogging every morning.

02 주어진 문장과 의미가 같도록 |보기|에서 알맞은 접속사를 골라 문장을 완성하시오.

|보기| unless	since	although

(1) It was raining, but we went on a trip.

→ _____ , we went on a trip.

(2) The luggage was very heavy, so Amy asked for help.

→ Amy asked for help _____

_____ .

03 우리말과 일치하도록 주어진 말을 활용하여 문장을 완성하시오.

(1) Cindy와 나는 둘 다 국수를 좋아한다. (both, like)

→ _____ noodles.

(2) 그는 축구뿐만 아니라 농구도 했다. (not only, but also)

→ He played _____

_____ .

04 어법상 틀린 부분을 찾아 바르게 고쳐 쓰시오.

When it will stop raining, we will go out.

_____ → _____

05 괄호 안의 말을 배열하여 문장을 완성하시오.

(1) Do you know _____ ? (was, why, late, she)

(2) We wonder _____ . (us, you, if, help, can)

·················· 심 화 ··················

06 주어진 두 문장을 조건에 맞게 한 문장으로 바꿔 쓰시오.

조건 1. so와 that을 반드시 포함할 것
2. 주어진 문장과 의미가 같도록 쓸 것

(1) He studied English hard. He hoped that he could study in the United States.

→ _____

_____

(2) He studied English hard. As a result, he could study in the United States.

→ _____

07 우리말과 일치하도록 조건에 맞게 문장을 완성하시오.

조건 1. 접속사를 포함할 것
2. 시제를 정확히 쓸 것

그가 집에 일찍 오면 우리는 외식을 할 것이다.

→ We will eat out _____

_____ .

08 |보기|에서 알맞은 말을 골라 두 문장을 한 문장으로 바꿔 쓰시오.

|보기|	both	neither	either

(1) Jack can't swim.
Lily can't swim, either.

→ _____

(2) Jane is good at sports.
Her sister is also good at sports.

→ _____

신유형
09 대화를 읽고, 간접의문문을 사용하여 문장을 완성하시오.

(1) **Jina** Tom, what time is it?
Tom It's 10:30.

→ Jina wants to know _____.

(2) **Sehun** Is James a math teacher?
Lena Yes, he is.

→ Sehun asks Lena _____
_____.

고난도
10 밑줄 친 ⓐ~ⓒ 중 어법상 틀린 것을 골라 기호를 쓰고, 바르게 고쳐 쓰시오.

A Did you see Minho at school?
B Yes. ⓐ We not only had lunch together but also played soccer after lunch.
A ⓑ Where do you know he went after school?
B No, I don't know. ⓒ I'm not sure if he went straight home.

( ) → _____

함정이 있는 문제

01 각 문장의 밑줄 친 be를 알맞은 형태로 바꿔 쓰시오.

(1) I will play soccer if it be sunny tomorrow.
(2) I'm not sure if it be sunny tomorrow.

(1) _____ (2) _____

✔ if가 명사절을 이끄는지 부사절을 이끄는지 먼저 파악하자!
시간과 조건의 부사절에서는 미래시제를 나타낼 때 현재시제를 쓴다. 하지만 if가 명사절을 이끌 때는 미래시제를 나타낼 때 미래시제를 써야 하는 것에 주의한다.

02 어법상 틀린 부분을 찾아 바르게 고쳐 쓰시오.

He enjoys not only swimming but also run.

_____ → _____

✔ not only A but also B에서 A와 B의 형태에 주의하자!
상관접속사에서 짝을 이루는 A와 B는 문법적으로 동등한 것이어야 한다. A가 명사이면 B도 명사, 동명사이면 동명사가 되어야 한다. not only 다음에 동명사인 swimming이 쓰였으니 but also 다음에도 동명사가 와야 한다.

03 주어진 두 문장을 간접의문문을 사용하여 한 문장으로 바꿔 쓰시오.

Do you think? Who made this bag?

→ _____

✔ 간접의문문을 만들 때는 주절의 동사를 잘 살피자!
think, guess, believe, imagine 등의 동사가 쓰인 의문문과 의문사가 있는 의문문을 간접의문문을 사용하여 한 문장으로 쓸 때는 의문사를 문장의 맨 앞에 써야 하는 것을 꼭 기억하자! Do you think who made this bag?이라고 쓰지 않도록 주의한다.

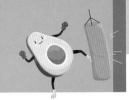

시험에 강해지는

실전 TEST

시험일	월	일
시간		/ 40분
문항 수	객관식 10 /	서술형 10
점수		/ 100점

01 빈칸에 공통으로 알맞은 것은? (3점)

> • I don't remember _____ I turned off the light.
> • The teacher will get angry _____ we are late again.

① if   ② while   ③ since
④ though   ⑤ whether

02 밑줄 친 접속사가 문맥상 알맞지 <u>않은</u> 것은? (4점)

① He has lived alone <u>since</u> he was twenty.
② You can't go out <u>unless</u> you finish your homework first.
③ Keep stirring the sauce <u>so that</u> it doesn't burn.
④ It isn't that hot outside <u>because</u> the sun is shining.
⑤ Ms. Lee is the best teacher <u>even though</u> she is the youngest.

03 빈칸에 알맞은 말이 순서대로 짝지어진 것은? (4점)

> • __(A)__ the baby was sleeping, the mother cooked lunch.
> • __(B)__ it is raining hard, we had better stay at home.
> • __(C)__ she doesn't make much money, she is satisfied with her job.

	(A)	(B)	(C)
①	When	Though	Since
②	While	As	Though
③	While	As	Since
④	Until	As	Though
⑤	Until	Though	Because

04 밑줄 친 말의 쓰임이 <u>다른</u> 것은? (4점)

① It hurts <u>when</u> I touch my leg.
② I go swimming <u>when</u> it is hot.
③ What do you do <u>when</u> you are free?
④ It was raining <u>when</u> we went outside.
⑤ Jane doesn't remember <u>when</u> the accident happened.

05 빈칸에 알맞은 것은? (3점)

> He studied hard not only to achieve his goal but also _____ his parents.

① pleasing   ② pleased
③ to please   ④ pleasure
⑤ didn't please

06 두 문장의 의미가 같도록 할 때, 빈칸에 알맞은 것은? (4점)

> I did my best in order to pass the entrance exam.
> = I did my best _____ I could pass the entrance exam.

① unless   ② since   ③ because
④ so that   ⑤ although

07 우리말을 영어로 바르게 옮긴 것은? (3점)

> 그 영화는 감동적이지도 재미있지도 않았다.

① The movie was either touching or funny.
② The movie was neither touching nor funny.
③ The movie was funny as well as touching.
④ The movie was both touching and funny.
⑤ The movie was not neither touching or funny.

08 |보기|에서 빈칸에 들어갈 수 있는 것의 개수는? (5점)

> Why do you _____ Ken went there?

|보기|	ⓐ ask	ⓑ know	ⓒ think
	ⓓ believe	ⓔ guess	ⓕ wonder

① 1개   ② 2개   ③ 3개
④ 4개   ⑤ 5개

---

09 밑줄 친 부분을 잘못 고친 것은? (5점)

> ⓐ Either Peter or Erin need to go there.
> ⓑ Not only Mike but also his sister sing well.
> ⓒ Ron, as well as we, goes camping every weekend.
> ⓓ Neither Amy nor her friends likes watching movies.
> ⓔ Both my brother and Eric enjoys playing the guitar.

① ⓐ need → needs   ② ⓑ sing → sings
③ ⓒ goes → go   ④ ⓓ likes → like
⑤ ⓔ enjoys → enjoy

---

10 빈칸에 들어갈 수 없는 것은? (5점)

> I wonder _____.

① whether he woke up
② if they went to school
③ because the guests stay here
④ why he left without saying goodbye
⑤ when the bus will arrive at the station

서 술 형

[서술형1] |보기|에서 알맞은 말을 골라 의미가 같도록 문장을 완성하시오. (6점, 각 3점)

|보기|	though	while	until

(1) He was young, but he always helped people in need.

→ _____,
he always helped people in need.

(2) I did my homework. My brother was reading a book at that time.

→ I did my homework _____
_____.

[서술형2] 우리말과 일치하도록 주어진 말을 배열하여 문장을 완성하시오. (6점, 각 3점)

(1) 소미는 초등학교에 들어간 이후로 영어를 공부해 왔다.
(English, elementary school, since, has, entered, studied, she)

→ Somi _____
_____.

(2) 나는 전에 거기에 가 본 적이 있기 때문에 그의 집을 찾을 수 있다. (I, find, have, his house, before, since, there, been)

→ I can _____.

[서술형3] 어법상 틀린 부분을 찾아 바르게 고쳐 쓰시오.
(6점, 각 3점)

(1) Unless it doesn't rain tomorrow, I will go bike riding.

_____ → _____

(2) He will call you when he will get home.

_____ → _____

[서술형4] 두 문장의 뜻이 같도록 문장을 완성하시오.

(6점, 각 3점)

(1) She is not only an actress but also a movie director.

= She is a movie director _____ .

(2) If you don't follow the traffic rules, you can have an accident.

= _____ ,

you can have an accident.

[서술형5] 우리말과 일치하도록 조건 에 맞게 쓰시오. (5점)

조건 1. 다음 두 문장을 활용할 것

He spoke loudly. Everyone could hear him.

2. so와 that을 포함하여 한 문장으로 쓸 것

그는 모든 사람들이 그의 말을 들을 수 있도록 크게 말했다.

→ _____

[서술형6] 그림을 보고, |보기|에서 알맞은 말을 골라 문장을 완성하시오. (6점, 각 3점)

|보기|	both	either	neither

(1)

→ He will eat _____ for dinner.

(2)

→ She can play _____ well.

[서술형7] 어법상 틀린 부분을 찾아 바르게 고쳐 쓰시오. (5점)

Jiho enjoys not only eating healthy food but also to jog every day.

_____ → _____

[서술형8] 주어진 조건 에 맞게 간접의문문을 사용하여 한 문장으로 쓰시오. (6점, 각 3점)

조건 1. 필요한 경우, 접속사를 추가할 것

2. 문장부호를 정확히 쓸 것

(1) Do you know? When does this class end?

→ _____

(2) I don't know. Did he return the book?

→ _____

[서술형9] 주어진 문장에 do you guess를 넣어 문장을 다시 쓰시오. (6점)

Who will become the next president?

→ _____

[서술형10] 다음 글을 읽고, 요약문을 조건 에 맞게 완성하시오. (8점, 각 4점)

조건 1. 지문 내의 표현을 이용할 것

2. 과거시제로 쓸 것

Tom raised a mother goose and baby geese. He had a question when he saw the baby geese following their mother. "Why do baby geese always follow their mother?" He decided to find out the answer. He watched new baby geese when they were hatching from eggs. They saw Tom first and began to follow him. *hatch 부화하다

↓

Tom wondered why (1) _____ and learned that baby geese follow their mother because (2) _____ .

01 빈칸에 알맞은 말이 순서대로 짝지어진 것은?

> • My little brother _____ last year.
> • His sneakers _____ by his mother every month.

① born – wash
② born – are washed
③ is born – wash
④ was born – wash
⑤ was born – are washed

02 두 문장의 의미가 같도록 할 때, 빈칸에 알맞은 것은?

> Don't call him late if it isn't necessary.
> = Don't call him late _____ it is necessary.

① since ② though ③ while
④ unless ⑤ until

신유형 고난도

03 우리말을 영어로 바꿀 때, 쓰이지 <u>않는</u> 단어는?

> 나는 그가 어느 나라에서 왔는지 알고 싶다.

① what ② from ③ want
④ know ⑤ whether

04 의미가 같은 것을 <u>모두</u> 짝지은 것은?

> ⓐ Seri is more diligent than any other student in the class.
> ⓑ No other student in the class is as diligent as Seri.
> ⓒ Seri is not as diligent as other students in the class.
> ⓓ Seri is the most diligent student in the class.

① ⓐ, ⓑ ② ⓑ, ⓒ ③ ⓐ, ⓑ, ⓒ
④ ⓐ, ⓑ, ⓓ ⑤ ⓐ, ⓑ, ⓒ, ⓓ

05 어법상 <u>틀린</u> 문장은?

① Today is even hotter than yesterday.
② Wash your hands as often as possible.
③ He is one of the most famous author in the world.
④ The earlier you buy a plane ticket, the less you pay.
⑤ Books are getting more and more expensive every year.

06 괄호 안의 말을 문맥에 맞게 쓸 때, 형태가 <u>다른</u> 것은?

① This novel is really _____. (move)
② The result was _____. (disappoint)
③ The students got _____ after school. (tire)
④ The teacher's story was _____. (interest)
⑤ He asked _____ questions. (embarrass)

07 밑줄 친 부분을 분사구문으로 바꾼 것으로 알맞은 것은?

> <u>As he was busy</u>, he couldn't go camping with us.

① Busy ② Be busy
③ Been busy ④ Being busy
⑤ Being was busy

신유형

08 어법상 올바른 문장의 개수는?

> ⓐ Sally was bought flowers by Bill.
> ⓑ The building is called *Treasure Island*.
> ⓒ Lots of food was cooked to the guests.
> ⓓ They were made solve ten math problems.

① 없음 ② 1개 ③ 2개
④ 3개 ⑤ 4개

서술형

09 주어진 문장을 수동태로 바꿔 쓰시오.

(1) My father is building a new house.
→ A new house _____.

(2) Snow covered the whole town.
→ The whole town _____.

10 어법상 틀린 문장을 찾아 기호를 쓰고, 바르게 고쳐 다시 쓰시오.

> ⓐ Feeling upset, he kicked on the door.
> ⓑ Having not enough time, I couldn't have dinner.
> ⓒ Though being a foreigner, he feels comfortable in Korea.

(   ) → _____

신유형
11 그림을 보고, 조건에 맞게 문장을 완성하시오.

> 조건 1. with를 이용하여 분사구문으로 쓸 것
>   2. 주어진 말은 필요한 경우 형태를 바꿔 쓸 것

→ She fell asleep _____.
(the TV, turn on)

12 우리말과 일치하도록 |보기|의 말을 활용하여 문장을 쓰시오.

|보기|	Mr. Johnson	so that	students
	understand	him	easy

Johnson 선생님은 학생들이 그의 말을 이해할 수 있도록 항상 쉬운 영어를 사용하신다.

→ _____
_____

13 다음 표를 보고, 괄호 안의 말을 활용하여 문장을 완성하시오.

Name	Inho	Minjun	Subin
Height	168 cm	168 cm	175 cm

(1) Inho is _____ Subin.
(as, tall)

(2) Subin is _____ them all.
(tall, student)

14 다음 표를 보고, 조건에 맞게 문장을 완성하시오.

> 조건 1. 주어진 단어로 문장을 시작할 것
>   2. 한 문장이 7단어를 넘지 않도록 할 것

	Tom	Sue
cooking	👍	👍
math	👎	👎

👍 like   👎 don't like

(1) Both _____.
(2) Neither _____.

고난도
15 다음을 보고, 괄호 안의 말을 활용하여 글을 완성하시오.

	Milky	Coco
age	4	2
weight	5 kg	15 kg

Coco   Milky

> I have two dogs, Milky and Coco. Coco (1) _____ Milky. (much, big) Milky (2) _____ Coco. (twice, as) Coco (3) _____ Milky. (times, than) They look very different, but they are good friends.

CHAPTER

09

관계사 Ⅰ

Unit 1 관계대명사의 종류

Unit 2 that, what, 계속적 용법

관계사는 서로 공통되는 부분이 있는 두 문장을 한 문장으로 간결하게 만들기 위해 사용한다. 관계사가 이 끄는 절은 형용사처럼 앞에 있는 명사를 꾸며준다.

| who | I have a friend **who makes me happy**. 나는 **나를 행복하게 하는** 친구가 있다. |

| which | I like the book **which he gave me**. 나는 **그가 내게 준** 책을 좋아한다. |

| that | I can do everything **that I want to do**. 나는 **내가 하고 싶은** 모든 것을 할 수 있다. |

| what | I can do **what I want to do**. 나는 **내가 하고 싶은 것**을 할 수 있다. |

관계대명사의 종류

1　주격 관계대명사는 관계대명사절 안에서 주어 역할을 하며 선행사를 수식한다.

선행사	관계대명사		
사람	who, that	I know the man. + He lives next door. → I know the man **who** lives next door. 　　선행사	나는 **옆집에 사는** 남자를 안다.
사물, 동물	which, that	He bought a book. + It is about history. → He bought a book **which** is about history. 　　선행사	그는 **역사에 관한** 책을 샀다.

주의 주격 관계대명사절 내의 동사는 선행사의 인칭과 수에 일치시킨다.

He bought two books **which are** about history.　그는 역사에 관한 책 두 권을 샀다.

2　목적격 관계대명사는 관계대명사절 안에서 목적어 역할을 하며 선행사를 수식한다.

선행사	관계대명사		
사람	who(m), that	I know the man. + She loves him. → I know the man **who(m)** she loves. 　　선행사	나는 **그녀가 사랑하는** 남자를 안다.
사물, 동물	which, that	This is the book. + Tom bought it. → This is the book **which** Tom bought. 　　선행사	이것은 **Tom이 산** 책이다.

주의 목적격 관계대명사는 생략할 수 있다.

I lost the hat **(that)** my mom bought for me.　나는 엄마가 내게 사 준 모자를 잃어버렸다.

서술형 빈출　선행사가 주어로 쓰인 경우, 동사를 선행사에 일치시켜야 하는 문제가 자주 출제된다.

The boys **whom** I met in the park **were** from Spain.
선행사(주어)

3　소유격 관계대명사는 관계대명사절 안에서 명사의 소유격 역할을 하며 whose를 쓴다.

선행사	관계대명사		
사람, 사물, 동물	whose	I know a man. + His hair is red. → I know a man **whose** hair is red. 　　선행사	나는 **머리가 빨간색인** 남자를 안다.
		Give me the book. + Its cover is black. → Give me the book **whose** cover is black. 　　선행사	나에게 **표지가 검은** 책을 주세요.

✔ 바로 개념 확인하기

A 밑줄 친 관계대명사의 역할 구분하기

1 The pizza <u>which</u> Mom made was very delicious.
☐ 주격 ☐ 목적격 ☐ 소유격

2 I like people <u>who</u> are honest.
☐ 주격 ☐ 목적격 ☐ 소유격

3 This is the book <u>that</u> I wanted.
☐ 주격 ☐ 목적격 ☐ 소유격

4 She is wearing a coat <u>whose</u> buttons are big.
☐ 주격 ☐ 목적격 ☐ 소유격

B 빈칸에 알맞은 말 고르기

1 They live in a house _____ garden is very beautiful.
☐ that ☐ whose

2 I know the boys who _____ playing tennis.
☐ is ☐ are

3 The bag that I'm looking for _____ blue.
☐ is ☐ are

C 우리말과 일치하도록 주어진 말을 활용하여 쓰기

1 Judy는 이름이 Leon인 고양이를 잃어버렸다. (name, whose)
→ Judy lost a cat _____ _____ Leon.

2 나는 운동을 잘하는 친구가 있다. (a friend, be)
→ I have _____ _____ _____ _____ good at sports.

3 내가 가장 좋아하는 음식은 비빔밥이다. (that, like)
→ The food _____ _____ _____ most is bibimbap.

| 배열 영작 |

[1~5] 우리말과 일치하도록 주어진 말을 배열하여 문장을 완성하시오.

1 나는 화가가 되기를 원하는 여자아이를 안다.
(who, to, a girl, a painter, be, wants)

→ I know _____ .

2 그는 그녀가 제일 좋아하는 가수이다.
(whom, she, most, the singer, likes)

→ He is _____ .

3 내가 어제 산 책들은 책상 위에 있다.
(the books, bought, I, which, yesterday, are)

→ _____
on the desk.

4 그는 역사가 매우 긴 나라에서 왔다.
(whose, a country, is, very long, history)

→ He is from _____ .

5 우리는 네가 지난 주말에 본 그 영화를 볼 것이다.
(you, the movie, last weekend, saw)

→ We are going to watch _____
_____ .

| 문장 전환 |

[6~9] 주어진 두 문장을 관계대명사를 사용하여 한 문장으로 바꿔 쓰시오. (관계대명사를 생략하지 말 것)

6   I like the story. You wrote it.

     → I _____ .

7   The boys are playing with a dog. They are my cousins.

     → _____

     my cousins.

8   Everybody helped the family. Their dog was lost.

     → Everybody _____ .

9   The movie is about a genius scientist. I saw the movie last night.

     → The movie _____

     _____ .

| 오류 수정 |

[10~12] 어법상 틀린 부분을 찾아 바르게 고쳐 쓰시오.

10   This is the boy who bike was stolen.

     _____ → _____

11   The party is for kids who was born in April.

     _____ → _____

12   The children whom I saw on TV is here.

     _____ → _____

| 문장 완성 |

[13~15] 우리말과 일치하도록 주어진 말을 활용하여 문장을 완성하시오.

13   우리가 어제 잡은 물고기가 아직도 살아 있다.
     (catch, yesterday)

     → The fish _____
     is still alive.

14   너는 옆집에 사는 아름다운 여자를 아니?
     (next door, live)

     → Do you know the beautiful woman _____

     _____ ?

15   그녀는 아버지가 유명한 요리사인 친구가 있다.
     (father, a famous chef)

     → She has a friend _____

Unit 2

that, what, 계속적 용법

| 관계대명사 that만 쓰는 경우 |

1 관계대명사 **that**은 선행사의 종류에 상관없이 쓸 수 있지만, 주로 **that**만 쓰는 선행사에 유의한다.

선행사	
사람+사물/동물	The story is about a boy and a dog **that** lived together. 그 이야기는 함께 살았던 한 남자아이와 개에 관한 것이다.
-thing, -body 등	I don't remember everything **that** I read. 나는 내가 읽은 모든 것을 기억하지는 못한다.
최상급, 서수, all, every, the only, the same, no, the very 등	This is the tallest building **that** I have ever seen. 이것은 내가 지금까지 본 중에 가장 높은 건물이다.

| 관계대명사 what |

2 관계대명사 **what**은 선행사를 포함하며 '~하는 것'이라는 의미로 명사절을 이끈다.

주어	**What** I want is your love. ↳ 문장의 주어로 쓰인 경우 3인칭 단수 취급	내가 원하는 것은 너의 사랑이다.
목적어	I remember **what** my mom told me.	나는 엄마가 나에게 말했던 것을 기억한다.
보어	This is **what** I wanted to buy.	이것이 내가 사기를 원했던 것이다.

 서술형 빈출 관계대명사 what은 the thing(s) which(that)로 바꿔 쓸 수 있다.
I know **what** you did last summer.　나는 네가 지난여름에 한 일을 알고 있다.
= I know **the thing which(that)** you did last summer.

| 계속적 용법 |

3 계속적 용법은 관계대명사 앞에 콤마(,)를 쓰고, 선행사에 대한 추가 설명을 할 때 쓴다.

She has two sons, **who** are doctors.　　　　　그녀는 두 아들이 있**는데**, 둘 다 의사이다.
　　　　　(= and they)
My friend James, **who** is a chef, lives in Paris.　내 친구 James는 요리사**인데**, 파리에 산다.

주의 계속적 용법으로 쓸 때는 관계대명사 that을 쓸 수 없다.
This is gimchi, <u>**which**</u> is a traditional Korean food.　이것은 김치**인데**, 한국의 전통 음식이다.
　　　　　└ that (×)

 서술형 빈출 앞 문장 전체를 선행사로 할 때는 계속적 용법의 관계대명사 which를 쓴다.
I was late for school, **which** made him upset.　나는 학교에 늦었**는데**, 그것이 그를 화나게 만들었다.
= I was late for school, **and that** made him upset.

서술형 기본 유형 익히기

바로 개념 확인하기

A |보기|에서 알맞은 말 골라 쓰기

> |보기| which   that   what

1 I didn't say anything _____ wasn't true.

2 I can't understand _____ the teacher is saying.

3 They played loud music, _____ made our conversation impossible.

B 빈칸에 알맞은 말 고르기

1 This store doesn't sell _____ we need.
☐ what   ☐ that

2 Steve is the only friend _____ I can trust.
☐ what   ☐ that

3 We liked _____ Dad had cooked for us.
☐ what   ☐ that

4 What I want to know _____ her name.
☐ is   ☐ are

C 빈칸에 알맞은 관계대명사 쓰기

1 My grandmother, _____ lives in Jeju-do, will visit us.

2 We watched the mask dance, _____ is a traditional Korean dance.

3 The music room, _____ is on the second floor, is very big.

4 My favorite writer is Roald Dahl, _____ wrote *Matilda*.

| 배열 영작 |

[1~5] 우리말과 일치하도록 주어진 말을 배열하여 문장을 완성하시오.

1 이것이 내가 이번 달에 본 유일한 영화이다.
(that, I, the only, saw, movie)

→ This is _____
this month.

2 그녀가 그녀 부모님께 말한 것은 거짓말이 아니었다.
(her parents, she, told, what, was)

→ _____ not a lie.

3 우리는 수업에서 배운 것을 복습했다.
(learned, we, in class, what)

→ We reviewed _____ .

4 네가 아침에 가장 먼저 하는 것은 무엇인가?
(the, thing, that, first, do, you)

→ What is _____
in the morning?

5 우리는 경주를 방문할 것인데, 그곳은 신라의 수도였다.
(which, the capital, was, of, Silla)

→ We will visit Gyeongju, _____

| 오류 수정 |

[6~9] 어법상 또는 의미상 **틀린** 부분을 찾아 바르게 고쳐 쓰시오.

6 What we enjoy eating on rainy days are *sujebi*.
(우리가 비오는 날에 즐겨 먹는 것은 수제비이다.)

_____ → _____

7 This is the hat what I enjoy wearing.
(이것이 내가 즐겨 쓰는 모자이다.)

_____ → _____

8 She likes Alex, that is a famous baseball player.
(그녀는 Alex를 좋아하는데, 그는 유명한 야구 선수이다.)

_____ → _____

9 I saw a boy and a puppy which were running together.
(나는 함께 달리고 있는 남자아이와 강아지를 봤다.)

_____ → _____

| 문장 완성 |

[10~12] 우리말과 일치하도록 알맞은 관계대명사와 주어진 말을 활용하여 문장을 완성하시오. (관계대명사를 생략하지 말 것)

10 그는 우리에게 그가 알고 있던 모든 것을 말하지 않았다.
(everything, know)   *시제 주의

→ He didn't tell us _____ .

11 그가 필요했던 것은 우리들의 지지였다.
(need)   *시제 주의

→ _____ our support.

12 나는 Hemingway의 책을 좋아하는데, 그는 유명한 미국 작가이다. (famous, American, writer)

→ I like books by Hemingway, _____
_____ .

| 문장 전환 |

[13~15] 주어진 문장과 의미가 같도록 알맞은 관계대명사를 사용하여 바꿔 쓰시오. (문장부호가 필요한 경우 정확히 쓸 것)

13 This is the thing that I wanted to give you.

→ This is _____ .

14 Many students were late for PE class, and it started at 9 o'clock.

→ Many students _____
at 9 o'clock.

15 I met Mr. Brown, and he taught English to me last year.

→ I met _____
last year.

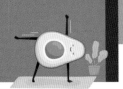

난이도별 서술형 문제

·················· 기 본 ··················

01 |보기|에서 알맞은 말을 골라 두 문장을 한 문장으로 바꿔 쓰시오.

| |보기| who　　　　which　　　　whose |

(1) She chose a book. It had many pictures of plants.

→ She chose a book _____
many pictures of plants.

(2) Chris helped a lady. Her car broke down.

→ Chris helped a lady _____
broke down.

02 우리말과 일치하도록 주어진 말을 배열하시오.

(1) 그가 나에게 이야기한 것은 정말 충격적이었다.
(shocking, he, me, what, told, was, really)

→ _____

(2) 그녀는 내게 쇼핑몰에서 그녀가 산 것을 보여 주었다.
(showed, she, me, bought, at the mall, what)

→ She _____ .

신유형

03 그림을 보고, |예시|와 같이 주어진 말을 활용하여 문장을 완성하시오.

sleep on the sofa

play together　　　read a book

| |예시|　I saw a girl who was reading a book. |

(1) I saw _____ .

(2) I saw _____ .

04 밑줄 친 부분을 어법에 맞게 고쳐 쓰시오.

(1) Is this the book which <u>were</u> written by your brother?

→ _____

(2) The boy who is wearing glasses <u>are</u> kind.

→ _____

05 우리말과 일치하도록 조건에 맞게 문장을 완성하시오.

| 조건 | 1. work at the zoo와 be my best friend를 사용하되, 필요한 경우 형태를 바꿀 것 |
| 2. 관계대명사를 사용하되, 한 문장은 계속적 용법으로 쓸 것 |
| 3. 문장부호를 정확하게 쓸 것 |

(1) Jack은 동물원에서 일하는데, 나의 가장 친한 친구이다.

→ Jack, _____ .

(2) 동물원에서 일하는 그 남자가 나의 가장 친한 친구이다.

→ The man _____ .

·················· 심 화 ··················

06 주어진 두 문장을 관계대명사를 사용하여 한 문장으로 바꿔 쓰시오.

(1) The pictures were beautiful. Danny took them in Busan.

→ The pictures _____
_____ were beautiful.

(2) Where does the girl live? Her parents are doctors.

→ Where does the girl _____
_____ live?

07 주어진 문장과 의미가 같도록 조건 에 맞게 바꿔 쓰시오.

> 조건 1. 관계대명사를 사용할 것
> 2. 문장부호를 정확하게 쓸 것

(1) This is different from the thing which I expected.

→ _____

(2) I will ask Jane, and she knows a lot about Korean songs.

→ _____

_____

08 어법상 틀린 부분을 찾아 바르게 고쳐 쓰시오.

> The men who live in this town is very friendly.

_____ → _____

고난도
09 우리말과 일치하도록 관계대명사와 주어진 말을 사용하여 문장을 쓰시오.

(1) 그 빨간색 차가 우리가 거기에서 본 유일한 것이었다.
(the red car, the only thing, there)

→ _____

(2) 나는 Kelly의 생일 파티에 갔는데, 그것은 재미있었다.
(Kelly's birthday party, fun)

→ _____

고난도
10 밑줄 친 ⓐ~ⓔ 중 어법상 틀린 것을 찾아 기호를 쓰고, 바르게 고쳐 쓰시오.

> We usually believe that ⓐwhat we remember is ⓑwhat really happened. But this is not always true. We easily forget ⓒwhat we saw. Also, ⓓwhat we remember is sometimes only something ⓔwhat we imagined.

( ) → _____

01 주어진 동사를 각 빈칸에 알맞은 형태로 쓰시오. (모두 현재형으로 쓸 것)

> The girls who _____ dancing on the stage _____ my classmates. (be)

✔ 수식어구가 길어도 동사는 주어에 의해 결정된다!
주어가 관계대명사의 수식을 받아 길어지는 경우에도 동사는 주어에 따라 결정된다는 것을 기억하자! 또한 주격 관계대명사절의 동사의 수는 선행사에 따라 결정된다는 것도 잊지 말자!

02 어법상 틀린 부분을 찾아 바르게 고쳐 쓰시오.

> They didn't tell me that I wanted to know.

_____ → _____

✔ 관계대명사라면 선행사를 꼭 확인하자!
that이 관계대명사로 쓰였다면 앞에 선행사가 있어야 한다. 선행사가 없다면 선행사를 포함하고 있는 관계대명사 what을 써야 한다. me는 선행사가 아니라 tell의 목적어이므로 헷갈리지 말자!

03 주어진 두 문장을 관계대명사를 사용하여 한 문장으로 바꿔 쓰시오.

> I couldn't sleep well last night. That made me tired.

→ I couldn't sleep well last night, _____

_____.

✔ 앞 문장 전체를 선행사로 취하는 관계대명사는 which이다!
앞 문장 전체가 선행사인 경우, 계속적 용법의 관계대명사 which를 쓸 수 있다. 두 번째 문장의 That은 "지난밤에 잠을 잘 잘 수 없었던 것"을 가리키므로 앞 문장의 상황이 선행사가 된다. 계속적 용법이므로 앞에 콤마(,)를 써야 하는 것도 주의하자!

시험에 강해지는

실전 TEST

시험일		월	일
시간			/ 40분
문항 수	객관식 10 /	서술형 10	
점수			/ 100점

01 두 문장을 한 문장으로 바꿔 쓸 때, 빈칸에 알맞은 것은? (3점)

> Look at the dog. It's wearing shoes.
> → Look at the dog _____ is wearing shoes.

① who   ② what   ③ which
④ whom   ⑤ whose

02 빈칸에 알맞은 말이 순서대로 짝지어진 것은? (4점)

> • I'm sorry for ____(A)____ my son did to you.
> • The fish ____(B)____ he caught was very big.
> • My mom, ____(C)____ major is music, teaches children how to play the piano.

	(A)		(B)		(C)
①	that	⋯⋯	what	⋯⋯	who
②	that	⋯⋯	which	⋯⋯	what
③	what	⋯⋯	which	⋯⋯	who
④	what	⋯⋯	that	⋯⋯	whose
⑤	which	⋯⋯	what	⋯⋯	whose

03 밑줄 친 말 중 생략할 수 있는 것은? (4점)

① Did you see the dog <u>which</u> was hurt seriously?
② You should know <u>what</u> is important in your life.
③ She has a friend <u>who</u> works at a television station.
④ What is the latest movie <u>that</u> you saw in a theater?
⑤ I met a boy <u>whose</u> mother is a math teacher.

04 두 문장의 뜻이 같도록 할 때, 빈칸에 알맞은 것은? (3점)

> We visited Vienna, and it is known as the City of Music.
> = We visited Vienna, _____ is known as the City of Music.

① it   ② who   ③ that
④ what   ⑤ which

05 밑줄 친 <u>that</u>의 쓰임이 다른 것은? (4점)

① She is the doctor <u>that</u> I saw on TV.
② This is the bag <u>that</u> my mom made.
③ My backpack <u>that</u> has many pockets is very useful.
④ This is the best Mexican restaurant <u>that</u> I have ever been to.
⑤ My son always says <u>that</u> school life is exciting.

06 빈칸에 공통으로 알맞은 것은? (3점)

> • I studied English with a boy _____ I met in London.
> • C. S. Lewis, _____ wrote lots of children's books, is popular around the world.

① who   ② that   ③ whom
④ which   ⑤ whose

고난도
07 빈칸에 들어갈 말이 <u>다른</u> 것은? (5점)

① Children only do _____ they want to do.
② The kids loved _____ she brought for them.
③ This quiz show is _____ my family watches every week.
④ These are _____ we should follow to succeed in our lives.
⑤ What is the name of the woman _____ Tom invited to the party?

고난도

08 어법상 올바른 것끼리 짝지어진 것은? (5점)

> ⓐ This is the bike which I bought last week.
> ⓑ Can you believe the news what he told us?
> ⓒ The boy who is wearing red sneakers are Nick.
> ⓓ Who was the first student that solved the problem?

① ⓐ, ⓑ   ② ⓐ, ⓓ   ③ ⓑ, ⓒ
④ ⓑ, ⓒ, ⓓ   ⑤ ⓐ, ⓒ, ⓓ

09 빈칸에 that이 들어갈 수 <u>없는</u> 것은? (4점)

① He likes pizza _____ has lots of toppings.
② This is the very book _____ I was looking for.
③ This is the piano _____ my grandmother used to play.
④ The man and the horse _____ we saw last night are here now.
⑤ Ann, _____ went to the same school as my sister, called me yesterday.

신유형

10 각 문장에 대해 바르게 설명한 사람을 <u>모두</u> 고르면? (5점)

> ⓐ Tim felt happy with _____ he did today.
> ⓑ Don't touch anything _____ is displayed here.

① 지민: ⓐ의 빈칸에는 앞에 선행사가 없으니까 관계대명사 what을 써야 해.
② 상우: ⓐ의 빈칸 다음에 완전한 문장이 나오므로 빈칸에는 접속사 that을 써야 해.
③ 규민: ⓑ의 빈칸에 들어가는 관계대명사는 생략할 수 있어.
④ 지연: ⓑ의 빈칸에는 선행사가 -thing으로 끝나니까 관계대명사 that을 써야 해.
⑤ 수미: ⓐ와 ⓑ의 빈칸에 모두 관계대명사 that을 쓸 수 있어.

서술형

[서술형1] 주어진 두 문장을 관계대명사를 사용하여 한 문장으로 쓰시오. (6점, 각 3점)

(1) I have a friend. Her dream is to be a webtoon artist.

→ I have a friend _____
_____.

(2) The English teacher is very nice. He is from Australia.

→ The English teacher _____
_____.

[서술형2] 우리말과 일치하도록 주어진 말을 배열하시오.
(6점, 각 3점)

(1) 네가 오늘 하는 것이 세상을 바꿀 수 있다.
(the world, you, today, what, can, do, change)

→ _____

(2) 네가 학교에서 쓴 시를 내가 읽어도 될까?
(I, read, you, wrote, the poem, at school, can)

→ _____

[서술형3] 어법상 <u>틀린</u> 부분을 찾아 바르게 고쳐 쓰시오.
(6점, 각 3점)

(1) He likes the girl who hair is blond.

_____ → _____

(2) Look at the blind man and his dog who are crossing the road.

_____ → _____

[서술형4] 그림을 보고, 괄호 안의 말을 활용하여 |예시|와 같이 문장을 완성하시오. (6점, 각 3점)

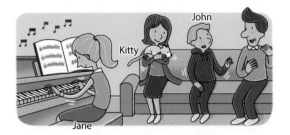

| |예시| | The cat which the woman is holding is Kitty. (hold) |

(1) The girl _____
is my sister, Jane. (play the piano)

(2) The man _____
is my father. (talk with)

[서술형5] 밑줄 친 ⓐ~ⓒ를 어법에 맞게 고쳐 쓰시오.
(6점, 각 2점)

Your body knows ⓐthat you need. The food ⓑwhat you want to eat may have the vitamins ⓒwhose your body needs.

ⓐ _____

ⓑ _____

ⓒ _____

[서술형6] 우리말과 일치하도록 주어진 말을 사용하여 조건에 맞게 쓰시오. (8점, 각 4점)

조건 1. 관계대명사를 사용할 것
2. 각각 6단어의 문장으로 쓸 것

(1) 네가 어제 들은 것은 사실이다. (heard, true)
→ _____

(2) 그는 그녀가 요리한 모든 것을 먹었다.
(everything, cooked)
→ _____

신유형
[서술형7] 대화의 내용과 일치하도록 관계대명사를 사용하여 문장을 완성하시오. (5점)

A Does Donald have a pet?
B Yes, he has a dog. Her name is Mini.

→ Donald has a dog _____ .

고난도
[서술형8] 주어진 두 문장을 조건에 맞게 한 문장으로 바꿔 쓰시오. (7점)

조건 1. 관계대명사를 사용할 것
2. 문장부호를 정확히 쓸 것

He decided to eat a lot of vegetables. It was a good idea.

→ _____
_____

고등유형
[서술형9] 빈칸에 공통으로 들어갈 말을 쓰시오. (4점)

There are many English words _____ are from other languages. For example, shampoo, _____ originally meant "to massage," is actually a Hindi word. Similarly, ketchup, _____ people all over the world like to pour on their French fries, is originally Chinese.

→ _____

[서술형10] 우리말과 일치하도록 조건에 맞게 문장을 완성하시오. (6점)

조건 1. 관계대명사를 사용할 것
2. 문장부호를 정확히 쓸 것
3. meet in the library와 teach science를 문맥에 맞게 쓸 것
4. 시제에 유의할 것

Brown 선생님은 내가 어제 도서관에서 만났는데, 과학을 가르치신다.

→ Mr. Brown, _____
_____ .

CHAPTER

10

관계사 Ⅱ

Unit 1 전치사+관계대명사, 관계부사

Unit 2 복합관계사

관계부사는 접속사와 부사의 역할을 하고, 시간, 장소, 이유, 방법을 나타내는 선행사를 꾸며 준다.

| 관계부사 | I remember the day **when** our team won.
나는 **우리 팀이 이긴** 날을 기억한다. |

| 전치사+관계대명사 | I remember the day **on which** our team won.
나는 **우리 팀이 이긴** 날을 기억한다. |

복합관계사는 관계사에 -ever를 붙인 형태로 선행사를 포함하고 있는 관계사이다.

| 복합관계사 | You can ask for help **whenever** you need it.
너는 **필요할 때마다** 도움을 요청할 수 있다. |

전치사＋관계대명사, 관계부사

| 전치사＋관계대명사 |

1 관계대명사가 전치사의 목적어인 경우, 전치사를 관계대명사 앞에 쓸 수 있다.

This is the man. ＋ I told you about the man.

→ This is the man **whom** I told you **about**.　　　이 사람이 **내가 너에게 말했던** 남자이다.

→ This is the man **about whom** I told you.

주의 전치사를 관계대명사 앞에 쓴 경우에는 관계대명사를 생략할 수 없다.

This is the book **(which)** I was looking for. 〈생략 가능〉 이것은 **내가 찾고 있었던** 책이다.

→ This is the book **for which** I was looking. 〈생략 불가〉

 서술형 빈출 목적격 관계대명사로 who나 that을 쓴 경우에는 전치사를 관계대명사 앞에 쓸 수 없다.

This is the man **who(that)** I told you **about**. (O)

This is the man **about who(that)** I told you. (×)

| 관계부사 |

2 관계부사는 접속사와 부사의 역할을 하며 앞에 있는 선행사를 수식한다.

선행사	관계부사		
시간 the time, the day 등	**when**	I won't forget the day **when** I first met you. (= on which)	나는 **너를 처음 만난 날**을 잊지 않을 것이다.
장소 the place, the city 등	**where**	I won't forget the place **where** I first met you. (= in which)	나는 **너를 처음 만난 곳**을 잊지 않을 것이다.
이유 the reason	**why**	I don't know the reason **why** he left. (= for which)	나는 **그가 떠난 이유**를 모른다.
방법 the way	**how**	I want to know **how** you solved the problem. = I want to know **the way** you solved the problem. *관계부사 how는 선행사 the way와 함께 쓰지 않고 둘 중 하나만 쓴다.	나는 **네가 그 문제를 푼 방법**을 알고 싶다.

 서술형 빈출 관계부사는 「전치사＋관계대명사」로 바꿔 쓸 수 있다.

Tomorrow is the day **when** we start the new school year.

= Tomorrow is the day **on which** we start the new school year.

내일은 **우리가 새 학년을 시작하는** 날이다.

tips 선행사가 the time, the place, the reason일 때, 선행사나 관계부사를 생략할 수 있다.

Do you know **the time** the concert begins? 〈관계부사 when 생략〉

Do you know **when** the concert begins? 〈선행사 the time 생략〉

너는 **콘서트가 시작하는** 시간을 아니?

암기 노트 관계부사 바꿔 쓰기

관계부사	전치사＋관계대명사
when	**at / on / in** which
where	**at / on / in / to** which
why	**for** which

✔ 바로 개념 확인하기

A 괄호 안의 말이 들어갈 수 있는 곳 고르기

1 Do you know ① the girl ② whom ③ Peter is talking? (to)

2 The chair ① which ② I'm sitting is ③ very comfortable. (on)

3 I found the key ① that ② he was looking ③ . (for)

B |보기|에서 알맞은 말 골라 쓰기

|보기| when	where	why	how

1 This is the bakery _____ she buys bread every morning.

2 Friday night is the time _____ I enjoy watching a movie.

3 I want to know the reason _____ Emily is upset.

4 I don't like _____ he treats his students.

C 밑줄 친 부분과 바꿔 쓸 수 있는 말 고르기

1 Do you remember the day <u>when</u> you won first prize at the singing contest?
☐ for which   ☐ on which

2 The island <u>where</u> we spent our vacation was really beautiful.
☐ on which   ☐ for which

3 This is the reason <u>why</u> I haven't finished my homework yet.
☐ for which   ☐ in which

| 배열 영작 |

[1~5] 우리말과 일치하도록 주어진 말을 배열하여 문장을 완성하시오.

1 그는 그가 오지 않은 이유를 설명했다.
(why, he, come, didn't, the reason)

→ He explained _____ .

2 네가 듣고 있는 노래 좀 보내줄래?
(the song, you, are, to, listening, which)

→ Can you send me _____
_____ ?

3 그들이 기다리고 있는 그 여자아이가 늦는다.
(the girl, for, they, waiting, are, whom)

→ _____
is late.

4 이곳은 내가 축구를 하던 곳이다.
(the place, I, play, used to, where, soccer)

→ This is _____ .

5 네가 보고 있는 그 여자아이는 내 친구 Jane이다.
(the girl, looking, are, you, at)

→ _____
is my friend Jane.

| 문장 전환 |

[6~8] 주어진 두 문장을 「전치사+관계대명사」와 관계부사를 사용하여 각각 한 문장으로 바꿔 쓰시오.

6 We will always remember the day.
    The incident happened on the day.

→ We will always remember _____

_____ .

→ We will always remember _____

_____ .

7 My family went to the beach.
    My parents first met at the beach.

→ My family went to the beach _____

_____ .

→ My family went to the beach _____

_____ .

8 Tell me the reason.
    You didn't call me for the reason.

→ Tell me _____ .
→ Tell me _____ .

| 오류 수정 |

[9~12] 어법상 틀린 부분을 찾아 바르게 고쳐 쓰시오. (단어의 순서를 바꾸지 말 것)

9 Tom is the boy with that I went to school.

_____ → _____

10 I forgot the year how I first visited Jeju-do.

_____ → _____

11 Can you show me the way how you use this app?

_____ → _____

12 The hotel where I stayed in was comfortable.

_____ → _____

| 문장 완성 |

[13~15] 우리말과 일치하도록 주어진 말을 활용하여 지시에 맞게 문장을 완성하시오.

13 「전치사+관계대명사」를 사용할 것

이 아이가 Jane이 어제 말을 건 남자아이다.
(to, speak)   *시제 주의

→ This is the boy _____
    yesterday.

14 관계부사를 사용할 것

나는 네가 맛있는 피자를 먹을 수 있는 식당을 안다.
(a restaurant, have, can)

→ I know _____
    delicious pizza.

15 관계대명사를 생략할 것

Sam이 같이 노래를 부르고 있는 여자아이를 아니?
(the girl, sing, with)   *시제 주의

→ Do you know _____ ?

Unit 2 복합관계사

1 복합관계대명사는 「관계대명사+-ever」의 형태로 명사절 또는 양보의 부사절을 이끈다.

명사절	**whoever** (= anyone who) ~하는 누구든지	**Whoever** comes here is welcomed. 여기에 오는 **누구든지** 환영받는다.
	whichever (= anything which) ~하는 어느 것이든지	You can buy **whichever** you like. 너는 네가 좋아하는 **어느 것이든지** 살 수 있다.
	whatever (= anything that) ~하는 무엇이든지	I will give you **whatever** you want. 나는 너에게 네가 원하는 **무엇이든지** 줄 것이다.
양보 부사절	**whoever** (= no matter who) 누가 ~할지라도	**Whoever** wins the game, I don't care. **누가** 그 경기에서 **이길지라도** 나는 상관없다.
	whichever (= no matter which) 어느 것이(을) ~할지라도	**Whichever** you choose, I will follow your decision. 네가 **어느 것을** 선택할지라도 나는 너의 결정을 따를 것이다.
	whatever (= no matter what) 무엇이(을) ~할지라도	**Whatever** you do, you can't change the result. 네가 **무엇을 할지라도** 너는 그 결과를 바꿀 수 없다.

주의 whoever나 whatever가 이끄는 절이 주어로 쓰인 경우에는 3인칭 단수 취급한다.
<u>Whatever he says</u> **is** true. 그가 말하는 무엇이든지 사실이다.
　　　주어

2 복합관계부사는 「관계부사+-ever」의 형태로 장소나 시간의 부사절 또는 양보의 부사절을 이끈다.

시간 · 장소	**whenever** (= at any time when) ~할 때는 언제나	He can go **whenever** he wants to. 그는 그가 원할 **때는 언제나** 갈 수 있다.
	wherever (= at any place where) ~하는 곳은 어디든지	He can go **wherever** he wants to. 그는 그가 원하는 **곳은 어디든지** 갈 수 있다.
양보	**whenever** (= no matter when) 언제 ~하더라도	**Whenever** I call him, he always answers the phone. 내가 그에게 **언제** 전화를 **하더라도** 그는 항상 내 전화를 받는다.
	wherever (= no matter where) 어디서 ~하더라도	We will find you **wherever** you go. 우리는 네가 **어디를** 가**더라도** 너를 찾을 것이다.
	however (= no matter how) 아무리 ~하더라도	She always goes swimming, **however** cold it is. **아무리** 날씨가 춥**더라도** 그녀는 항상 수영을 하러 간다.

주의 복합관계부사 however 다음에는 반드시 형용사나 부사가 와야 한다.
However hard he studied, he couldn't pass the test. 그가 **아무리 열심히** 공부해도 그는 그 시험에 합격할 수 없었다.

서술형 기본 유형 익히기

✔ 바로 개념 확인하기

A 밑줄 친 부분의 의미 고르기

1 <u>Whichever you choose</u>, you will be satisfied.
☐ 네가 선택한 것은
☐ 네가 어느 것을 선택하든지

2 I feel happy <u>whenever I watch this movie</u>.
☐ 이 영화를 볼 때만
☐ 이 영화를 볼 때는 언제나

3 <u>Whoever wants to go home</u> can leave now.
☐ 누가 집에 가고 싶은지
☐ 집에 가고 싶은 누구든지

B 빈칸에 알맞은 말 고르기

1 Peter follows _____ his parents say.
☐ whatever   ☐ whoever

2 Whoever breaks the school rules _____ going to be punished.
☐ is   ☐ are

3 _____, he can't get everything.
☐ However he is rich
☐ However rich he is

C 밑줄 친 부분과 바꿔 쓸 수 있는 말 고르기

1 <u>Whoever</u> wins the game will receive $100.
☐ Anyone who   ☐ No matter who

2 <u>Whatever</u> happens to you, I'll be with you.
☐ Anything that   ☐ No matter what

3 <u>Wherever</u> they go, there are crowds of girls waiting to see them.
☐ No matter when   ☐ No matter where

┃배열 영작┃

[1~5] 우리말과 일치하도록 주어진 말을 배열하여 문장을 완성하시오.

1 그가 무엇을 하고 싶어 하든지 우리는 그를 지지할 것이다. (wants, he, whatever, to, do)

→ _____,
we will support him.

2 이것을 보는 누구든 경찰을 불러야 한다.
(sees, this, whoever)

→ _____ should call
the police.

3 그는 어디를 가더라도 이것을 늘 가지고 간다.
(he, wherever, goes)

→ _____, he always
takes this.

4 나는 아무리 어려워도 중국어를 배울 것이다.
(difficult, it, however, is)

→ I will learn Chinese, _____.

5 네가 누구든지 나는 문을 열지 않을 것이다.
(are, whoever, you)

→ _____, I won't
open the door.

| 오류 수정 |

[6~8] 어법상 또는 의미상 **틀린** 부분을 찾아 바르게 고쳐 쓰시오.

6 Who needs this can take it.
(이것이 필요한 누구든지 가져갈 수 있다.)

_____ → _____

7 He smiles whatever he sees me.
(그는 나를 볼 때는 언제나 미소 짓는다.)

_____ → _____

8 I won't go there, however it is cheap.
(아무리 저렴해도 나는 그곳에 가지 않겠다.)

_____ → _____

| 문장 전환 |

[9~12] 주어진 문장을 복합관계사를 사용하여 바꿔 쓰시오.

9 Anyone who finishes first will get this prize.

→ _____ will get
this prize.

10 I will stay at home no matter what you say.

→ I will stay at home _____ .

11 He couldn't finish it no matter how hard he tried.

→ He couldn't finish it _____

_____ .

12 We can leave at any time when we are ready.

→ We can leave _____ .

| 문장 완성 |

[13~15] 우리말과 일치하도록 복합관계사와 주어진 말을 활용하여 문장을 완성하시오.

13 그녀는 어디를 가든지 그녀의 스마트폰을 가지고 간다. (go)

→ She carries her smartphone _____

_____ .

14 아무리 피곤해도 너는 샤워를 해야 한다. (tired)

→ _____ ,
you should take a shower.

15 그가 말하는 무엇이든지 받아들여질 것이다. (say)

→ _____ will be accepted.

난이도별 서술형 문제

·················· 기 본 ··················

01 주어진 두 문장을 「전치사+관계대명사」를 사용하여 한 문장으로 바꿔 쓰시오.

(1) The lady is my English teacher. I spoke to her.

→ The lady _____ is my English teacher.

(2) This is the book. Dad is looking for it.

→ This is the book _____.

02 어법상 틀린 곳을 찾아 조건 에 맞게 고쳐 쓰시오.

조건 단어의 위치를 바꾸지 말 것

(1) This is the book about that I told you.

_____ → _____

(2) Mina is the girl to who Jiho gave a ring.

_____ → _____

03 우리말과 일치하도록 |보기|에서 알맞은 말을 골라 주어진 말을 활용하여 문장을 완성하시오.

|보기| when   where   why   how

(1) 나는 책을 읽을 수 있는 조용한 장소를 찾고 있다. (read a book)

→ I'm looking for a quiet place _____

_____.

(2) 네가 결석한 이유를 말해 주겠니? (be absent)

→ Can you tell me the reason _____

_____?

04 밑줄 친 부분을 관계부사를 사용하여 바꿔 쓰시오.

(1) It was my birthday on which Dad brought a puppy home.

→ It was my birthday _____

_____.

(2) I don't know the reason for which he got angry.

→ I don't know the reason _____

_____.

05 밑줄 친 부분을 복합관계사를 사용하여 바꿔 쓰시오.

I stay at his house at any time when I visit New York.

→ I stay at his house _____.

·················· 심 화 ··················

06 우리말과 일치하도록 지시에 맞게 문장을 완성하시오.

이곳이 내가 공부하는 곳이다.

(1) 「전치사+관계대명사」 이용

→ This is the place _____.

(2) 관계부사 이용

→ This is the place _____.

신유형

07 우리말과 일치하도록 알맞은 관계부사를 추가하여 주어진 말을 배열하시오.

(1) 저곳이 그들이 일하고 있는 공장인가? (the factory, are, is, working, they, that)

→ _____

(2) 우리는 그가 떠난 이유를 모른다. (he, we, know, left, don't, the reason)

→ _____

08 주어진 두 문장을 관계부사를 사용하여 한 문장으로 바꿔 쓰시오.

(1) This is the house.
He has lived in the house for ten years.

→ _____

(2) I still remember the day.
We first met each other on the day.

→ _____

고난도
09 괄호 안의 단어를 활용하여 대화의 빈칸에 알맞은 말을 쓰시오.

(1) A These books are free. _____
_____ can take them. (want,
them, whoever)
B Wow! Give me one, please.

(2) A _____, I'll buy
it for you. (what, choose, matter)
B Thank you, Dad!

10 그림을 보고, 조건에 맞게 문장을 완성하시오.

조건 1. 복합관계사를 쓸 것
2. 그림 속 사람의 말을 이용할 것

(1)

> They are cheap.
> 90% SALE

→ Don't buy things you don't need,

_____ .

(2)

> Any place you want!

→ You can sit _____ .

함정이 있는 문제

01 두 문장의 의미가 같도록 문장을 완성하시오.

This is the girl that I wrote about in my letter.
= This is the girl about _____

_____ .

✔ 전치사의 위치가 바뀌면 관계대명사의 형태도 바뀔 수 있다!
관계대명사절의 전치사를 관계대명사 앞에 쓰는 경우에는 관계대명사 that이나 who를 쓸 수 없다. 따라서 전치사의 위치가 이동되었다면 관계대명사의 형태도 반드시 확인하자!

02 우리말과 일치하도록 조건에 맞게 주어진 말을 배열하여 문장을 완성하시오.

조건 1. 알맞은 관계사를 추가하되, that은 쓸 수 없음
2. 주어진 말은 모두 사용할 것

나는 아버지가 태어나신 마을에 갔다.
(in, was, my father, the town, born)

→ I went to _____ .

✔ 전치사가 있는지 꼭 확인하자!
관계사절에 전치사가 남아 있다면, 관계부사를 쓸 수 없다. 따라서 관계사절에 전치사가 있는지 확인하여 관계대명사를 쓸지 관계부사를 쓸지 결정 하자!

03 우리말과 일치하도록 주어진 말을 배열하여 문장을 완성하시오.

아무리 피곤해도 그녀는 숙제를 끝마칠 것이다.
(tired, she, however, is)

→ _____ , she will
finish her homework.

✔ 복합관계부사 however는 어순에 주의하자!
however가 복합관계부사로 쓰이면 「however+형용사/부사+주어+동사」의 어순으로 쓴다.

시험에 강해지는

실전 TEST

시험일		월	일
시간			/ 40분
문항 수	객관식 10	/	서술형 10
점수			/ 100점

01 빈칸에 알맞은 말이 순서대로 짝지어진 것은? (3점)

> • I don't know the reason _____ he gave me the flower.
> • This is the hospital _____ my son was born.

① what – where   ② what – which

③ why – where   ④ why – which

⑤ when – which

02 두 문장을 한 문장으로 바르게 바꾼 것을 모두 고르면?
(4점)

> That is the park.
> I take a walk in the park every day.

① That is the park which I take a walk every day.

② That is the park where I take a walk every day.

③ That is the park in which I take a walk every day.

④ That is the park in where I take a walk every day.

⑤ That is the park where I take a walk in every day.

03 밑줄 친 말이 어법상 틀린 것은? (4점)

① Nobody knows <u>why</u> he didn't come.

② This is <u>how</u> my mom made this gimchi.

③ I moved to the house <u>which</u> I spent my childhood.

④ Do you know the exact time <u>when</u> the train arrives?

⑤ She remembers the place <u>where</u> she first met him.

04 빈칸에 알맞은 것을 모두 고르면? (3점)

> Do you know _____ he could finish the work so quickly?

① how   ② the way   ③ which

④ in which   ⑤ the way how

신유형

05 어법상 틀린 곳을 잘못 설명한 사람은? (5점)

> ⓐ This is the book about I told you.
> ⓑ Sehun is the boy for that I have been looking.
> ⓒ These are the plants which you have to take care of them from now on.

① 남준: ⓐ는 전치사를 관계대명사 앞에 쓴 경우이므로 관계대명사 which를 생략할 수 없어.

② 지민: ⓐ는 전치사 뒤에 관계대명사가 없으니 about을 문장의 맨 뒤로 보내야 해.

③ 정국: ⓑ는 전치사 뒤에 목적격 관계대명사가 와야 하니 that을 whom으로 바꿔야 해.

④ 윤기: ⓑ는 관계대명사 that이 쓰였으므로 전치사 for를 looking 다음에 써야 해.

⑤ 호석: ⓒ는 관계대명사 which가 주어 역할을 하므로 you를 삭제해야 해.

06 우리말을 영어로 바르게 옮긴 것은? (4점)

> 그가 아무리 부유해도 친구를 살 수는 없다.

① How he is rich, he can't buy friends.

② How rich he is, he can't buy friends.

③ However rich, he can't buy friends.

④ However he is rich, he can't buy friends.

⑤ However rich he is, he can't buy friends.

07 두 문장의 의미가 같도록 할 때, 빈칸에 알맞은 것은? (3점)

> No matter where you go, he will follow you.
> = _____ you go, he will follow you.

① When ② Where ③ However
④ Whoever ⑤ Wherever

08 |보기|의 밑줄 친 부분과 쓰임이 같은 것은? (4점)

> |보기| Whatever the decision is, I will respect it.

① We can do whatever we want.
② My family likes whatever I cook.
③ Whatever she says is not true at all.
④ I'll support you whatever you want to do.
⑤ The rich man can buy whatever he wants.

신유형 고난도
09 다음 빈칸 어디에도 쓸 수 없는 것은? (5점)

> • Her birthday is the day _____ I got married.
> • I know the reason _____ she quit her job.
> • Korea is the country _____ Bill always misses.
> • Do you remember the town in _____ you grew up?

① why ② that ③ when
④ which ⑤ where

10 어법상 올바른 문장의 개수는? (5점)

> ⓐ The picture at she was looking was beautiful.
> ⓑ The man with whom I work is very friendly.
> ⓒ I will visit the city where my grandparents live in.
> ⓓ He sat on the chair on which I was about to sit.
> ⓔ Tom attends the college from that his sister graduated.

① 1개 ② 2개 ③ 3개 ④ 4개 ⑤ 5개

서술형

[서술형1] 주어진 두 문장을 조건에 맞게 한 문장으로 바꿔 쓰시오. (6점, 각 3점)

> 조건 「전치사+관계대명사」의 형태로 쓸 것

(1) They know the girl. You often talk about her.

→ They know the girl _____
_____ .

(2) She often visits the office. Kevin works at it.

→ She often visits the office _____
_____ .

[서술형2] 우리말과 일치하도록 |보기|에서 알맞은 전치사를 골라 조건에 맞게 문장을 완성하시오. (9점, 각 3점)

> 조건 1. 「전치사+관계대명사」의 형태로 문장을 완성할 것
> 2. 필요한 경우 주어진 말의 형태를 바꿀 것

> |보기| about on to with in

(1) 이것이 그가 관심을 가졌던 영화이다. (be interested)
→ This is the movie _____ .

(2) Tom이 내 집을 같이 쓰는 사람이다. (share my house)
→ Tom is the man _____ .

(3) 어제 우리가 갔던 시장은 매우 컸다. (go)
→ The market _____
was very big.

[서술형3] 두 문장의 의미가 같도록 밑줄 친 부분을 관계부사로 바꿔 문장을 완성하시오. (4점, 각 2점)

(1) Tell me the reason for which you were late.
→ Tell me the reason _____ .

(2) December is the month in which I take a vacation.
→ December is the month _____ .

[서술형4] 빈칸에 알맞은 관계사를 각각 쓰시오. (8점, 각 4점)

(1)
- This is the building _____ they work.
- This is the building _____ they built.

(2)
- Winter is the season _____ we can make a snowman.
- Winter is the season in _____ we can make a snowman.

신유형

[서술형5] 어법상 틀린 부분을 찾아 바르게 고쳐 쓰고, 그 이유를 쓰시오. (6점)

Let me show the way how I fixed the printer.

_____ → _____

틀린 이유: _____

[서술형6] 우리말과 일치하도록 조건 에 맞게 문장을 완성하시오. (8점, 각 4점)

조건
1. 관계대명사와 관계부사 중 각 문장에 알맞은 것을 선택하여 사용할 것
2. 관계사를 생략하지 말 것
3. 괄호 안의 말을 모두 사용하고, 필요한 경우 형태를 바꿀 것

(1) 이곳은 나의 아버지가 해마다 방문하는 곳이다.
(visit, every year)
→ This is the place _____
_____ .

(2) 이곳은 나의 아버지가 매일 책을 읽으시는 곳이다.
(read books, every day)
→ This is the place _____
_____ .

[서술형7] 우리말과 일치하도록 주어진 말을 배열하여 문장을 쓰시오. (4점)

그 프로젝트를 마치는 사람은 누구든지 상품을 받을 것이다.
(win, whoever, the project, the prize, will, finishes)
→ _____

[서술형8] 두 문장의 의미가 같도록 빈칸에 알맞은 말을 쓰시오.
(4점, 각 2점)

(1) They will follow whatever you decide.
= They will follow _____ _____ you decide.

(2) Whatever people said, she didn't give up her dream.
= _____ _____ _____ people said, she didn't give up her dream.

[서술형9] 주어진 문장을 어법에 맞게 다시 쓰시오. (5점)

However the problem looks easy, you should think carefully.

→ _____

고등유형

[서술형10] 밑줄 친 우리말과 일치하도록 주어진 말을 배열하여 문장을 완성하시오. (6점, 각 3점)

Do you want to be a good speaker? Here are some tips. Speak slowly and accurately. (1) 말할 때마다 단순한 단어들을 사용해라. Pause for a few seconds so that your audience can think about what you have said. (2) 방 안에 있는 누구든지 당신의 목소리를 들을 수 있는지 확인해라. If you follow these simple things, you will give a good speech.

(1) (speak, you, simple words, whenever)
→ Use _____ .

(2) (you, in, the room, can, whoever, hear, is)
→ Make sure that _____ .

CHAPTER

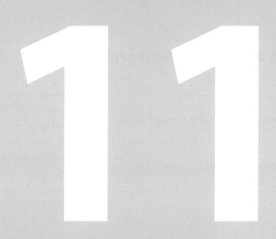

11

가정법

Unit 1 가정법 과거
Unit 2 가정법 과거완료
Unit 3 I wish 가정법, as if 가정법

가정법은 사실과 반대되거나 실현될 가능성이 거의 없는 것을 가정할 때 쓴다.

가정법 과거	**If** I **knew** his phone number, I **would call** him.
	내가 그의 전화번호를 **안다면**, 나는 그에게 **전화할 텐데**.

가정법 과거완료	**If** I **had known** his phone number, I **would have called** him.
	내가 그의 전화번호를 **알았다면**, 나는 그에게 **전화했을 텐데**.

가정법 과거

| 조건문 vs. 가정법 |

1 조건문은 실현 가능성이 있을 때, 가정법은 실현 가능성이 거의 없을 때 쓴다.

조건문	If I **have** enough money, I **will** buy a new phone.	내가 충분한 돈이 **있으면**, 새 전화기를 살 것이다. 돈이 생기면 새 전화기를 살 수 있음
가정법	If I **had** enough money, I **would** buy a new phone.	내가 충분한 돈이 **있다면**, 새 전화기를 살 텐데. 지금 돈이 없어서 새 전화기를 못 삼

| 가정법 과거의 쓰임 및 형태 |

2 가정법 과거는 현재 사실과 반대되거나 실현 가능성이 희박한 일을 가정할 때 쓴다.

If+주어+동사의 과거형/were ~, 만약 ~한다면,	주어+조동사의 과거형+동사원형 ....할 텐데.	
If I **had** time, 내가 시간이 **있다면**,	I **would help** you.	나는 너를 **도울** 텐데.
	I **could help** you.	나는 너를 **도울 수 있을** 텐데.
	I **might help** you.	나는 너를 **도울지도 모를** 텐데.
If she **were** here, 그녀가 여기에 **있다면**,	she **would help** us.	그녀는 우리를 **도울** 텐데.

| 가정법 과거의 직설법 전환 |

3 가정법 과거는 이유의 접속사 as나 because를 사용하여 직설법 현재로 바꿔 쓸 수 있다.

가정법 과거	If I **knew** the answer, I **could tell** you. _{긍정}　　　　　　_{긍정}	내가 답을 **안다면**, 너에게 **말해 줄 수 있을** 텐데.
직설법 현재	**As** I **don't know** the answer, I **can't tell** you. _{부정}　　　　　　　_{부정}	나는 답을 **몰라서** 너에게 **말해 줄 수 없다**.

 서술형 빈출 직설법 현재 문장을 가정법으로 바꿔 쓰는 문제에서는 동사를 가정법 과거로 바꾸고, 긍정은 부정으로, 부정은 긍정으로 바꾼다.

As it **is** raining, I **will not go** out.　비가 오고 있어서 나는 밖에 **나가지 않을** 것이다.
　　_{긍정}　　　　　　_{부정}

→ If it **weren't** raining, I **would go** out.　비가 오고 있지 않다면, 나는 밖에 **나갈** 텐데.
　　　　_{부정}　　　　　　_{긍정}

바로 개념 확인하기

A 조건문인지 가정법인지 구분하기

1 If she spoke more loudly, I could hear her better.
☐ 조건문 ☐ 가정법

2 If it is nice tomorrow, we will go hiking.
☐ 조건문 ☐ 가정법

3 If I didn't have a stomachache, I would eat the pizza.
☐ 조건문 ☐ 가정법

B 빈칸에 알맞은 말 고르기

1 If I _____ you, I wouldn't buy the bag.
☐ am ☐ were

2 If you knew the truth, you _____ angry.
☐ may be ☐ might be

3 If she _____ nearby, we could meet often.
☐ lived ☐ would live

4 If I had a lot of money, I _____ a big house.
☐ bought ☐ would buy

C 가정법 문장을 직설법으로 바꿔 쓰기

1 If I were not sick, I could play soccer.
→ As I _____ sick,
I _____ soccer.

2 If we had tickets, we could go to the concert.
→ As we _____ tickets,
we _____ to the concert.

| 문장 완성 |

[1~5] 우리말과 일치하도록 주어진 말을 활용하여 빈칸에 알맞은 말을 쓰시오.

1 내가 시간이 더 있다면, 다른 외국어를 배울 텐데. (have, learn)

→ If I _____ more time, I _____ _____ another foreign language.

2 내가 Tom Cruise를 본다면, 그와 함께 사진을 찍을 텐데. (see, take)

→ If I _____ Tom Cruise, I _____ _____ a picture with him.

3 너무 춥지 않으면, 우리는 오늘 떠날 텐데. (be, leave)

→ If it _____ _____ too cold, we _____ _____ today.

4 그 소문이 사실이라면, 그들은 충격을 받을 텐데. (be)

→ If the rumor _____ true, they _____ _____ shocked.

5 내일 시험이 없다면, 그녀는 TV를 볼 수 있을 텐데. (have, watch)　*조동사 주의

→ If she _____ _____ a test tomorrow, She _____ _____ TV.

| 배열 영작 |

[6~10] 우리말과 일치하도록 주어진 말을 배열하여 문장을 완성하시오.

6 그가 너라면, 그것을 하지 않을 텐데.
(if, were, he, do, wouldn't, you)

→ _____ ,
he _____ it.

7 내가 선생님이라면, 숙제를 덜 낼 텐데.
(were, I, if, give, would, the teacher)

→ _____ ,
I _____ less homework.

8 그녀가 더 큰 책상을 갖고 있다면, 그 위에 컴퓨터를 놓을지도 모를 텐데. (had, she, if, put, might)

→ _____ a bigger desk,
she _____ a computer on it.

9 그들이 더 가까이 산다면, 우리가 그들을 더 자주 볼 텐데. (they, if, closer, lived, would, we, see)

→ _____ ,
_____ them more often.

10 우리가 비밀번호를 안다면, 당장 이 문을 열 수 있을 텐데. (the door, knew, if, we, the password, open, could)

→ _____ ,
we _____ right now.

| 문장 전환 |

[11~12] 주어진 문장을 가정법 문장으로 바꿔 쓰시오.

11 As they don't have better players, they may not win.

→ _____ better players,
_____ .

12 As he is not friendly, he can't make friends.

→ _____ friendly,
he _____ .

| 오류 수정 |

[13~15] 어법상 틀린 부분을 찾아 바르게 고쳐 쓰시오.

13 If he were my teacher, I will study hard.
(그가 내 선생님이라면, 나는 열심히 공부할 텐데.)

_____ → _____

14 If she knows this, she would be disappointed.
(그녀가 이것을 안다면, 실망할 텐데.)

_____ → _____

15 If I have more friends, I could be happier.
(내가 더 많은 친구가 있다면, 더 행복할 수 있을 텐데.)

_____ → _____

Unit 2 가정법 과거완료

| 가정법 과거완료의 쓰임 및 형태 |

1 가정법 과거완료는 과거 사실에 반대되는 일이나 과거에 실현되지 못했던 일을 가정할 때 쓴다.

If+주어+had p.p. ~, 만약 ~했다면,	주어+조동사의 과거형+have p.p. ....했을 텐데.	
If I **had had** time, 내가 시간이 **있었다면**,	I **would have helped** you.	나는 너를 **도왔을** 텐데.
	I **could have helped** you.	나는 너를 **도울 수 있었을** 텐데.
	I **might have helped** you.	나는 너를 **도왔을지도 모를** 텐데.
If she **had been** here, 그녀가 여기에 **있었다면**,	she **would have helped** us.	그녀는 우리를 **도왔을** 텐데.

| 가정법 과거완료의 직설법 전환 |

2 가정법 과거완료는 이유의 접속사 as나 because를 사용하여 직설법 과거로 바꿔 쓸 수 있다.

가정법 과거완료	**If** I **had studied** hard, I **could have passed** the test. 긍정　　　　　　긍정	내가 열심히 **공부했다면**, 나는 시험을 **통과할 수 있었을** 텐데.
직설법 과거	**As** I **didn't study** hard, I **couldn't pass** the test. 부정　　　　　　부정	나는 열심히 **공부하지 않았기 때문에** 시험에 **통과할 수 없었다.**

 서술형 빈출 직설법 과거 문장을 가정법으로 바꾸는 문제에서는 동사를 가정법 과거완료로 바꾸고, 긍정은 부정으로, 부정은 긍정으로 바꾼다.

As I **was** busy, I **couldn't help** him. 　내가 **바빴기** 때문에 나는 그를 **도울 수 없었다.**
　　　긍정　　　　　부정
→ If I **had not been** busy, I **could have helped** him. 　내가 **바쁘지 않았다면**, 나는 그를 **도울 수 있었을** 텐데.
　　　부정　　　　　　　　긍정

| 가정법 과거 vs. 가정법 과거완료 |

3 가정법 과거는 현재 사실의 반대, 가정법 과거완료는 과거 사실의 반대를 가정한다.

가정법 과거	**If** you **took** a taxi, you **could arrive** on time.	(현재) 네가 택시를 **타면**, 제시간에 **도착할 수 있을** 텐데.
가정법 과거완료	**If** you **had taken** a taxi, you **could have arrived** on time.	(과거) 네가 택시를 **탔다면**, 제시간에 **도착할 수 있었을** 텐데.

바로 개념 확인하기

A 빈칸에 알맞은 말 고르기

1 If we _____ hard, we could have won the game.
- [ ] practiced
- [ ] had practiced

2 If I _____ enough money, I would have bought a smartwatch.
- [ ] have had
- [ ] had had

3 If you had read the book, you could _____ the problem.
- [ ] have solved
- [ ] had solved

B 직설법 문장을 가정법 문장으로 바꿔 쓰기

1 As she made a mistake, she couldn't win a gold medal.
→ If she _____ a mistake, she could _____ a gold medal.

2 As I didn't clean my room, Mom wasn't happy.
→ If I _____ my room, Mom would _____ happy.

C 빈칸에 알맞은 말 고르기

1 _____, we would have gone skiing.
- [ ] If it snowed yesterday
- [ ] If it had snowed yesterday

2 _____, I could swim every day.
- [ ] If I lived near the beach
- [ ] If I had lived near the beach

3 _____, she wouldn't have caught a cold.
- [ ] If she wore a coat
- [ ] If she had worn a coat

문장 완성

[1~5] 우리말과 일치하도록 주어진 말을 활용하여 빈칸에 알맞은 말을 쓰시오.

1 날씨가 좋았다면, 우리는 해변에서 더 많은 시간을 보냈을 텐데. (be, spend)

→ If the weather _____ _____ good, we would _____ _____ more time at the beach.

2 네가 일찍 왔다면, 그 영화배우를 볼 수 있었을 텐데. (come, see)

→ If you _____ _____ early, you could _____ _____ the movie star.

3 내가 그녀의 말을 들었다면, 어려움에 처하지 않았을 텐데. (listen, not, be)

→ If I _____ _____ to her, I _____ _____ _____ _____ in trouble.

4 그가 계단에서 굴러 떨어지지 않았다면, 그의 팔이 부러지지 않았을 텐데. (fall, break)

→ If he _____ _____ _____ down the stairs, he _____ _____ _____ _____ his arm.

5 우리가 시간이 좀 더 있었다면, 그것을 끝낼 수 있었을 텐데. (have, finish)

→ If we _____ _____ more time, we could _____ it.

| 배열 영작 |

[6~9] 우리말과 일치하도록 주어진 말을 배열하여 문장을 완성하시오.

6 그가 뛰었으면, 버스를 잡아탔을 텐데.
(if, had, he, run, would, caught, have)

→ _____ ,

he _____ the bus.

7 우리가 조용히 했으면, 그가 깨지 않았을 텐데.
(been, quiet, had, have, wouldn't, woken up)

→ If we _____ ,

he _____ .

8 그가 전화했으면, 우리가 기뻐했을 텐데.
(he, called, had, would, been, have)

→ If _____ ,

we _____ happy.

9 그녀가 늦게 오지 않았다면, 그를 만났을지도 모를 텐데.
(had, late, come, not, might, met, have)

→ If she _____ ,

she _____ him.

| 오류 수정 |

[10~12] 어법상 또는 의미상 틀린 부분을 찾아 바르게 고쳐 쓰시오.

10 If they had left early, they would arrive in time.
(그들이 일찍 떠났다면, 제시간에 도착했을 텐데.)

_____ → _____

11 If you were at home, I would have visited you.
(네가 집에 있었다면, 내가 너를 방문했을 텐데.)

_____ → _____

12 If he had more time, he could have answered all the questions. (그에게 시간이 더 있었다면, 그는 모든 문제에 답할 수 있었을 텐데.)

_____ → _____

| 문장 전환 |

[13~15] 주어진 문장을 가정법 문장으로 바꿔 쓰시오.

13 As he was busy, he couldn't come.

→ If he _____ ,

he _____ .

14 As she didn't practice hard, she didn't win the contest. *would를 쓸 것

→ If she _____ hard,

she _____ the contest.

15 As it rained, we couldn't play soccer.

→ If it _____ ,

we _____ soccer.

Unit 3   I wish 가정법, as if 가정법

| I wish 가정법 |

1   **I wish 가정법은 '~라면 좋을 텐데'라는 의미로 현재나 과거의 이룰 수 없는 소망이나 아쉬움을 나타낸다.**

I wish+가정법 과거 (~라면 좋을 텐데)	**I wish I had** more time. (= I am sorry that I **don't have** more time.)	내가 시간이 더 **있다면 좋을 텐데**. (현재 사실의 반대)
	I wish I were a king. (= I am sorry that I **am not** a king.)	내가 왕**이면 좋을 텐데**. (현재 사실의 반대)
I wish+가정법 과거완료 (~했더라면 좋을 텐데)	**I wish I had had** more time. (= I am sorry that I **didn't have** more time.)	내가 시간이 더 **있었더라면 좋을 텐데**. (과거 사실의 반대)
	I wish I had been a king. (= I am sorry that I **was not** a king.)	내가 왕**이였더라면 좋을 텐데**. (과거 사실의 반대)

 서술형 빈출   I wish 가정법을 영작할 때는 가정하는 부분의 우리말 시제에 따라 가정법 과거를 쓸지 과거완료를 쓸지 결정한다.
내가 더 큰 집에 **산다면** 좋을 텐데. → I wish I **lived** in a bigger house.
내가 더 큰 집에 **살았다면** 좋을 텐데. → I wish I **had lived** in a bigger house.

| as if 가정법 |

2   **as if 가정법은 '마치 ~인 것처럼'이라는 의미로 현재나 과거의 사실과 반대되는 상황을 가정할 때 쓴다.**

as if+가정법 과거 (마치 ~한 것처럼)	She talks **as if** she **knew** everything. (= In fact, she **doesn't know** everything.)	그녀는 **마치** 모든 것을 **아는 것처럼** 말한다. (현재 사실의 반대)
	He acts **as if** he **were** rich. (= In fact, he **isn't** rich.)	그는 **마치** 부자**인 것처럼** 행동한다. (현재 사실의 반대)
as if+가정법 과거완료 (마치 ~했던 것처럼)	She talks **as if** she **had known** everything. (= In fact, she **didn't know** everything.)	그녀는 **마치** 모든 것을 **알았던 것처럼** 말한다. (과거 사실의 반대)
	He acts **as if** he **had been** rich. (= In fact, he **wasn't** rich.)	그는 **마치** 부자**였던 것처럼** 행동한다. (과거 사실의 반대)

 서술형 빈출   as if 가정법을 영작할 때는 가정하는 부분의 우리말 시제에 따라 가정법 과거를 쓸지 과거완료를 쓸지 결정한다.
그는 마치 뉴욕에 **사는** 것처럼 말한다. → He talks as if he **lived** in New York.
그는 마치 뉴욕에 **살았던** 것처럼 말한다. → He talks as if he **had lived** in New York.

바로 개념 확인하기

A 빈칸에 알맞은 말 고르기

1 I wish my mom _____ home now.
- ☐ were
- ☐ had been

2 I wish it _____ cold yesterday.
- ☐ were not
- ☐ had not been

3 Grandma always treats me as if I _____ a child.
- ☐ were
- ☐ have been

4 Tom looks as if he _____ well last night.
- ☐ has not slept
- ☐ had not slept

B 주어진 문장의 의미 고르기

1 I wish I had my own room.
- ☐ I have my own room.
- ☐ I don't have my own room.

2 I wish it hadn't rained heavily yesterday.
- ☐ It rained heavily yesterday.
- ☐ It didn't rain heavily yesterday.

3 Judy acts as if she were a superstar.
- ☐ Judy is a superstar.
- ☐ Judy isn't a superstar.

C 우리말과 일치하도록 주어진 말을 알맞은 형태로 바꿔 쓰기

1 내가 키가 더 크면 좋을 텐데. (be)
→ I wish I _____ taller.

2 Mason이 시험을 통과했더라면 좋을 텐데. (pass)
→ I wish Mason _____ the test.

3 Mia는 바빴던 것처럼 말한다. (be)
→ Mia talks as if she _____ busy.

| 배열 영작 |

[1~5] 우리말과 일치하도록 주어진 말을 배열하여 문장을 완성하시오.

1 내가 오늘 너를 만날 수 있으면 좋을 텐데.
(wish, I, meet, could, you)

→ I _____ today.

2 네가 더 일찍 왔더라면 좋을 텐데.
(had, you, come, wish)

→ I _____ earlier.

3 지금 날씨가 화창하면 좋을 텐데.
(wish, were, it, sunny)

→ I _____ now.

4 그녀는 마치 그 뮤지컬을 봤던 것처럼 말한다.
(as, seen, had, she, if, talks)

→ She _____
the musical.

5 그들은 마치 아무것도 하지 않았던 것처럼 행동한다.
(act, they, as, done, had, nothing, if)

→ They _____.

| 문장 전환 |

[6~11] 주어진 문장을 가정법을 사용하여 바꿔 쓰시오.

6 I am sorry that I can't go shopping with you now.

→ I wish _____ with you now.

7 I am sorry that I didn't tell my parents about it.

→ I wish _____ about it.

8 I am sorry that I was not there with you.

→ I wish _____ with you.

9 In fact, Mina didn't live in Japan.

→ Mina talks _____ .

10 In fact, she is not my close friend.

→ She acts _____ .

11 In fact, he was not in class yesterday.

→ He acts _____ yesterday.

| 오류 수정 |

[12~15] 어법상 또는 의미상 틀린 부분을 찾아 바르게 고쳐 쓰시오.

12 I wish I have a new smartphone.
(내가 새 스마트폰이 있다면 좋을 텐데.)

_____ → _____

13 He acts as if he is an actor.
(그는 마치 배우인 것처럼 행동한다.)

_____ → _____

14 I wish I went to the concert with you.
(내가 콘서트에 너와 갔었더라면 좋을 텐데.)

_____ → _____

15 She talks as if she has not used my computer.
(그녀는 마치 내 컴퓨터를 사용하지 않았던 것처럼 말한다.)

_____ → _____

조 건

If+주어+**동사의 현재형** ~, 주어+**will**+**동사원형** ....

If the weather **is** fine tomorrow, we **will go** to the sea.
만약 내일 날씨가 **좋으면**, 우리는 바다에 **갈 것이다**.

└ 내일 날씨가 좋을 수 있으므로 충분히 실현이 될 수 있는 일이다.

있음

실현 가능성

없음

가정법 과거

If+주어+**동사의 과거형/were** ~, 주어+**조동사의 과거형**+**동사원형** ....

If the weather **were** fine today, we **would go** to the sea.
만약 오늘 날씨가 **좋으면**, 우리는 바다에 **갈 텐데**.

└ 오늘 날씨가 좋지 않아서 바다에 가지 못한다는 의미이다.
  이미 날씨가 안 좋으므로 실현 가능성이 없다.

가정

가정법 과거완료

If+주어+**had p.p.** ~, 주어+**조동사의 과거형**+**have p.p.** ....

If the weather **had been** fine yesterday,
we **would have gone** to the sea.
만약 어제 날씨가 **좋았다면**, 우리는 바다에 **갔을 텐데**.

└ 어제 날씨가 좋지 않아서 바다에 가지 못했다는 의미이다.
  이미 지나가 버린 일이므로 실현 가능성이 전혀 없다.

난이도별 서술형 문제

·············· 기 본 ··············

01 괄호 안의 말을 알맞은 형태로 바꿔 빈칸에 쓰시오.

(1) If I _____ a flying carpet, I could travel all over the world. (have)

(2) What would you do first if you _____ the president of our country? (become)

02 우리말과 일치하도록 주어진 말을 활용하여 문장을 완성하시오.

(1) 내가 바이올린 연주하는 법을 알았다면, 그 오케스트라에 참여했을 텐데. (know, join)

→ If I _____ how to play the violin, I _____ the orchestra.

(2) Mary가 파티에 나를 초대했다면, 나는 거기에 갔을 텐데. (invite, go)

→ If Mary _____ me to the party, I _____ there.

03 주어진 문장을 if를 사용하여 가정법 문장으로 바꿔 쓰시오.

(1) As he is sick, he can't go to the movies.

→ _____, he _____ to the movies.

(2) As I am not tall, I can't be a model.

→ _____, I _____ a model.

(3) As I don't have enough money, I can't buy a new bike.

→ _____, I _____ a new bike.

신유형
04 우리말과 일치하도록 |보기|에서 필요한 말만 골라 문장을 완성하시오.

(1) 일주일에 세 번만 학교에 가면 좋을 텐데.

|보기|	I	only	wish	three times
	go	went	a week	to school

→ I _____.

(2) 네가 그것에 대해 그들에게 말했다면 좋을 텐데.

|보기|	wish	it	had	about
	them	you	tell	told

→ I _____.

05 주어진 문장과 의미가 같도록 조건에 맞게 바꿔 쓰시오.

> 조건 1. as if 가정법을 사용할 것
>   2. 시제에 유의할 것

(1) In fact, she is not a teacher.

→ She acts as if _____.

(2) In fact, he didn't see the accident.

→ He talks as if _____.

·············· 심 화 ··············

06 우리말과 일치하도록 주어진 말을 활용하여 문장을 완성하시오.

(1) 소미가 공포 영화를 좋아하면, 우리와 함께 영화를 보러 갈 텐데. (like, go)

→ If Somi _____ horror movies, she _____ to the movies with us.

(2) 내가 너였다면, 그녀에게 이메일을 보냈을 텐데. (be, send)

→ If I _____ you, I _____ _____ an email to her.

07 주어진 문장을 가정법 문장으로 바꿔 쓰시오.

(1) As they don't exercise every day, they don't stay healthy.
→ If they _____ every day,
they _____.

(2) As I went to bed early last night, I couldn't watch the music show.
→ If I _____ early
last night, I _____
the music show.

08 밑줄 친 @~ⓓ 중 어법상 틀린 것을 골라 기호를 쓰고, 바르게 고쳐 쓰시오.

> If the weather @has been nice yesterday, we ⓑwould have gone camping. But it ©rained heavily all day long. We ⓓhad a boring time at home.

( ) → _____

09 두 문장의 의미가 같도록 문장을 완성하시오.

(1) I am sorry that Harris isn't my boyfriend.
→ I wish _____.

(2) I am sorry that I didn't read the book.
→ I wish _____.

신유형 고난도
10 대화의 빈칸에 알맞은 말을 조건 에 맞게 쓰시오.

조건 대화에 나온 동사를 적절하게 바꿔 쓸 것

A Do you know the man next to Mia?
B Not really.
A Really? You're acting as if you _____ him.
B I'm just trying to be nice to him. That's all.

함정이 있는 문제

01 주어진 문장을 가정법 문장으로 바꿔 쓰시오.

As I didn't have more time, I couldn't finish my project.
→ If I _____,
I _____.

✔ had had에 익숙해지자!
직설법 과거 문장을 가정법 과거완료로 바꿀 때, if절의 동사가 have인 경우에는 과거형인 had 다음에 과거완료형인 had를 써서 had had가 된다. had가 반복된다고 당황하지 말자.

02 어법상 틀린 부분을 찾아 바르게 고쳐 쓰시오.

> I could eat them all if I would be hungry. I have just had lunch.

_____ → _____

✔ if절이 뒤에 있다고 주절로 착각하지 말자!
가정법으로 쓰인 if절은 문장 앞에 올 수도 있고 뒤에 올 수도 있다. 따라서 if절이 뒤에 있다고 주절로 착각하지 않도록 주의하자!

03 우리말과 일치하도록 주어진 말을 활용하여 문장을 완성하시오.

그녀가 그 약속을 지켰더라면 좋을 텐데.
(wish, keep, the promise)
→ I _____.

✔ 우리말에서 과거형 어미를 주목하자!
I wish와 as if는 뒤에 가정법 과거와 과거완료가 모두 올 수 있다. 우리말 해석이 주어진 경우에는 과거를 나타내는 '었'이 있으면 가정법 과거완료를 써야 하는 것을 기억하자!

시험에 강해지는

실전 TEST

시험일	월	일
시간		/ 40분
문항 수	객관식 10 /	서술형 10
점수		/ 100점

01 빈칸에 알맞은 말이 순서대로 짝지어진 것은? (3점)

> If I _____ a young boy, I _____ play
> with friends all day.

① are – will
② were – will
③ are – would
④ were – would
⑤ had been – would

02 우리말과 일치하도록 할 때, 빈칸에 알맞은 것은? (3점)

> 내가 그 당시에 영어를 열심히 공부했더라면 좋을 텐데.
> → I wish I _____ English hard at that time.

① study
② studied
③ had studied
④ would study
⑤ would have studied

03 밑줄 친 말이 어법상 틀린 것은? (4점)

① I wish he <u>were</u> here with me now.
② If they <u>ran</u> fast, they will catch the bus.
③ What would you do if you <u>won</u> the lottery?
④ If she <u>had</u> a cell phone, we could contact her.
⑤ I wouldn't be bored if there <u>were</u> an interesting
   program on TV.

04 빈칸에 알맞은 것은? (3점)

> I am not handsome. I wish I _____ as
> handsome as a movie star.

① be
② am
③ were
④ am not
⑤ were not

05 주어진 문장으로 알 수 있는 사실을 모두 고르면? (4점)

> If Mike were not sick, he would go to the party.

① Mike is sick.
② Mike isn't sick.
③ Mike won't go to the party.
④ Mike went to the party.
⑤ Mike will go to the party.

06 짝지어진 두 문장의 의미가 서로 <u>다른</u> 것은? (5점)

① I wish I had a boyfriend.
   = I am sorry that I don't have a boyfriend.
② If I had no class, I would watch TV all day.
   = As I have no class, I will watch TV all day.
③ He talks as if he had watched the soccer
   match.
   = In fact, he didn't watch the soccer match.
④ If he had read your message, he would have
   called you.
   = As he didn't read your message, he didn't
   call you.
⑤ If it had been glass, it would have broken
   when I dropped it.
   = As it wasn't glass, it didn't break when I
   dropped it.

07 어법상 <u>틀린</u> 부분을 찾아 바르게 고친 것은? (4점)

> If your grandfather were alive now, he would
> have been proud of you.

① were → is
② were → has been
③ were → had been
④ would → will
⑤ have been → be

08 대화의 빈칸에 알맞은 것은? (4점)

A Do you know Gary?
B Yes, I have known him for a long time.
A Was Gary a singer before?
B No, he wasn't. Why?
A He talks as if he _____ a singer.

① be ② is ③ were
④ will be ⑤ had been

09 어법상 올바른 문장끼리 짝지어진 것은? (5점)

ⓐ I wish my team had won the basketball game.
ⓑ He spends a lot of money as if he were very rich.
ⓒ If she had not lied, we would be good friends.
ⓓ What would you have done in this situation if you were me?

① ⓐ, ⓑ ② ⓐ, ⓒ ③ ⓑ, ⓒ
④ ⓑ, ⓓ ⑤ ⓒ, ⓓ

고등유형 고난도

10 주어진 글의 밑줄 친 부분 중 어법상 틀린 것은? (5점)

I think we ① are creating too much waste these days. If we ② had not used plastic packaging, we ③ could reduce waste. If we ④ reduce waste, the earth ⑤ will be much cleaner.

서술형

[서술형1] 직설법 문장은 가정법으로, 가정법 문장은 직설법으로 바꿔 쓰시오. (6점, 각 3점)

(1) If David were here, he could help me.
→ As David _____ here, he _____ me.

(2) As he doesn't have a brother or a sister, he feels lonely.
→ If he _____ a brother or a sister, he _____ lonely.

[서술형2] 우리말과 일치하도록 주어진 말을 배열하여 문장을 완성하시오. (5점)

내가 너라면, 나는 그 가방을 사지 않을 텐데.
(I, you, would, buy, were, not, if)
→ _____, I _____ that bag.

[서술형3] 주어진 문장과 의미가 같도록 문장을 완성하시오. (4점)

I am sorry that I didn't listen to my parents when I was young.
= I wish _____ when I was young.

[서술형4] 어법상 틀린 부분을 찾아 바르게 고쳐 쓰시오.
(6점, 각 3점)

(1) There is no garden in my house. If I have a garden in my house now, I could grow vegetables.

_____ → _____

(2) I didn't meet her yesterday. If I had met her, I would be happy.

_____ → _____

[서술형5] 주어진 말을 활용하여 문장을 완성하시오. (6점, 각 3점)

(1) She talks as if _____
about me. In fact, she doesn't know anything.
(know, everything)

(2) He acts as if _____
last night, but he broke the window.
(happen, nothing)

[서술형6] 우리말과 일치하도록 조건 에 맞게 문장을 쓰시오.
(5점)

> 조건 1. as if 가정법을 사용할 것
>   2. 다음 표현을 사용하되, 필요한 경우 형태를 바꿀 것
>   talk, do, all the work, alone

그는 마치 모든 일을 혼자 했던 것처럼 말한다.

→ _____

신유형

[서술형7] 편지를 읽고, 학생의 고민을 조건 에 맞게 바꿔 쓰시오.
(12점, 각 3점)

> Dear Ms. Warm-hearted,
>   I don't have many friends. I don't do well in
> school. I can't speak English well. I'm not good at
> sports. What should I do?

> 조건 1. I wish 가정법을 사용할 것
>   2. 시제에 주의할 것
>   3. 한 문장에 하나의 내용을 나타낼 것

(1) I wish _____.
(2) I wish _____.
(3) I wish _____.
(4) I wish _____.

[서술형8] 다음 글의 내용과 일치하도록 문장을 완성하시오.
(6점)

> Jinho stayed up late playing games and got up
> late the next morning. He was late for school and
> scolded by his teacher. He regretted playing games
> too long last night.

→ If Jinho _____ games until
late at night, he _____ late
for school.

[서술형9] 대화의 빈칸에 알맞은 말을 조건 에 맞게 쓰시오. (4점)

> 조건 1. have와 be를 문맥에 맞게 바꿔 쓸 것
>   2. 가정법으로 쓸 것

A How was the hiking? Did you have fun?
B It was exciting, but we got caught in the rain along
the way. We _____
more fun if the weather _____
better.

신유형

[서술형10] 다음 글을 읽고, John의 말을 조건 에 맞게 완성하시오. (6점)

> Yesterday was Sujin's birthday. Sujin invited John
> to her birthday party, but he couldn't go to the
> party because he had to do his project work.

> 조건 1. have, go, can을 사용하되, 알맞은 형태로 바꿀 것
>   2. 시제에 주의할 것

John If I _____ the project work,
I _____ to Sujin's
birthday party.

CHAPTER

12

화법과 특수구문

Unit 1 화법 전환

Unit 2 강조, 도치

화법에는 다른 사람의 말을 그대로 전달하는 직접화법과 전달자의 입장에서 전달하는 간접화법이 있다. 특정 부분을 강조하기 위해서 특정 어구를 덧붙이는 **강조** 구문을 쓰거나 단어의 위치를 바꾸는 **도치** 구문을 쓴다.

간접화법	He said **that he loved me**. 그는 **그가 나를 사랑한다고** 말했다.
강조	**It is** my cat **that** I love. 내가 사랑하는 것은 **바로** 우리 고양이다.
도치	She loves you, and **so do I**. 그녀는 너를 사랑하고 **나도 그렇다**.

| 평서문의 화법 전환 |

1 평서문을 간접화법으로 바꿀 때는 인칭대명사와 시제 변화에 주의한다.

직접화법 She **said to** me, "**I don't** like **this** room."
① ② ③ ④ ⑤

간접화법 She **told** me **that she didn't** like **that** room.

그녀는 나에게 "나는 이 방이 싫어."라고 말했다.

그녀는 나에게 그 방이 싫다고 말했다.

① 전달동사를 say → say, say to → tell
② 콤마(,)와 큰따옴표는 that으로 바꿈
③ 인칭대명사는 전달자에 맞춰 바꿈
④ 시제는 주절에 맞춰 바꿈 (주절이 과거일 때, 현재 → 과거, 과거 → 과거완료)
⑤ 지시어나 부사구를 상황에 맞춰 바꿈

> **암기 노트** 간접화법 전환 시 수식어구
>
> this → that   ago → before
> here → there   now → then
> these → those   today → that day
> yesterday → the day before
> tomorrow → the next day

| 의문문의 화법 전환 |

2 의문문을 간접화법으로 바꿀 때는 어순에 주의한다.

의문사가 있는 의문문	**직접화법**	She asked me, "**What are you** doing **now**?" ① ②	그녀는 나에게 "지금 무엇을 하고 있니?"라고 물었다.
	간접화법	She asked me **what I was** doing **then**.	그녀는 나에게 그때 무엇을 하고 있었는지 물었다.
의문사가 없는 의문문	**직접화법**	She asked me, "**Can you** swim?" ① ②	그녀는 나에게 "수영을 할 수 있니?"라고 물었다.
	간접화법	She asked me **if I could** swim.	그녀는 나에게 수영을 할 수 있는지 물었다.

① 의문사가 있는 경우는 의문사를 그대로 쓰고, 의문사가 없는 경우는 if(whether) 추가
② 의문문의 어순은 「주어+동사」로 바꿈

| 명령문의 화법 전환 |

3 명령문을 간접화법으로 바꿀 때는 동사원형을 to부정사로 바꾸는 것에 주의한다.

직접화법 She **said to** me, "**Clean your** room."
① ②

간접화법 She **told** me **to clean my** room.

그녀는 나에게 "네 방을 청소해라."라고 말했다.

그녀는 나에게 내 방을 청소하라고 말했다.

① 전달동사는 say to → tell(말하다), ask(요청하다), order(명령하다), advise(충고하다) 등
② 동사원형을 to부정사로 바꿈   *부정명령문일 경우, 「not+to부정사」로!

✔ 바로 개념 확인하기

A 빈칸에 알맞은 말 고르기

1 He _____ her that she looked happy.
☐ said　　　　☐ told

2 She told me _____ early.
☐ come　　　　☐ to come

3 I asked him _____ he liked baseball.
☐ that　　　　☐ if

B 간접화법으로 바꿀 때, 빈칸에 알맞은 말 고르기

1 She said to me, "I am doing yoga now."
→ She told me that she _____ doing yoga then.
☐ is　　　　☐ was

2 She said to me, "I bought this bag for you."
→ She told me that she had bought that bag for _____.
☐ me　　　　☐ her

3 He asked her, "What do you have for lunch?"
→ He asked her _____ she had for lunch.
☐ if　　　　☐ what

C 우리말과 일치하도록 주어진 말 활용하여 쓰기

1 그는 일찍 일어날 거라고 말했다. (will, get up)
→ He said that he _____ _____ early.

2 그녀는 나에게 기타를 칠 수 있는지 물었다. (can, play)
→ She asked me _____ _____ _____ the guitar.

3 그는 그들에게 줄을 서라고 명령했다. (stand)
→ He ordered _____ _____ _____ in line.

| 배열 영작 |

[1~5] 우리말과 일치하도록 주어진 말을 배열하여 문장을 완성하시오.

1 그는 나에게 그가 나를 도울 수 있다고 말했다.
(told, that, he, help, could, me)

→ He _____ me.

2 그녀는 우리에게 거기에 갈 계획인지 물었다.
(we, to, planned, go, if)

→ She asked us _____ there.

3 그는 그들이 왜 그렇게 지쳤는지 내게 물었다.
(they, why, so tired, were)

→ He asked me _____.

4 나는 그에게 창문을 열어달라고 요청했다.
(asked, to, him, the windows, open)

→ I _____.

5 그들은 우리에게 너무 많이 걱정하지 말라고 조언했다.
(advised, not, worry, to, us)　*not의 위치 주의

→ They _____ too much.

| 문장 전환 |

[6~11] 주어진 문장을 간접화법으로 바꿔 쓰시오.

6 She said to me, "I have no money."

→ She _____ .

7 He asked me, "Where are you?" *어순 주의

→ He _____ .

8 They asked him, "Can you play basketball tomorrow?"

→ They _____
the next day.

9 The doctor said to him, "Stop smoking."

→ The doctor advised _____ .

10 The teacher said to us, "Don't use your phones in class." *not의 위치 주의

→ The teacher told us _____
in class.

11 He said to me, "It is not raining now."

→ He _____ .

| 오류 수정 |

[12~15] 어법상 틀린 부분을 찾아 바르게 고쳐 쓰시오.

12 He told me that he needs that.
(그는 나에게 그것이 필요하다고 말했다.)

_____ → _____

13 We asked him that he wanted to come.
(우리는 그에게 그가 오고 싶은지 물었다.)

_____ → _____

14 They told me bring some water.
(그들은 나에게 물을 좀 가져오라고 말했다.)

_____ → _____

15 Mom asked me who is cleaning the room.
(엄마는 나에게 누가 방을 청소하고 있는지 물으셨다.)

_____ → _____

1 **It is / was ~ that** 강조 구문은 강조하고 싶은 말을 **It is**와 **that** 사이에 쓴다.

강조하는 대상	I met Mike in the library yesterday. 주어 · 목적어 · 장소 부사구 · 시간 부사	나는 어제 도서관에서 Mike를 만났다.
주어	**It was I that** met Mike in the library yesterday.	어제 도서관에서 Mike를 만났던 것은 **바로 나였다.**
목적어	**It was Mike that** I met in the library yesterday.	내가 어제 도서관에서 만났던 사람은 **바로 Mike였다.**
장소 부사(구)	**It was in the library that** I met Mike yesterday.	내가 어제 Mike를 만났던 곳은 **바로 도서관이었다.**
시간 부사(구)	**It was yesterday that** I met Mike in the library.	내가 도서관에서 Mike를 만났던 것은 **바로 어제였다.**

tips 동사를 강조하고 싶을 때는 「do/does/did+동사원형」의 형태로 쓰고 '정말 ~하다/했다'라고 해석한다. 동사는 It is/was ~ that 강조 구문으로 강조할 수 없다.

I **do know** how to make it. 나는 그것을 만드는 법을 **정말 안다.**

She **does know** how to make it. 그녀는 그것을 만드는 법을 **정말 안다.**

We **did know** how to make it. 우리는 그것을 만드는 법을 **정말 알았다.**

2 특정 어구를 문장 앞에 둘 때, 주어와 동사의 어순이 바뀌는 것을 도치라고 한다.

장소, 방향의 부사구+ 동사+주어	The cat is under the bed. → Under the bed **is the cat.** 　　　　　　　　동사　주어 The rain came down like a waterfall. → Down **came the rain** like a waterfall. 　　　동사　　주어	고양이가 침대 아래에 있다. 비가 폭포처럼 내려온다.
there/here+ 동사+주어	There **goes the bus.** 　　　동사　　주어 Here **comes John.** 　　동사　　주어	저기 버스가 간다. 여기 John이 온다.
so+동사+주어 (~도 또한 그렇다)	Jenny likes action movies. So **do I.** My brother is smart. So **am I.**	Jenny는 액션영화를 좋아한다. **나도 그렇다.** 우리 형은 똑똑하다. **나도 그렇다.**
neither+동사+주어 (~도 또한 그렇지 않다)	I don't like math. Neither **does Tom.** He didn't tell a lie. Neither **did I.**	나는 수학을 좋아하지 않는다. **Tom도 그렇지 않다.** 그는 거짓말을 하지 않았다. **나도 그렇지 않았다.**

주의 so, neither를 쓸 때, 일반동사가 쓰인 경우에는 do동사를 사용하고, be동사나 조동사가 쓰인 경우에는 be동사나 조동사를 쓴다.

I **like** K-pop music. So **does** Mike. 나는 K-pop 음악을 좋아한다. Mike도 **그렇다.**

I **can** play the piano. So **can** Jane. 나는 피아노를 칠 수 있다. Jane도 **칠 수 있다.**

My brother **is** tall. So **am** I. 나의 형은 키가 크다. 나도 **그렇다.**

✔ 바로 개념 확인하기

A 강조하고 있는 말에 밑줄 긋기

1 It is chocolate that she likes most.

2 It was in 1969 that Apollo 11 landed on the moon.

3 I did send an email to Ms. Green.

B 밑줄 친 부분을 강조하는 문장으로 바꿔 쓰기

1 I want to study science.

→ It _____ _____ _____ I want to study.

2 Steve speaks three languages.

→ Steve _____ _____ three languages.

3 Helen made the cookies.

→ It _____ _____ _____ _____ the cookies.

4 I left my bag on the bus.

→ It _____ _____ _____ _____ _____ I left my bag.

C 빈칸에 알맞은 말 고르기

1 Inside the box _____.

☐ is a teddy bear   ☐ a teddy bear is

2 Here _____.

☐ the train comes   ☐ comes the train

3 Jason is from Canada. So _____.

☐ I am   ☐ am I

4 Mia doesn't like math. Neither _____.

☐ does John   ☐ doesn't John

| 배열 영작 |

[1~5] 우리말과 일치하도록 주어진 말을 배열하여 문장을 완성하시오.

1 그가 내게 추천했던 것은 바로 이 앱이었다.
(that, this app, it, recommended, he, was)

→ _____ to me.

2 길 아래쪽으로 그 개는 뛰어갔다.
(the street, ran, down)

→ _____ the dog.

3 내 여동생은 노래를 잘한다. 내 남동생도 그렇다.
(sings, does, so, my brother, well)

→ My sister _____.
_____.

4 Jane은 게임을 하지 않는다. 나도 그렇지 않다.
(do, neither, I, play, doesn't, games)

→ Jane _____.
_____.

5 여기 우리가 탈 버스가 온다.
(our, comes, bus)

→ Here _____.

| 문장 전환 |

[6~9] 밑줄 친 부분을 강조하는 문장이 되도록 바꿔 쓰시오.

6 She wrote this letter yesterday.

→ _____

7 John arrived here late.

→ _____

8 I met her at the park last Sunday.

→ _____

9 Kate stayed at home yesterday.

→ Kate _____
yesterday.

[10~11] 다음 문장을 주어진 말로 시작하여 바꿔 쓰시오.

10 Two little boys stood under a tree.

→ Under a tree _____ .

11 The girls walked slowly along the river.

→ Along _____ slowly.

| 오류 수정 |

[12~15] 어법상 틀린 부분을 찾아 바르게 고쳐 쓰시오.

12 On the table was the books that he bought
yesterday. (탁자 위에는 그가 어제 산 책들이 있었다.)

_____ → _____

13 It was her that found the key under the sofa.
(소파 밑에서 그 열쇠를 찾은 것은 바로 그녀였다.)

_____ → _____

14 He did wrote that letter by himself.
(그는 그 편지를 정말 스스로 썼다.)

_____ → _____

15 There the bus goes. (저기 버스가 간다.)

_____ → _____

기출에서 뽑은

난이도별 서술형 문제

·················· **기 본** ··················

01 주어진 문장을 간접화법으로 바꿔 쓰시오.

(1) He said to me, "I have five dogs."

→ He told me that ＿＿＿＿ ＿＿＿＿ five dogs.

(2) Her dad said to her, "I will buy you new sneakers tomorrow."

→ Her dad told her that he ＿＿＿＿ ＿＿＿＿ her new sneakers ＿＿＿＿ ＿＿＿＿ ＿＿＿＿.

02 밑줄 친 부분을 간접화법으로 바꿔 쓰시오.

(1) He asked us, "Where are you from?"

→ He asked us ＿＿＿＿＿＿＿＿＿＿.

(2) The woman asked me, "Can you help me?"

→ The woman asked me ＿＿＿＿＿＿ ＿＿＿＿＿＿＿＿＿＿.

(3) Jane asked him, "What fruit do you like most?"

→ Jane asked him ＿＿＿＿＿＿ ＿＿＿＿＿＿＿＿＿＿.

03 간접화법으로 바꾼 문장에서 어법상 틀린 부분을 찾아 바르게 고쳐 쓰시오.

> My homeroom teacher said to me, "Go home early."
> → My homeroom teacher told me go home early.

＿＿＿＿＿＿ → ＿＿＿＿＿＿

04 주어진 문장을 조건에 맞게 바꿔 쓰시오.

> 조건 1. 밑줄 친 부분을 강조하는 문장이 되도록 쓸 것
> 2. It ~ that 강조 구문을 사용할 것
> 3. 시제에 주의할 것

(1) I saw the boy <u>at the bus stop</u>.

→ ＿＿＿＿＿＿＿＿＿＿＿＿＿ I saw the boy.

(2) <u>His strong will</u> made him successful.

→ ＿＿＿＿＿＿＿＿＿＿＿＿＿ made him successful.

05 주어진 문장을 밑줄 친 부분으로 시작하는 문장으로 바꿔 쓰시오.

(1) A drone flew <u>over our heads</u>.

→ ＿＿＿＿＿＿＿＿＿＿＿＿＿

(2) Lots of toys were <u>around the kids</u>.

→ ＿＿＿＿＿＿＿＿＿＿＿＿＿

·················· **심 화** ··················

06 주어진 문장을 간접화법으로 바꿔 쓰시오.

(1) Emily said to us, "I'll invite you to my new house."

→ Emily told us ＿＿＿＿＿＿＿＿ ＿＿＿＿＿＿＿＿＿＿＿＿＿.

(2) Hojun asked me, "What day is it?"

→ Hojun asked me ＿＿＿＿＿＿＿＿.

(3) The guard said to the kids, "Don't touch anything."

→ The guard told the kids ＿＿＿＿＿ ＿＿＿＿＿＿＿＿＿＿＿＿＿.

07 주어진 문장을 It ~ that 강조 구문을 사용하여 지시에 맞게 바꿔 쓰시오.

> Ryan bought a T-shirt at this store.

(1) Ryan을 강조

→ _____

(2) a T-shirt를 강조

→ _____

(3) at this store를 강조

→ _____

08 밑줄 친 부분을 강조하는 문장으로 바꿔 쓰시오.

(1) I <u>know</u> what happened last night.

→ _____

(2) The boys <u>believed</u> the news.

→ _____

09 A의 말에 동의하는 표현이 되도록 빈칸에 알맞은 말을 쓰시오.

(1) **A** I thought the Blue Dolphins would win.

B _____ _____ I. I could have never imagined they would lose.

(2) **A** My sister never eats carrots.

B Really? _____ _____ my brother. He doesn't like the taste of them.

<u>고난도</u>
10 어법상 틀린 문장을 골라 기호를 쓰고, 바르게 고쳐 다시 쓰시오.

> ⓐ Here comes the teacher.
> ⓑ Down came a big snowball.
> ⓒ Under the tree a small gift box is.
> ⓓ In front of me appeared my favorite singer.

(   ) → _____

함정이 있는 문제

01 동사를 강조하여 바꿔 쓴 문장에서 어법상 틀린 부분을 찾아 바르게 고쳐 쓰시오.

> Jake tells the truth.
> → Jake do tell the truth.

_____ → _____

✔ 강조를 나타내는 do의 형태는 변한다!
강조를 나타내는 do는 조동사처럼 쓰여 뒤에 동사원형이 오지만, 3인칭 단수와 과거일 때 형태가 변한다는 사실을 기억하자!

02 우리말과 일치하도록 빈칸에 알맞은 말을 쓰시오.

A My sisters were not watching TV.

B _____ _____ _____.
(나도 그렇지 않았어.)

✔ 우리말 때문에 헷갈리지 말자!
부정문에 동의할 때는 neither를 사용하는데, 부정의 의미를 포함하고 있으므로 not을 쓰지 않는 것에 주의하자!

03 주어진 문장을 간접화법으로 바꿔 쓰시오.

He said to me, "I love you so much."

→ He told me that _____.

✔ 간접화법으로 바꿀 때, 인칭 변화에 주의하자!
화법을 전환할 때 I와 you를 어떻게 변환해야 할지 자주 헷갈린다. 우리말로 바꿔 해석해 보면 누가 누구인지 쉽게 파악할 수 있다.
그는 나에게 "**나는 너를** 정말 많이 사랑해."라고 말했다.
→ 그는 나에게 **그가 나를** 정말 많이 사랑한다고 말했다.

시험에 강해지는

실전 TEST

시험일	월	일
시간		/ 40분
문항 수	객관식 10 / 서술형 10	
점수		/ 100점

[01~02] 다음 문장을 간접화법으로 바꿀 때, 빈칸에 알맞은 것을 고르시오. (각 3점)

01
> She said, "I have a headache."
> → She said that _____ a headache.

① I have
② I had
③ she has
④ she had
⑤ she had had

02
> He asked me, "Can you play the piano?"
> → He asked me _____ play the piano.

① if you can
② that I can
③ if I can
④ that I could
⑤ if I could

03 주어진 문장을 간접화법으로 바르게 바꾼 것은? (4점)

> He said to me, "Don't eat too many sweets."

① He told me not eat too many sweets.
② He advised me don't eat too many sweets.
③ He advised me not to eat too many sweets.
④ He advised me eat not too many sweets.
⑤ He told me to not eat too many sweets.

04 간접화법으로 바꾼 문장에서 밑줄 친 부분이 어법상 틀린 것은? (5점)

> Chris asked Somi, "Where are you going now?"
> → Chris asked Somi ① where ② she ③ was ④ going ⑤ now.

05 간접화법으로 바꾼 문장이 어법상 틀린 것은? (4점)

① I asked him, "Are you busy now?"
  → I asked him if I was busy then.
② He said, "I have been to London once."
  → He said that he had been to London once.
③ He said to us, "Don't take pictures here."
  → He ordered us not to take pictures there.
④ Jimmy asked me, "What do you want to eat for lunch?"
  → Jimmy asked me what I wanted to eat for lunch.
⑤ Mike asked us, "How long are you going to stay here?"
  → Mike asked us how long we were going to stay there.

06 대화의 빈칸에 알맞은 것은? (3점)

> A Sam, are you sure that you sent me an email?
> B I surely did. I _____ it last night.

① do sent
② do send
③ did send
④ did sent
⑤ does send

고난도
07 밑줄 친 부분의 쓰임이 다른 것은? (5점)

① It was Kate that I met yesterday.
② It is certain that he wrote this book.
③ It was on the bus that I left my bag.
④ It was the book that I wanted to borrow.
⑤ It is this dog that you should take care of.

08 각 밑줄 친 부분을 강조한 문장으로 알맞지 <u>않은</u> 것은? (4점)

> Ben found his lost cell phone under his bed
> ①   ②   ③   ④
> last night.
> ⑤

① It was Ben that he found his lost cell phone under his bed last night.
② Ben did find his lost cell phone under his bed last night.
③ It was his lost cell phone that Ben found under his bed last night.
④ It was under his bed that Ben found his lost cell phone last night.
⑤ It was last night that Ben found his lost cell phone under his bed.

09 짝지어진 대화가 <u>어색한</u> 것은? (4점)

① A Mike is good at dancing.
   B So am I.
② A I have been to Spain.
   B So has Grace.
③ A I haven't eaten dinner yet.
   B So have I.
④ A I can't finish these noodles.
   B Neither can I.
⑤ A I was on TV yesterday.
   B So were Hojin and Jina.

신유형 고난도

10 어법상 <u>틀린</u> 문장의 개수는? (5점)

> ⓐ Here comes the bus.
> ⓑ On your left is a big tree.
> ⓒ Tina does know how to use this machine.
> ⓓ Between the trees were a beautiful bench.
> ⓔ Matt can't speak Korean, and neither can't his sister.

① 1개　② 2개　③ 3개　④ 4개　⑤ 5개

서술형

[서술형1] 주어진 문장을 간접화법으로 바꿔 쓰시오. (6점, 각 3점)

(1) Tom said to me, "I need your help."
   → Tom _____ .

(2) I asked him, "Do you know Sue?"
   → I _____ .

[서술형2] 주어진 문장을 직접화법으로 바꿔 쓰시오. (6점, 각 3점)

(1) She told me that I had made a big mistake.
   → She said to me, "_____ ."

(2) My dad asked me where his glasses were.
   → My dad asked me, "_____ ?"

[서술형3] 밑줄 친 ⓐ~ⓓ 중 어법상 <u>틀린</u> 것을 찾아 기호를 쓰고, 바르게 고쳐 쓰시오. (4점)

> He said to me, "The typhoon is passing near my town."
> → He ⓐ<u>told</u> me ⓑ<u>that</u> the typhoon ⓒ<u>was</u> passing near ⓓ <u>your</u> town.

(   ) → _____

[서술형4] 밑줄 친 부분을 강조하는 문장으로 바꿔 쓰시오. (4점)

> He <u>believed</u> what they said.

→ _____

[서술형5] 우리말과 일치하도록 |보기|에서 필요한 말만 골라 배열하시오. (8점, 각 4점)

(1) 내가 Jenny를 만난 것은 바로 오늘 아침이었다.

|보기|	I		Jenny		it		this morning
	that		was		met		who

→ _____

(2) 너를 가장 많이 사랑하는 분은 바로 너의 부모님이다.

|보기|	what		is		love		your parents
	it		you		that		most

→ _____

[서술형6] 그림을 보고, 문장을 완성하시오. (5점)

→ A staff member told the children _____
_____ .

[서술형7] 빈칸에 알맞은 말을 조건에 맞게 쓰시오. (6점, 각 3점)

조건 1. so나 neither 중 하나를 반드시 사용할 것
2. 이어지는 문장과 의미가 통하도록 쓸 것

(1) Jina has been to Italy, and _____ _____
_____. I visited Italy three years ago.

(2) Alex can't speak Chinese well, and _____
_____ Jane. She started to study Chinese just
last week.

[서술형8] 다음 문장을 주어진 말로 시작하는 문장으로 바꿔 쓰시오. (8점, 각 4점)

(1) A big ice-cream shop is around the corner.
→ Around _____ .

(2) A lot of snow came down last night.
→ Down _____ .

고난도

[서술형9] 그림을 보고, 대화의 질문에 알맞은 대답을 조건에 맞게 쓰시오. (4점)

조건 1. her wallet를 반드시 포함할 것
2. 강조 구문을 사용하여 쓸 것

A Is she looking for her key?
B No, it _____ .

고등유형 고난도

[서술형10] 주어진 대화를 요약한 글을 완성하시오. (9점, 각 3점)

A Jenny, it's 1 a.m. What are you doing?
B I have to finish my homework. I'm almost done,
Dad.
A Don't stay up too late.
B Okay, I won't.

↓

Around 1 a.m., Jenny's father went into
Jenny's room and asked her (1) _____
_____. Jenny told him that (2) _____
_____. Jenny's father advised her
(3) _____ .

01 빈칸에 알맞은 말이 순서대로 짝지어진 것은?

> • The musical club _____ Juwon joined was very popular among students.
> • Is there any restaurant _____ we can have good Mexican food?

① that – which
② which – which
③ which – where
④ where – which
⑤ where – where

02 빈칸에 들어갈 말이 <u>다른</u> 것은?

① _____ matters is doing your best.
② _____ you believe is not always true.
③ I have the right to choose _____ I eat.
④ You need to think about _____ you can do.
⑤ I know the place _____ he regularly visits.

고난도
03 밑줄 친 부분과 바꿔 쓸 수 <u>없는</u> 것은?

① My parents always listen to <u>what</u> I say.
  = the thing which
② I still remember the day <u>when</u> we first met.
  = on which
③ <u>However</u> cold it is, she always wears a skirt.
  = No matter how
④ <u>Whatever</u> I dream, I can make it come true.
  = Anything that
⑤ I will give you a book, <u>which</u> will answer your questions.   = and it

04 밑줄 친 부분의 쓰임이 <u>다른</u> 것은?

① I take a warm bath <u>when</u> I feel tired.
② Spring is the season <u>when</u> flowers bloom.
③ I can't forget the day <u>when</u> I lost my dog.
④ July is the month <u>when</u> I was born.
⑤ Do you know the time <u>when</u> he came back last night?

05 어법상 <u>틀린</u> 문장은?

① I wish I were good at dancing.
② I wish I had had many friends as a child.
③ If you were in my shoes, what would you do?
④ If she has run a little faster, she might have won the race.
⑤ Siwon talks as if he didn't know anything about the accident.

06 주어진 문장을 가정법으로 바르게 바꿔 쓴 것은?

> As he doesn't have enough money, he can't buy a new computer.

① If he has enough money, he can buy a new computer.
② If he had enough money, he could buy a new computer.
③ If he had enough money, he couldn't buy a new computer.
④ If he didn't have enough money, he couldn't buy a new computer.
⑤ If he had had enough money, he could have bought a new computer.

07 주어진 문장을 간접화법으로 바꿀 때, 빈칸에 알맞은 것은?

> I asked him, "Will you join our club?"
> → I asked him _____ join our club.

① you would
② he would
③ if you will
④ if you would
⑤ if he would

08 어법상 <u>틀린</u> 것의 개수는?

> ⓐ Jenny do miss you.
> ⓑ Here comes our taxi.
> ⓒ In front of the soldiers was a big flag.
> ⓓ It was James that he gave you the book.

① 없음 ② 1개 ③ 2개 ④ 3개 ⑤ 4개

서술형

09 우리말과 일치하도록 조건 에 맞게 주어진 말을 배열하시오.

> 조건 1. 관계대명사의 계속적 용법으로 쓸 것
> 2. 문장부호를 정확히 쓸 것

Amy는 옆집에 사는데, 매우 친절하다.
(lives, is, next door, very friendly, who)

→ Amy, _____ .

10 주어진 문장을 지시에 맞게 바꿔 쓰시오.

> This is the park. A famous actor jogs every morning in the park.

(1) 「전치사+관계대명사」를 사용하여 한 문장으로 쓸 것

→ _____

_____

(2) 관계부사를 이용하여 한 문장으로 쓸 것

→ _____

_____

11 우리말과 일치하도록 주어진 말과 관계사를 사용하여 문장을 완성하시오.

(1) 그는 에베레스트를 등반하는 것이 꿈인 소녀를 찾고 있다. (dream, to climb Mt. Everest)

→ He is looking for a girl _____

_____ .

(2) 많은 사람들이 그곳을 방문하는 이유가 분명히 있다. (many, visit, there)

→ There must be a reason _____

_____ .

12 두 문장의 의미가 같도록 복합관계사를 사용하여 바꿔 쓰시오.

No matter how busy he is, he will come to the party.

→ _____ ,

he will come to the party.

신유형

13 주어진 말을 조건 에 맞게 배열하여 문장을 완성하시오.

> 조건 1. 가정법으로 쓸 것
> 2. 밑줄 친 단어는 문맥에 맞게 형태를 바꿀 것

(1) _____ ,

I could help my parents.

(have, if, enough time, I)

(2) If he had been more careful, he _____

_____ .

(hurt, not, would, his leg)

고난도

14 대화의 빈칸에 알맞은 말을 조건 에 맞게 쓰시오.

> 조건 대화의 밑줄 친 단어를 반드시 포함하되, 알맞은 형태로 바꿀 것

(1) A Is Paul the class president?

B No, he's not. But he always acts as if he

_____ .

(2) A Look at the beach! How beautiful! Did you bring your swimsuit?

B No, I didn't. I wish _____

_____ .

신유형

15 주어진 문장을 조건 에 맞게 바꿔 쓰시오.

> Mia wrote a novel last year.

(1)
> 조건 1. last year을 강조한 문장으로 바꿀 것
> 2. that을 사용할 것

→ _____

_____

(2)
> 조건 wrote를 강조한 문장으로 바꿀 것

→ _____

동사의
불규칙
변화형

● A-B-B 형

동사원형		과거형	과거분사형(p.p.)
bring	가져오다	brought	brought
build	짓다	built	built
buy	사다	bought	bought
catch	잡다	caught	caught
feel	느끼다	felt	felt
fight	싸우다	fought	fought
find	찾다	found	found
get	얻다	got	got/gotten
hang	걸다	hung	hung
have	가지다	had	had
hear	듣다	heard	heard
hold	잡다	held	held
keep	유지하다	kept	kept
lead	이끌다	led	led
leave	떠나다	left	left
lend	빌려주다	lent	lent
lose	잃어버리다	lost	lost
make	만들다	made	made
mean	의미하다	meant	meant
meet	만나다	met	met
pay	지불하다	paid	paid
say	말하다	said	said
sell	팔다	sold	sold
send	보내다	sent	sent
sit	앉다	sat	sat
sleep	자다	slept	slept
spend	소비하다	spent	spent
stand	서다	stood	stood
teach	가르치다	taught	taught
tell	말하다	told	told
think	생각하다	thought	thought
understand	이해하다	understood	understood
win	이기다	won	won

● A-B-A형

동사원형		과거형	과거분사형(p.p.)
become	~이 되다	became	become
come	오다	came	come
run	달리다	ran	run

● A-B-C형

동사원형		과거형	과거분사형(p.p.)
be (am / are / is)	~이다, 있다	was / were	been
begin	시작하다	began	begun
break	부수다	broke	broken
choose	선택하다	chose	chosen
do	하다	did	done
drink	마시다	drank	drunk
drive	운전하다	drove	driven
eat	먹다	ate	eaten
fall	떨어지다	fell	fallen
fly	날다	flew	flown
forget	잊다	forgot	forgotten
give	주다	gave	given
go	가다	went	gone
grow	자라다	grew	grown
hide	숨다	hid	hidden
know	알다	knew	known
lie	눕다	lay	lain
ride	타다	rode	ridden
see	보다	saw	seen
sing	노래하다	sang	sung
speak	말하다	spoke	spoken
steal	훔치다	stole	stolen
swim	수영하다	swam	swum
take	가져가다	took	taken
wear	입다	wore	worn
write	쓰다	wrote	written

● A-A-A 형

동사원형		과거형	과거분사형(p.p.)
cost	(값이) ~이다	cost	cost
cut	자르다	cut	cut
hit	치다	hit	hit
hurt	다치게 하다	hurt	hurt
let	(~하게) 놓아두다	let	let
put	놓다	put	put
read	읽다	read [red]	read [red]
set	놓다	set	set

● 규칙 변화 (-er, -est)

원급		비교급	최상급
busy	바쁜	busier	busiest
cheap	싼	cheaper	cheapest
close	가까운	closer	closest
easy	쉬운	easier	easiest
early	일찍	earlier	earliest
friendly	친근한	friendlier	friendliest
great	위대한	greater	greatest
happy	행복한	happier	happiest
hard	딱딱한; 열심히	harder	hardest
heavy	무거운	heavier	heaviest
hot	뜨거운	hotter	hottest
kind	친절한	kinder	kindest
large	큰	larger	largest
lonely	외로운	lonelier	loneliest
new	새로운	newer	newest
nice	멋진	nicer	nicest
noisy	시끄러운	noisier	noisiest
pretty	예쁜	prettier	prettiest
sad	슬픈	sadder	saddest
scary	무서운	scarier	scariest
slow	느린	slower	slowest
wide	넓은	wider	widest

● 규칙 변화 (more, most)

원급		비교급	최상급
afraid	두려운	more afraid	most afraid
beautiful	아름다운	more beautiful	most beautiful
boring	지루하게 하는	more boring	most boring
curious	궁금한	more curious	most curious
difficult	어려운	more difficult	most difficult
expensive	비싼	more expensive	most expensive
famous	유명한	more famous	most famous
foolish	어리석은	more foolish	most foolish
helpful	도움이 되는	more helpful	most helpful
important	중요한	more important	most important
interesting	흥미있는	more interesting	most interesting
nervous	초조한	more nervous	most nervous
popular	인기 있는	more popular	most popular
slowly	느리게	more slowly	most slowly
tired	피곤한	more tired	most tired
useful	유용한	more useful	most useful

● 불규칙 변화

원급		비교급	최상급
good	좋은	better	best
well	잘	better	best
bad	나쁜	worse	worst
ill	아픈	worse	worst
many	(수가) 많은	more	most
much	(양이) 많은	more	most
little	적은	less	least
old	손위의	elder	eldest
late	(순서가) 늦은	latter	last
late	(시간이) 늦은	later	latest
far	(거리가) 먼	farther	farthest
far	(정도가) 더욱	further	furthest

서술형에 더 강해지는 중학 영문법

Answers

LEVEL 3

동아출판

서술형에 더 강해지는 중학 영문법

Answers LEVEL 3

Unit 1 현재완료

✔ 바로 개념 확인하기 p.13

A 1 경험 2 계속 3 완료 4 결과

B 1 went 2 have known 3 watched

C 1 Has, come 2 have not(never) seen
3 Have they learned

서술형 기본 유형 익히기 pp.13~14

1 I have never been late
2 Has he arrived
3 They have visited, since 2018
4 She has not replied
5 We have already discussed
6 has used, for
7 have played, since
8 has lost
9 have finished → finished
10 Did you have → Have you
11 since → for 12 gone → been
13 The movie has just started.
14 How long have you studied Spanish?
15 She has helped many people since last year.

Unit 2 과거완료, 완료진행형

✔ 바로 개념 확인하기 p.16

A 1 경험 2 계속 3 완료 4 결과

B 1 had already ended 2 visited
3 had missed

C 1 has been teaching
2 had been waiting
3 had been playing

서술형 기본 유형 익히기 pp.16~17

1 The concert had already started
2 she had never been to
3 I have been practicing, for
4 had lived in, before they moved
5 because I had left my cell phone
6 have been watching TV
7 has been living with us
8 had already left
9 have been waiting
10 had been playing
11 has been using
12 had been snowing for two days until
13 had injured his leg, couldn't play
14 had never met, until then
15 had already had dinner, came

기출에서 뽑은 난이도별 서술형 문제 pp.18~19

01 (1) have already cooked (2) has been
(3) have not seen
02 (1) have not finished my homework yet
(2) How long have you known
03 has been playing, for
04 (1) played 또는 been playing (2) had not met
05 had already left
06 (1) has been working (2) had been
07 Have you ever met
08 (1) had already gone to bed, came home at 11
o'clock
(2) had already had breakfast, got up this
morning at 7 o'clock
09 How long have you been doing yoga
10 ⓑ → had not finished, ⓒ → since 2012

함정이 있는 문제

01 has lived in Seoul since last year
02 When did you finish
03 ate, had never eaten

01 (1) 현재완료는 have p.p.의 형태로 쓰고, already는 have
와 p.p. 사이에 쓴다.

(2) '~에 가 본 적이 있다'라는 경험을 나타낼 때는 have been to를 쓴다.

(3) 현재완료의 부정은 have 다음에 not을 쓴다.

02 (1) 현재완료의 부정은 have not p.p.의 어순으로 쓰고, yet은 문장 맨 뒤에 쓴다.

(2) 현재완료의 의문문은 「의문사＋have＋주어＋p.p. ~?」의 어순으로 쓴다.

해석 (1) A 축구를 하자.
　　 B 미안하지만, 안 돼. 나는 아직 숙제를 다 끝내지 못했어.
　　 (2) A 나는 Tom이 너의 오래된 친구라고 들었어. 얼마나 오랫동안 그를 알고 지냈니?
　　 B 우리가 아이였을 때부터야.

03 과거의 일이 현재까지 계속되고 있으므로 has been -ing 형태의 현재완료진행형을 쓴다. 기간을 나타내는 말 앞에는 전치사 for를 쓴다.

04 (1) 현재까지 계속되고 있는 일을 나타낼 때는 '계속'의 의미로 쓰인 현재완료나 현재완료진행형을 쓴다.

(2) 과거보다 이전에 일어난 일을 나타낼 때는 과거완료를 쓴다.

해석 (1) 그들은 한 시간 동안 컴퓨터 게임을 하고 있니?
　　 (2) 나는 그 전에 그를 만난 적이 없어서 그 남자아이의 이름을 몰랐다.

05 과거의 특정 시점보다 이전에 일어난 일을 나타낼 때는 과거완료를 쓴다.

해석 그가 역에 도착했을 때, 그 기차는 이미 떠났다.

06 (1) 현재까지 계속되고 있는 일을 나타낼 때는 현재완료진행형을 쓴다.

(2) 과거보다 이전의 경험을 나타낼 때는 과거완료를 쓴다.

07 현재완료의 의문문은 「Have＋주어＋p.p. ~?」의 어순으로 쓰고, ever는 p.p. 앞에 쓴다.

08 과거의 한 시점보다 이전에 완료된 일을 나타낼 때는 과거완료를 쓴다.

09 기간을 묻는 질문이고 대답이 현재완료진행형이므로 「의문사＋have＋주어＋been -ing ~?」의 어순으로 쓴다.

해석 A 너는 얼마나 오랫동안 요가를 해 오고 있니?
　　 B 나는 3년 동안 요가를 해 오고 있어.

10 ⓑ 과거의 한 시점 이전에 시작된 일이 완료되지 않았음을 나타낼 때는 과거완료를 쓴다.

ⓒ 2012년부터 계속 알고 지냈다는 의미가 되는 것이 자연스러우므로 since를 쓴다.

해석 ⓐ 나는 오늘까지 수업에 전혀 빠지지 않았다.
　　 ⓑ 내가 거기에 도착했을 때, 그 야구 경기는 끝나지 않았다.
　　 ⓒ 그들은 2012년부터 서로 알고 지낸다.

ⓓ 내가 집에 도착했을 때 아빠는 두 시간 동안 울타리를 치하고 계셨었다.

함정이 있는 문제

01 해석 Mike는 작년에 서울로 이사 왔다.
그는 여전히 서울에 산다.
→ Mike는 작년부터 서울에 살고 있다.

03 해석 작년에 베트남에 갔을 때, 나는 처음으로 쌀국수를 먹었다. 나는 그 전에 쌀국수를 먹어본 적이 없었다.

시험에 강해지는 실전 TEST　　pp. 20~22

01 ②	**02** ④	**03** ②	**04** ②	**05** ④
06 ⑤	**07** ④	**08** ②	**09** ③	**10** ④

서술형 **1** (1) had gone (2) has been

서술형 **2** (1) had never watched an opera until she met him
(2) How long had they been waiting for the bus until then?

서술형 **3** (1) has had the car for
(2) The game had started

서술형 **4** (1) has been listening(has listened) to music for an hour
(2) has already eaten her hamburger

서술형 **5** (1) have lived in London since I was six
(2) have lived in London for ten years

서술형 **6** have just cleaned, have not(haven't) finished

서술형 **7** (1) has not read the book yet
(2) has been reading the book since this morning

서술형 **8** had been watching

서술형 **9** It has been raining for two hours.

서술형 **10** lived → has lived

01 since 다음에는 시작 시점을 나타내는 말을, for 다음에는 기간을 나타내는 말을 쓴다.

해석 • 나는 12살 이후로 뮤지컬을 전혀 본 적이 없다.
• 나는 일주일 동안 외식을 하지 않았다.

02 교과서를 잃어버려서 지금 가지고 있지 않으므로 '결과'를 나타내는 현재완료를 쓴다.

03 I보기와 ②는 '완료'의 의미로 쓰였다. ① 결과 ③, ⑤ 계속 ④ 경험

해석 I보기 나는 그 방을 청소하는 것을 끝냈다.

① 내 사촌은 캐나다로 가 버렸다.

② 우리는 아직 점심을 먹지 않았다.

③ 나는 2012년 이후로 부산에 살고 있다.

④ 너는 국립 박물관에 가 본 적이 있니?

⑤ 나는 한 시간 동안 기말시험을 위해 공부해 왔다.

04 과거 한 시점보다 이전에 일어난 일을 나타내므로 과거완료인 had p.p.를 써야 한다.

해석 · 그는 그 영화를 보기 전에 그 책을 두 번 읽었다.

· Mike는 누군가 밤 동안 그의 자전거를 훔쳐 가서 충격을 받았다.

05 과거의 한 시점에 일어난 일은 단순 과거형을 쓰고, 과거의 한 시점 이전부터 계속되고 있었던 일을 나타낼 때는 과거완료진행형을 쓴다.

06 ⑤ 얼마나 오래 살았는지 기간을 묻고 있으므로 since를 사용하여 답한다. 「in+연도」는 과거를 나타내는 부사구이므로 현재완료와 함께 쓸 수 없다. in → since

해석 ① A 이 책은 재미있니?

　　 B 모르겠어. 나는 그것을 읽은 적이 없어.

② A 그리스에 가 봤니?

　 B 응, 나는 3년 전에 거기로 여행을 갔었어.

③ A 준호 옆에 있는 남자아이가 누구니?

　 B 모르겠어. 나는 전에 그를 본 적이 없어.

④ A 너희 엄마는 집에 계시니?

　 B 아니. 막 외출하셨어.

⑤ A 여기에서 얼마 동안 살고 있니?

　 B 나는 2018년부터 여기에 살고 있어.

07 창문이 깨진 일이 먼저 일어난 일이므로 과거완료로 써야 한다.

해석 내가 교실에 도착했을 때, 나는 누군가가 창문을 깨뜨린 것을 발견했다.

08 ① 경험을 나타내므로 have been to를 써야 한다.

③ since가 쓰였으므로 현재완료진행형을 써야 한다.

is → has been

④ 아직 시작하지 않았으므로 과거형이나 현재완료를 써야 한다. doesn't start → didn't start 또는 hasn't started

⑤ ago는 현재완료와 함께 쓸 수 없다.

has visited → visited

09 ③ last year처럼 명백하게 과거를 나타내는 부사구는 현재완료와 함께 쓸 수 없다. → studied

해석 · 나는 Jane이 나를 위해 만들어 준 머그컵을 깨뜨렸다.

· 그는 유럽에 여러 번 가 봤다.

· 그녀는 작년에 중국어를 열심히 공부했다.

· 나는 오늘 아침 이후로 그를 기다리고 있다.

· 나는 그녀가 방에 들어왔을 때, 두 시간 동안 자고 있었다.

10 ⓐ yesterday는 현재완료와 함께 쓸 수 없다.

has not finished → didn't finish

ⓒ 과거의 한 시점까지의 경험을 나타내므로 과거완료를 써야 한다. have → had

ⓓ 기간을 나타내는 말 앞에는 for를 쓴다. since → for

해석 ⓐ Ann은 어제 그 책을 다 읽었다.

ⓑ 너는 얼마나 오랫동안 Lucy를 알아 왔니?

ⓒ 나는 어제 그를 볼 때까지 영화배우를 만난 적이 없었다.

ⓓ 지난 3일 동안 눈이 내리고 있다.

서술형 1 (1) '시장에 가다'라는 의미가 되어야 하므로 go를 쓰고, 내가 도착한 것보다 먼저 일어난 일이므로 과거완료로 써야 한다.

(2) 부산에 가 본 적이 있다는 경험을 나타낼 때는 have been to를 쓴다.

해석 (1) 나는 6시에 집에 도착했지만, 엄마는 집에 안 계셨다. 엄마는 시장에 가셨다.

(2) 그는 부산에 세 번 가 봤어서 부산의 유명한 장소를 많이 알고 있다.

서술형 2 (1) 과거완료의 부정문은 had 다음에 not이나 never를 쓴다.

(2) 과거완료진행형의 의문문은 「의문사+had+주어+been -ing ~?」의 어순으로 쓴다.

서술형 3 (1) 과거의 일이 현재까지 지속될 때는 현재완료를 쓰고, 그 기간을 나타낼 때는 전치사 for를 쓴다.

(2) 과거의 한 시점보다 먼저 일어난 일을 나타낼 때는 과거완료를 쓴다.

서술형 4 Mike는 계속 음악을 듣고 있으므로 현재완료진행형이나 '계속'의 의미의 현재완료를 쓰고, Jenny는 이미 햄버거를 다 먹었으므로 '완료'의 의미의 현재완료를 쓴다.

서술형 5 since 다음에는 시작 시점을 쓰고, for 다음에는 기간을 쓴다.

해석 나는 10년 전에 런던으로 이사를 갔다. 나는 그때 여섯 살이었다. 나는 여전히 런던에 산다.

서술형 6 '청소를 이제 막 다했다'와 '아직 숙제를 끝내지 못했다'라는 의미가 되도록 '완료'의 의미를 나타내는 현재완료를 쓴다. 현재완료의 부정은 have 다음에 not을 쓴다.

해석 A 엄마, 저는 제 방을 막 청소했어요. 이제 컴퓨터 게임을 해도 되나요?

　　 B 아니, 안 돼. 너는 아직 네 숙제를 끝내지 않았잖니.

서술형 7 (1) 아직 완료되지 않았다는 의미가 되므로 have not p.p.의 형태로 쓰고, yet은 문장 맨 뒤에 쓴다.

(2) 오늘 아침부터 계속 그 책을 읽고 있으므로 has been -ing를 쓴다.

서술형 8 아빠가 집에 왔을 때, Jessie는 두 시간 동안 TV를 보고 있었으므로 과거완료진행형을 쓴다.

해석 Jessie는 5시에 TV를 보기 시작했다. Jessie의 아버지는 7시에 집에 오셨다. 그녀는 그때 여전히 TV를 보고 있었다.

→ Jessie의 아버지가 집에 왔을 때, 그녀는 두 시간 동안 TV를 <u>보고 있던</u> 중이었다.

서술형 9 비가 두 시간 전부터 계속해서 내리고 있다고 했으므로 현재완료진행형으로 쓴다.

해석 **A** 밖에 비가 오고 있니?

B 응, 비가 오고 있어.

A 언제 비가 내리기 시작했니?

B 두 시간 전에 내리기 시작했어.

서술형 10 지금 서울에 살고 있다고 했고, 2010년 이후로 계속 살았다는 의미가 되어야 하므로 단순과거형이 아닌 현재완료형을 써야 한다.

해석 Robert는 45세의 남자이다. 그는 아내와 두 아들과 함께 서울에 산다. 그는 2010년 이후로 서울에 살고 있다. 그는 10년 동안 영어를 가르치고 있다.

CHAPTER 02 조동사

Unit 1 조동사

✔ **바로 개념 확인하기** p. 25

A **1** 허락 **2** 추측 **3** 추측

B **1** don't have to **2** had better not
 3 used to

C **1** is able to **2** have to **3** ought not to

서술형 기본 유형 익히기 pp. 25~26

1 ought not to believe
2 had better stay at home
3 would rather not buy
4 does not have to come early
5 was able to solve the problem
6 can't be her brother
7 There used to be a playground
8 must not tell anyone

9 don't have to go to school
10 had not better → had better not
11 don't have to → must(should) not
12 is used to → used to 13 has to finish
14 is able to bake 15 used to be

Unit 2 조동사+have p.p.

✔ **바로 개념 확인하기** p. 28

A **1** 닦았어야 했는데 안 닦았다
 2 화가 났었음에 틀림없다
 3 이해했을 리가 없다

B **1** can't **2** should not **3** must

C **1** may(might) have gone
 2 should have watched
 3 must have been

서술형 기본 유형 익히기 pp. 28~29

1 should have gone to bed
2 must have made a mistake
3 might have left your cell phone
4 should not have been rude
5 can't have said that
6 must → may(might)
7 should have not lied → should not have lied
8 must not → can't
9 should have gone
10 must have rained
11 must have gone
12 may(might) have missed
13 can't have done it
14 should not have eaten anything
15 must have come into

01 (1) Can (2) may

02 (1) don't have to run (2) Do I have to finish

03 had better wear

04 must have rained

05 had to go, should have left

06 (1) Can, swim (2) may need
    (3) must be hungry

07 (1) You had better not eat too much.
    (2) We don't have to wait so long.

08 can't have been

09 (1) was used to → used to
    (2) would not rather → would rather not

10 should have seen a doctor

함정이 있는 문제

01 (1) had better not tell the truth
    (2) ought not to go there now

02 I used to get up early.

03 should have studied

---

01 요청할 때는 can을, 약한 추측을 나타낼 때는 may를 쓴다.
   해석 (1) A 저는 도움이 필요해요. 그 상자를 옮겨 주실 수 있나요?
     B 물론이죠.
    (2) A James는 그의 방에 없어. 그는 어디 있니?
     B 몰라. 그는 마당에 있을지도 몰라.

02 (1) '~할 필요가 없다'라는 의미를 나타낼 때는 don't have to를 쓴다.
    (2) have to의 의문문은 「Do+주어+have to+동사원형 ~?」으로 쓴다.

03 '~하는 것이 좋겠다'라는 의미를 나타낼 때는 had better를 쓴다.
   해석 비가 오고 있어. 너는 비옷을 입는 것이 좋겠다.

04 땅이 젖어 있으므로 지난밤에 비가 왔을 것이라는 과거의 일에 대한 강한 추측을 나타내는 must have p.p.를 쓴다.
   해석 거리가 젖었다. 지난밤에 비가 왔음에 틀림없다.

05 '~해야 했다'라는 과거의 의무를 나타낼 때는 had to를 쓰고, 과거에 했어야 했는데 하지 않은 일에 대한 유감을 나타낼 때는 should have p.p.를 쓴다.
   해석 A 왜 이렇게 늦었니?
     B 나는 책을 좀 빌리러 도서관에 갔어야 했어.

     A 너는 더 일찍 집을 떠났어야 했는데.
     B 알아. 정말 미안해.

06 (1) 능력을 나타내는 can을 쓴다.
    (2) 약한 추측을 나타내는 may를 쓴다.
    (3) 강한 추측을 나타내는 must를 쓴다.
   해석 (1) 우리는 이 강을 수영해서 건너야 해. 너는 수영을 할 수 있니?
    (2) 이 사전을 버리지 마라. 누군가 그것을 필요로 할지도 몰라.
    (3) Alice는 하루 종일 아무것도 먹지 못했다. 그녀는 지금 배가 고플 것이 틀림없다.

07 (1) had better의 부정은 had better not으로 쓴다.
    (2) '~할 필요가 없다'라는 불필요는 don't have to로 쓴다.

08 '수진이였을 리가 없다'라는 의미가 되도록 과거의 일에 대한 강한 부정적 추측을 나타내는 can't have p.p.를 쓴다.
   해석 A 나는 수진이가 오늘 아침에 공원에서 자전거를 타는 것을 봤어.
     B 수진이였을 리가 없어. 그녀는 며칠 전에 다리가 부러졌어.

09 (1) 과거의 습관을 나타낼 때는 used to를 쓴다.
    (2) would rather의 부정형은 would rather not으로 쓴다.

10 과거의 일에 대한 후회나 유감을 나타낼 때는 should have p.p.를 쓴다.
   해석 나는 어제 목이 아팠다. 엄마는 나에게 병원에 가라고 말했지만, 나는 그러지 않았다. 그것은 실수였다. 나는 병원에 갔었어야 했는데.

함정이 있는 문제

01 해석 (1) 너는 진실을 말하는 것이 낫겠다.
    (2) 너는 지금 거기에 가야 한다.

03 해석 나는 공부를 열심히 하지 않았기 때문에 시험에 실패했다. 나는 열심히 공부했어야 했는데.

---

01 ③	02 ④	03 ④	04 ③	05 ⑤
06 ②	07 ②	08 ③	09 ①	10 ③

서술형 1 (1) can't be (2) must have (3) may be

서술형 2 (1) don't have to (2) Do I have to

서술형 3 (1) would rather not go
        (2) can't have done
        (3) ought not to take

서술형 4 He must have practiced a lot.

서술형 5 (1) can't (2) must(should) not
서술형 6 I should have listened to my parents.
서술형 7 may(might) have gone
서술형 8 (1) There used to be (2) used to climb
서술형 9 (1) should have taken (2) have to go
서술형 10 You had better take your umbrella.

01 must는 '~해야 한다'라는 의무를 나타내기도 하고, '~임에 틀림없다'라는 강한 추측을 나타내기도 한다.
> 해석 · 너는 극장에서 휴대 전화를 꺼야 한다.
> · 그녀는 미소 짓고 있다. 그녀는 기분이 좋은 것이 틀림없다.

02 '~하는 것이 좋겠다'라고 충고를 할 때는 had better를 쓴다.
> 해석 A 내 발목이 진짜 아파.
> B 너는 지금 당장 얼음을 좀 올려놓는 것이 좋겠다.

03 지금 열쇠를 가지고 있지 않으므로 오는 길에 잃어버렸을지도 모른다는 추측의 의미를 나타내는 might have p.p.를 써야 한다.
> 해석 나는 열쇠를 가지고 있지 않다. 나는 집에 오는 길에 그것을 잃어버렸을지도 모른다.

04 ③ don't have to는 '~할 필요가 없다'라는 불필요를 나타낸다. → 우리는 내일 학교에 갈 필요가 없다.

05 ⑤ used to가 과거의 상태를 나타낼 때는 would로 바꿔 쓸 수 없다.
> 해석 ① Edie는 5개 국어를 할 수 있다.
> ② 너는 규칙적으로 운동을 해야 한다.
> ③ 너는 오늘 밤에 우리 집에 머물러도 좋다.
> ④ 우리는 유리를 다룰 때 조심해야 한다.
> ⑤ 학교 앞에 큰 나무가 있었다.

06 (A) 능력을 나타내는 can이 알맞다.
(B) 의무를 나타내는 must가 알맞다.
(C) 약한 추측을 나타내는 may가 알맞다.
> 해석 · 타조는 날개가 있지만, 날지 못한다.
> · 너는 펜으로 양식을 작성해야 한다.
> · 확신할 수는 없지만, David는 지금 축구를 하고 있을지도 모른다.

07 ② have to의 부정은 don't have to로 쓴다.
> 해석 ① 너는 안전벨트를 매야 한다.
> ③ 그는 우리를 위해 저녁 식사를 요리해야 했다.
> ④ 그녀는 하루 종일 그녀의 여동생을 돌봐야 한다.
> ⑤ 제가 지금 교실로 가야 하나요?

08 그들은 어젯밤에 집에 있었던 것이 확실하다고 강한 추측을 나타내고 있으므로 must have p.p.를 쓴 ③과 의미가 같다.
> 해석 어젯밤에 그들이 집에 있었던 것은 확실하다.
> ① 그들은 어젯밤에 집에 있어야 했다.
> ② 그들은 어젯밤에 집에 있었을 리가 없다.
> ③ 그들은 어젯밤에 집에 있었음에 틀림없다.
> ④ 그들은 어젯밤에 집에 있었어야 했는데.
> ⑤ 그들은 어젯밤에 집에 있을 필요가 없었다.

09 ① 시험을 잘 못 봤다고 했으므로 어젯밤에 공부를 했어야 했는데 하지 않은 것에 대한 유감을 나타내는 should have p.p.를 써야 한다.
> 해석 ① A 나는 오늘 시험을 잘 보지 못했어.
> B 너는 어젯밤에 공부했음에 틀림없어.
> ② A 나는 내 지갑을 찾을 수 없어.
> B 너는 그것을 택시에 두고 내렸을지도 모르겠어.
> ③ A 무슨 문제 있니?
> B 허리가 아파. 나는 혼자 그 상자들을 옮기지 말았어야 했는데.
> ④ A 나는 어제 John이 창문을 깼다고 생각해.
> B 그가 그것을 깼을 리 없어. 그는 이틀 전에 캠핑을 갔어.
> ⑤ A Alice는 어제 나에게 다시 전화를 걸지 않았어.
> B 그녀는 그녀의 메시지를 확인하는 것을 잊어버렸음에 틀림없어.

10 ⓐ 피곤할 것이 틀림없다는 추측의 must를 쓴다.
ⓑ 문을 닫아 달라고 요청하는 can을 쓴다.
ⓒ 그 경기를 보지 못한 것에 대한 유감을 나타내는 should have p.p.를 쓴다.
ⓓ 과거의 일에 대한 강한 추측을 나타내는 must have p.p.를 쓴다.
> 해석 ⓐ 그 노동자들은 하루 종일 일했다. 그들은 피곤할 것이 틀림없다.
> ⓑ 여기 안은 추워요. 문을 닫아 줄래요?
> ⓒ 너는 그 경기를 봤어야 했는데! 그것은 정말 환상적이었어!
> ⓓ Jane은 말하기 대회에서 1등을 했다. 그녀는 열심히 연습했음이 틀림없다.

서술형 1 (1) 아침에 조깅하는 것을 봤다고 했으므로 강한 부정적 추측을 나타내는 can't를 쓴다.
(2) 전화번호가 잘못된 것이 틀림없다는 강한 추측을 나타낼 때는 must를 쓴다.
(3) 결석한 이유를 모른다고 했으므로 약한 추측을 나타내는 may가 알맞다.
> 해석 (1) A 나는 Jim이 독감이 걸렸다고 들었어.
> B Jim이 아플 리가 없어. 나는 그가 오늘 아침에 공원에서 조깅하는 것을 봤어.
> (2) A Jason과 통화할 수 있을까요?
> B 죄송하지만, 전화번호가 잘못된 것이 틀림없어요. 그런 이름의 사람은 여기 없어요.
> (3) A John은 수업에 오지 않았어. 왜 그런지 아니?
> B 모르겠어. 그는 아플지도 몰라.

서술형 2 have to는 '~해야 한다'라는 의미이고, 부정형인 don't have to는 '~할 필요가 없다'라는 의미로 쓰인다. 의문문은 「Do+주어+have to+동사원형 ~?」의 형태로 쓴다.

해석 (1) **A** 나는 오늘 밤에 공부를 해야 해. 수학 시험이 내일이야.

B 아니, 너는 오늘 밤에 공부할 필요가 없어. 그 시험은 다음 주 금요일로 연기되었어.

(2) **A** 지금 제가 모임에 가야 할까요?

B 네, 당신은 모임에 참석하기 위해 13호실로 가야 합니다.

서술형 3 '차라리 ~하지 않겠다'는 would rather not으로, '~했을 리가 없다'는 can't have p.p.로, '~하지 않아야 한다'는 ought not to로 나타낸다.

서술형 4 과거의 일에 대한 강한 확신을 나타낼 때는 must have p.p.를 쓴다.

해석 **A** James는 기타를 매우 잘 친다.

B 나는 그가 많이 연습했을 거라고 매우 확신해.

서술형 5 (1) 강한 부정적 추측을 나타낼 때는 can't를 쓴다.

(2) don't have to는 '~할 필요가 없다'라는 의미로 불필요를 나타낸다. 내용상 금지를 나타내고 있으므로 must not이나 should not을 써야 한다.

해석 (1) 내 남동생은 방금 혼자서 피자 한 판을 먹었다. 그가 배가 고플 리 없다.

(2) 너는 빨간불일 때 길을 건너면 안 된다.

서술형 6 과거에 부모님의 말씀을 듣지 않았던 것을 후회하고 있으므로 should have p.p.를 쓴다.

해석 나는 부모님의 말씀을 듣지 않았던 것을 후회한다.

서술형 7 도서관에 있었을지도 모른다는 약한 추측을 나타내야 하므로 may(might) have p.p.를 써야 한다.

해석 **A** 어젯밤에 그는 어디에 있었니? 그는 전화를 받지 않았어.

B 확신할 수는 없어. 그는 공부하기 위해 도서관에 갔을지도 몰라.

서술형 8 과거의 상태나 습관적인 행동을 나타낼 때는 「used to+동사원형」을 쓴다.

해석 (1) 10년 전에 집 앞에 큰 나무가 있었다.

(2) 그녀는 어렸을 때 그 나무에 올라가곤 했다.

서술형 9 (1) 과거의 일에 대한 유감을 나타낼 때는 should have p.p.를 쓴다.

(2) '~해야 한다'라는 의무를 나타내는데 have를 써야 하므로 have to를 쓴다.

해석 **A** 실례합니다. 이것이 사당역으로 가는 열차인가요?

B 오, 당신은 2호선을 탔어야 했는데. 당신은 세 정거장을 더 가야 합니다. 그러면 2호선으로 갈아탈 수 있어요.

A 정말 감사합니다.

서술형 10 눈이 많이 오고 있으므로 우산을 가지고 가는 것이

좋겠다는 충고의 말을 해 주어야 한다. had better 다음에는 동사원형을 쓴다.

해석 눈이 많이 내리고 있다. 네 남동생은 우산 없이 외출하려고 하고 있다. 당신은 그에게 뭐라고 말하겠는가?

CHAPTER **03** to부정사 I

Unit **1** to부정사의 용법

✔ **바로 개념 확인하기** p.37

A 1 명사적 용법   2 부사적 용법

    3 명사적 용법   4 형용사적 용법

B 1 잠을 잘   2 그 소식을 들어서

    3 시간을 잘 관리하는 것은

C 1 what to say

    2 something cold to drink

    3 to write with

서술형 기본 유형 익히기 pp.37~38

1 It is necessary to keep

2 a bag to put these books in

3 something interesting to read

4 spoons to eat with

5 were surprised to see us

6 is important to have a dream

7 how to get

8 what I should do

9 important something → something important

10 live → live in

11 are → is

12 can't decide where to go

13 It is impossible to concentrate

14 toys to play with

15 grew up to be a famous actor

Unit 2 to부정사 구문

✔ 바로 개념 확인하기 　　　　　　　　　　 p.40

A　1 for　　　2 of　　　3 of　　　4 for

B　1 too　　　　　　　2 old enough
　　3 to have　　　　　　4 to drink

C　1 strong enough to lift
　　2 too small for me to wear
　　3 She seems to get along well

서술형 기본 유형 익히기 　　　　　　　　 pp.40~41

1 It was careless of me to leave
2 It is impossible for us to finish
3 It seems that she knows
4 popular enough to win
5 too dark for me to see
6 smart enough to win
7 too spicy for him to eat
8 seems to taste good
9 were so tired that we couldn't walk
10 is so tall that she can reach
11 seemed that they were happy
12 for → of
13 enough rich → rich enough
14 too → so　　　　　　　15 of → for

기출에서 뽑은 난이도별 서술형 문제 　　 pp.42~43

01 (1) have nothing to eat
　　(2) a box to put these books in
02 (1) what to do (2) how to play the guitar
03 (1) for → of (2) enough clean → clean enough
04 (1) too tired to go to the park
　　(2) too hot for her to touch
05 glad to get a letter
06 (1) when to leave for London
　　(2) no friend to talk to
07 too difficult for me to solve, smart enough to
　　solve it

08 (1) that you know a lot (2) that he was sick
09 (1) kind of you to help me
　　(2) lucky to have a friend
10 ⓒ in order to → to, ⓓ of → for

함정이 있는 문제

01 are → is
02 not old enough to drive a car
03 so full, couldn't eat

01 명사를 수식하는 형용사적 용법의 to부정사는 명사 뒤에
　　쓴다.
02 「의문사+주어+should+동사원형」은 「의문사+to부정사」
　　로 바꿔 쓸 수 있다.
03 (1) 사람의 성격을 나타내는 형용사 다음에 의미상의 주어를
　　쓸 때는 「of+목적격」으로 쓴다.
　　(2) enough to 구문은 「형용사+enough+to부정사」의 어순
　　으로 쓴다.
　　해석 (1) 그가 일찍 식탁을 떠난 것은 매우 무례했다.
　　(2) 그 물은 마실 수 있을 만큼 충분히 깨끗하다.
04 「so+형용사+that+주어+can't+동사원형」은 「too+형
　　용사+to+동사원형」으로 바꿔 쓸 수 있다. that절의 주어
　　가 주절의 주어와 다를 때는 「for+목적격」의 형태로 to부정
　　사 앞에 쓴다.
　　해석 (1) 나는 너무 피곤해서 공원에 갈 수 없다.
　　(2) 그 접시는 너무 뜨거워서 그녀가 만질 수 없었다.
05 감정의 원인을 나타내는 부사적 용법의 to부정사를 쓴다.
06 (1) '언제 떠날지'라는 의미가 되어야 하므로 「when+to부
　　정사」로 나타낸다.
　　(2) '이야기할 친구'라는 의미가 되어야 하므로 to talk to가
　　friend를 뒤에서 수식하도록 쓴다.
　　해석 (1) A 너는 언제 런던으로 떠날지 결정했니?
　　　B 응, 나는 다음 주 월요일에 떠날 거야.
　　(2) A 무슨 일이니? 슬퍼 보인다.
　　　B 나는 <u>이야기할 친구</u>가 없어.
07 '너무 ~해서 …할 수 없다'는 too ~ to를 쓰고, 의미상
　　의 주어는 for me로 나타낸다. '~할 만큼 충분히 …한'은
　　enough to를 쓰는데, 목적어 it을 빠뜨리지 않도록 주의
　　한다.
　　해석 A 아빠, 이 수학 문제 좀 도와주실 수 있나요? 이것은
　　　<u>너무 어려워서 제가 풀 수 없어요.</u>
　　B 물론이지, 어디 보자. 그것은 그렇게 어렵지 않구나. 너는
　　　<u>그것을 풀 만큼 충분히 똑똑해.</u> 한번 더 시도해 보는 건
　　어떠니?

08 seem to는 It seems that ~으로 바꿔 쓸 수 있다. 주절의 시제가 과거이면 that절도 과거시제로 쓴다.
[해석] (1) 너는 음악에 대해 많이 아는 것처럼 보인다.
(2) 그는 아픈 것처럼 보였다.

09 (1) 사람의 성격을 나타내는 형용사 다음에 의미상의 주어를 쓸 때는 「of+목적격」의 형태로 쓴다.
(2) 판단의 근거를 나타내는 부사적 용법의 to부정사를 쓴다.
[해석] 안녕, Susan. 나는 네 친절에 감사하고 싶어. 내가 공원에서 내 개를 잃어버렸을 때, 너는 나와 함께 내 개를 찾아주었어. 네가 나를 도와준 것은 매우 친절했어. 너 같은 친구가 있어서 나는 매우 운이 좋아.
사랑을 담아,
Kate가

10 ⓒ '감정의 원인'을 나타내는 부사적 용법의 to부정사이므로 '목적'을 나타내는 in order to를 쓸 수 없다.
ⓓ easy는 사람의 성격을 나타내는 형용사가 아니므로 to부정사의 의미상의 주어는 「for+목적격」으로 쓴다.

함정이 있는 문제

01 [해석] 일요일마다 일찍 일어나는 것은 나에게 쉽지 않다.
03 [해석] Tom은 너무 배가 불러서 더 이상 먹을 수 없었다.

시험에 강해지는 실전 TEST pp. 44~46

01 ②　　02 ①　　03 ⑤　　04 ①　　05 ④
06 ②　　07 ⑤　　08 ②　　09 ②, ③　　10 ③

서술형 1 (1) a spoon to eat with
　　　　(2) something warm to wear
서술형 2 (1) It is difficult to learn English.
　　　　(2) It is dangerous for you to ride a horse.
서술형 3 (1) to send an email (2) to be ninety
　　　　(3) to go to bed early
서술형 4 (1) dark for me to read
　　　　(2) easy enough for him to read
서술형 5 (1) was exciting for us to watch
　　　　(2) foolish of him not to call her
서술형 6 (1) too tired to go jogging
　　　　(2) seems to live here
서술형 7 ⓑ to live → to live in, ⓒ doing → do
서술형 8 (1) too short to ride the roller coaster
　　　　(2) so short that he can't ride the roller coaster
서술형 9 ⓓ → of you to help me
서술형 10 He seems to know a lot about classical music.

01 to부정사의 의미상의 주어는 「for+목적격」으로 나타낸다.
[해석] • 내가 상을 타는 것은 중요하다.
• 이 과학 잡지는 그가 읽기에 어렵다.

02 |보기와 ①은 앞에 있는 명사를 수식하는 형용사적 용법으로 쓰였다. ② 감정의 원인을 나타내는 부사적 용법 ③ 형용사를 수식하는 부사적 용법 ④ 주어로 쓰인 명사적 용법 ⑤ 목적을 나타내는 부사적 용법
[해석] |보기 나는 이 오렌지들을 담을 바구니가 필요하다.
① 나는 너에게 말할 것이 없다.
② 나는 너를 다시 봐서 기쁘다.
③ 이 커피 머신은 사용하기가 쉽다.
④ 내일까지 그것을 하는 것은 불가능하다.
⑤ 그는 과일을 좀 사기 위해 시장에 갔다.

03 It seems that ~은 that절의 주어를 문장의 주어로 하여 「seem+to부정사」 구문으로 바꿔 쓸 수 있다.
[해석] David가 그 뉴스 때문에 놀란 것처럼 보인다.

04 It was wise of you to say so.이므로 ⓐ에 들어갈 말은 of 이다.

05 ④ so ~ that ... can은 enough to 구문으로 바꿔 쓸 수 있다. → This book is interesting enough for them to finish in a day.
[해석] ① 캠핑을 가는 것은 매우 신난다.
② 내 친구는 건강을 유지하기 위해 매일 수영을 한다.
③ 그녀는 그에 대해 많이 아는 것처럼 보인다.
④ 이 책은 너무 재미있어서 그들은 하루만에 그것을 다 읽을 수 있다.
≠ 이 책은 너무 재미있어서 그들은 하루만에 다 읽을 수 없다.
⑤ 너는 나에게 이 기계를 어떻게 사용하는지 말해 줄 수 있니?

06 too ~ to는 '너무 ~해서 …할 수 없다'라는 의미이고, enough to는 '~하기에 충분히 …하다'라는 의미이다.
[해석] A 나와 함께 상자들을 옮겨줄 수 있니? 그것들은 너무 무거워서 내가 옮길 수 없어.
B 물론이지. 나는 그것들을 혼자 옮길 만큼 충분히 힘이 세.
A 정말 고마워.

07 too ~ to는 so ~ that ... can't로 바꿔 쓸 수 있고, 의미상의 주어는 that절의 주어가 된다. buy의 목적어인 it을 써야 하는 것에 유의한다.
[해석] 이 펜은 너무 비싸서 그가 살 수 없다.

08 ⓑ nice는 사람의 성격을 나타내는 형용사이므로 의미상의 주어 앞에 of를 쓴다.
ⓒ me는 to부정사의 의미상의 주어이므로 앞에 for를 써야 한다.

해석 ⓐ 내가 그 일을 끝내는 것은 불가능하다.

ⓑ 네가 나를 도와준 것은 매우 친절했다.

ⓒ 이 우유는 너무 뜨거워서 내가 마실 수 없다.

ⓓ 그는 시험에 실패해서 실망했다.

ⓔ 나는 제시간에 거기에 가기 위해 지하철을 탔다.

09 ② something을 수식하는 형용사적 용법의 to부정사이므로 to drink는 something 다음에 와야 한다. ③ 전치사 in의 목적어가 문장의 주어이므로 목적어를 쓸 필요가 없다.

해석 ⓐ 그 방은 모든 사람이 자기에 충분히 크다.

ⓑ 마실 차가운 무언가를 드릴까요?

10 ③ a pen을 수식하므로 to write with로 써야 한다.

해석 너는 작가가 되고 싶어? 그러면, 너는 항상 쓸 수 있는 펜을 가지고 다닐 필요가 있다. 무언가가 마음속에 떠오를 때, 그것을 즉시 적는 것은 매우 중요하다. 좋은 작가가 되기 위해서 그것을 명심해라.

서술형 1 (1) 숟가락을 가지고 먹는 것이므로 to부정사구에 전치사 with를 써야 한다.

(2) -thing으로 끝나는 단어를 수식하는 형용사가 있는 경우에는 「-thing+형용사+to부정사」의 어순으로 쓴다.

서술형 2 It으로 시작하라고 했으므로 가주어 It을 사용하고 진주어 to부정사구는 문장 끝에 쓴다. 의미상의 주어가 있는 경우에는 to부정사 앞에 쓴다.

서술형 3 to부정사는 부사처럼 쓰여 목적, 결과, 판단의 근거를 나타낼 수 있다.

해석 (1) Tom은 이메일을 보내기 위해 컴퓨터를 켰다.

(2) 우리 할아버지는 90세까지 사셨다.

(3) 그는 일찍 잠자리에 드는 것을 보니 피곤함에 틀림없다.

서술형 4 so ~ that ... can't는 too ~ to 구문으로 바꿔 쓸 수 있고, so ~ that ... can은 enough to 구문으로 바꿔 쓸 수 있다.

해석 (1) 너무 어두워서 나는 그 편지를 읽을 수 없다.

(2) 이 기사는 너무 쉬워서 그가 읽을 수 있다.

서술형 5 (1) 의미상의 주어는 「for+목적격」의 형태로 to부정사 바로 앞에 쓴다.

(2) 성격을 나타내는 형용사 다음에는 의미상의 주어로 「of+목적격」을 쓴다. to부정사의 부정은 to 앞에 not을 쓴다.

서술형 6 (1) '너무 피곤해서 조깅을 하러 갈 수 없다'는 의미가 되어야 하므로 too ~ to를 쓴다.

(2) '이 집에 아무도 살지 않는 것 같다'는 의미가 되어야 하므로 seem to를 쓴다. 주어에 부정의 의미가 포함되어 있는 것에 유의한다.

해석 (1) A 나랑 조깅하러 갈 수 있니?

B 아니, 안 돼. 나는 너무 피곤해서 조깅하러 갈 수 없어.

(2) A 이 집은 매우 오래됐어. 안에 아무도 없어.

B 응, 아무도 여기에 살지 않는 것 같아.

서술형 7 ⓑ live in a place이므로 전치사 in이 필요하다.

ⓒ '무엇을 ~할지'라는 의미를 나타낼 때는 「what+to부정사」를 쓴다.

서술형 8 '너무 ~해서 …할 수 없다'라는 의미를 나타낼 때는 too ~ to 구문이나 so ~ that ... can't를 쓴다.

서술형 9 ⓓ nice는 사람의 성격을 나타내는 형용사이므로 의미상의 주어를 나타낼 때 전치사 of를 써야 한다.

해석 A 실례합니다. 시청에 가는 방법을 말해 주실 수 있나요?

B 물론이죠. 지하철을 타는 것이 거기에 가는 가장 쉬운 방법입니다.

A 오, 감사합니다. 그러면, 가장 가까운 지하철역이 어디인가요?

B 그것은 모퉁이 근처에 있습니다. 지하철역은 찾기에 쉽습니다.

A 당신이 저를 도와주시는 것을 보니 매우 친절하군요. 감사합니다.

서술형 10 '~인 것처럼 보인다'라는 의미를 나타낼 때는 seem to를 쓴다.

해석 찬호는 클래식 음악 듣는 것을 좋아한다. 내가 그에게 클래식 음악에 대해 물을 때, 그는 항상 내 질문에 대답한다. 그는 클래식 음악에 대해 많이 알고 있는 것처럼 보인다.

CHAPTER 04 to부정사 Ⅱ

Unit 1 다양한 형태의 목적격보어

✔ 바로 개념 확인하기   p.49

A 1 to be quiet   2 wash my hands

3 whisper something to Tom

4 to study English

B 1 crossing   2 to exercise   3 sleep

4 fixed   5 to carry

C 1 to go   2 touch〔touching〕   3 moved

1 asked him to send the pictures
2 doesn't allow me to ride my bike
3 got her to join
4 We saw him standing
5 listening to the music played
6 be → to be
7 fix → fixed
8 to knock → knock(knocking)
9 finding → find(to find)
10 Chocolate makes me feel good
11 felt the floor shake(shaking)
12 wanted us not to go
13 had his bike repaired
14 gets me to wash the dishes
15 let us enter his room

Unit 2 to부정사와 동명사

✔ 바로 개념 확인하기   p.52

A 1 playing   2 to join   3 writing
B 1 watching   2 smoking   3 to take
C 1 떠나지 않을 수 없다
   2 가방을 사는 데 너무 많은 돈을 쓴다
   3 나를 보자마자

1 He plans to clean his room
2 She is used to jogging
3 They spent two weeks preparing for
4 I can't help thinking
5 She tried baking cookies
6 to answer → answering
7 locking → to lock
8 meet → meeting
9 We tried to contact him
10 gave up reading
11 She stopped to say hi
12 decided not to go camping

13 hearing those words
14 to close the window
15 forget to turn off

01 (1) to use (2) cry (3) take
02 (1) promised to get up early
   (2) finished writing
03 (1) a boy riding a bike
   (2) a man playing the violin
04 I spent the whole day studying English
05 ⓑ → She helped us paint(to paint) the walls.
06 (1) remember buying (2) forgot to turn off
07 tried not to make the same mistakes
08 (1) him not to play with matches
   (2) her play computer games
09 looking forward to visiting
10 to call → call(calling), 지각, 동사원형, 현재분사

함정이 있는 문제

01 (1) to learn (2) learn
02 to swim → swimming
03 is looking forward to going to their concert

01 allow는 목적격보어로 to부정사를 쓰고, 사역동사 make와 have는 목적격보어로 동사원형을 쓴다.
   해석 (1) 나는 내 여동생이 내 컴퓨터를 사용하는 것을 허락하지 않는다.
   (2) 양파 껍질을 벗기는 것은 나를 울게 만든다.
   (3) 그녀는 그녀의 아들이 개와 함께 산책을 하게 했다.

02 promise는 목적어로 to부정사를 쓰고, finish는 동명사를 쓴다.

03 지각동사 다음에는 목적어를 쓰고 목적격보어로는 동사원형과 현재분사를 모두 쓸 수 있지만, |예시|에서 현재분사를 쓴 것에 주의한다.

04 '~하는 데 시간을 쓰다'라는 의미가 되도록 「spend+시간 +-ing」의 어순으로 배열한다.
   해석 A 너는 피곤해 보여.
   B 영어 시험이 내일이야. 나는 하루 종일 도서관에서 영어를 공부하면서 보냈어.

05 ⓑ help는 목적격보어로 동사원형이나 to부정사를 쓴다.

해석 ⓐ 내 남동생은 프린터기를 바로 고쳐지게 했다.

ⓑ 그녀는 우리가 벽을 칠하는 것을 도왔다.

ⓒ 우리는 그가 대회에서 이길 거라고 예상했다.

06 (1) 공책을 산 것을 기억하는 것이므로 목적어로 동명사를 쓴다.

(2) 전등을 꺼야 하는 것을 잊은 것이므로 목적어로 to부정사를 쓴다.

07 '~하려고 노력하다'라는 의미가 되어야 하므로 try 다음에 to부정사를 써야 한다. to부정사의 부정은 to 앞에 not을 쓴다.

08 advise는 목적격보어로 to부정사를 쓰고, let은 동사원형을 쓴다.

해석 |예시| 그는 그들에게 줄을 서라고 요청했다.

(1) 그녀는 그에게 성냥을 가지고 놀지 말라고 충고했다.

(2) 그녀의 아빠는 그녀가 컴퓨터 게임하는 것을 허락했다.

09 '~하기를 고대하다'라는 의미가 되어야 하므로 look forward to -ing를 사용한다.

해석 우리는 다음 주 목요일에 현장 학습을 갈 것이다. 우리는 경주에서 많은 유명한 장소들을 방문할 계획이다. 나는 거기를 방문하는 것을 고대하고 있다.

10 hear는 지각동사이므로 목적격보어로 동사원형이나 현재분사를 써야 한다.

함정이 있는 문제

01 **해석** (1) 그는 나에게 영어를 배우라고 충고했다.

(2) 그는 내가 영어를 배우게 시켰다.

02 **해석** Grace는 주말마다 수영을 연습하기로 결심했다.

시험에 강해지는 **실전 TEST**　　　pp.56~58

| 01 ⑤ | 02 ② | 03 ④ | 04 ③ | 05 ①, ④ |
| 06 ② | 07 ④ | 08 ② | 09 ④ | 10 ② |

서술형 **1** (1) remember lending　(2) stopped to buy

서술형 **2** (1) not to run in the classroom

(2) Mike to open the window

서술형 **3** (1) trying to get a job

(2) heard her play(playing) the guitar

(3) is used to using chopsticks

서술형 **4** (1) to return the book to the library

(2) meeting him in New York

서술형 **5** ⓐ → My little brother always makes me smile.

ⓒ → Mom had me eat salad for dinner.

서술형 **6** I saw Tom playing badminton in the park.

서술형 **7** I'm going to have my car washed.

서술형 **8** made him clean his room

서술형 **9** wanted to be, give up playing

서술형 **10** (1) can't help smiling

(2) looking forward to meeting her

01 지각동사는 목적어와 목적격보어가 능동의 관계일 때 목적격보어로 동사원형이나 현재분사를 쓴다.

해석 • 나는 내 친구가 운동장에서 뛰고 있는 것을 봤다.

• 나는 누군가가 문을 두드리는 것을 들었다.

02 사역동사 make는 「make+목적어+동사원형」의 어순으로 쓰므로 목적어 him은 made와 stay 사이에 들어가야 한다.

해석 Johnson 선생님은 그가 방과 후에 교실에 머물게 했다.

03 |보기|는 동사의 목적어로 쓰인 동명사이다. ④는 목적격보어로 쓰인 현재분사이고, 나머지는 모두 목적어로 쓰인 동명사이다.

해석 |보기| 나는 낚시하러 가기를 좋아한다.

① 그녀는 나에게 말하기 시작했다.

② 나는 음악을 듣는 것을 멈췄다.

③ 나는 팝송을 듣는 것을 더 좋아한다.

④ 나는 누군가가 노래를 부르는 것을 들었다.

⑤ 창문을 열어도 될까요?

04 ③ have가 사역동사로 쓰였으므로 목적격보어 자리에 동사원형을 써야 한다. → clean

해석 ① 나는 내 이름이 불리는 것을 들었다.

② 나는 내 전화를 수리되게 했다.

③ 아빠는 내가 내 방을 청소하게 했다.

④ Tim은 내가 이메일 보내는 것을 도와줬다.

⑤ 나는 그가 식료품점에 들어가고 있는 것을 봤다.

05 지각동사는 목적어와 목적격보어가 능동의 관계일 때 목적격보어로 동사원형이나 현재분사를 쓸 수 있다.

해석 나는 비가 지붕 위로 떨어지는 것을 들었다.

06 **해석** ① Tom은 그의 새 집에 페인트칠이 되게 했다.

③ 이 영화는 다시 볼 가치가 있다.

④ 그녀는 로봇에게 설거지를 하도록 시켰다.

⑤ 나는 버튼을 누르려고 노력했지만, 할 수 없었다.

07 ④ remember는 목적어로 to부정사를 쓰면 '~할 것을 기억하다'라는 의미를 나타내고, 동명사를 쓰면 '~한 것을 기억하다'라는 의미를 나타낸다.

해석 ① 나는 해변에 누워 있는 것을 좋아한다.

② 그들은 그들의 선생님에게 편지를 쓰기 시작했다.

③ 우리 엄마는 내가 주말에 TV 보는 것을 허락하신다.

④ 나는 점심 식사 후에 그녀에게 전화했던 것을 기억했다.

≠ 나는 점심 식사 후에 그녀에게 전화할 것을 기억했다.

⑤ 그는 내가 그 상자들을 옮기는 것을 도와줬다.

08 목적어가 있고, 목적격보어로 to부정사가 있으므로 want, tell, expect 등이 들어갈 수 있다.

09 ⓐ '~하지 않을 수 없다'라는 의미를 나타낼 때는 can't help -ing를 쓴다. to worry → worrying

ⓑ expect는 목적격보어로 to부정사를 쓴다. be → to be

ⓒ '~하기를 고대하다'라는 의미를 나타낼 때는 look forward to -ing를 쓴다. work → working

ⓔ '~하는 데 익숙하다'라는 의미를 나타낼 때는 be used to -ing를 쓴다. wear → wearing

10 (A) 사역동사 made의 목적격보어이므로 동사원형이 알맞다.

(B) 조사를 해야 하는 것을 잊어버리는 것이므로 to부정사가 알맞다.

(C) '~하려고 노력하다'라는 의미가 되어야 하므로 to부정사가 알맞다.

해석 **A** 무슨 문제가 있니? 화가 나 보여.

B Jason과 나는 과학 프로젝트에서 같은 팀이야. Johnson 선생님이 나를 Jason의 팀에 함께하게 시켰어.

A 그게 무슨 문제인데?

B Jason은 항상 조사를 해야 하는 것을 잊어버려.

A 너는 그것에 대해 그에게 이야기해야겠다. 그는 그의 일을 하려고 노력해야겠다.

서술형 1 (1) 이미 한 일을 기억하지 못할 때는 목적어로 동명사를 쓴다.

(2) 멈춘 목적을 나타낼 때는 부사적 용법의 to부정사를 쓴다.

서술형 2 tell과 ask는 목적격보어로 to부정사를 쓴다. 목적어와 목적격보어의 어순에 유의한다.

서술형 3 (1) '~하려고 노력하다'라는 의미를 나타낼 때는 try 다음에 to부정사를 쓴다.

(2) 지각동사 hear은 목적격보어로 동사원형이나 현재분사를 쓴다.

(3) '~하는 데 익숙하다'라는 의미를 나타낼 때는 be used to -ing를 쓴다.

서술형 4 해야 할 일을 잊은 경우에는 목적어를 to부정사 형태로 쓰고, 이미 한 일을 기억하는 경우에는 동명사 형태로 쓴다.

해석 (1) 나는 도서관에 그 책을 반납해야 한다. 나는 그것을 잊어버렸다.

(2) 나는 그를 뉴욕에서 만났다. 나는 그것을 기억한다.

서술형 5 make와 have가 사역동사로 쓰인 경우에는 목적격보어로 동사원형을 쓴다.

해석 ⓐ 내 남동생은 항상 나를 미소 짓게 만든다.

ⓑ 나는 누군가 고함치는 것을 들었다.

ⓒ 엄마는 내가 저녁으로 샐러드를 먹게 했다.

ⓓ 그는 내가 그의 스마트폰을 사용하는 것을 허락할 것이다.

서술형 6 「지각동사+목적어+현재분사」의 어순으로 쓴다.

해석 • 나는 공원에서 Tom을 봤다.

• Tom은 거기에서 배드민턴을 치고 있었다.

서술형 7 예정을 나타내는 be going to 다음에 「사역동사 have+목적어+목적격보어」의 어순으로 쓴다. 목적어와 목적격보어가 수동의 관계이므로 과거분사형이 쓰였다.

서술형 8 「사역동사 make+목적어+동사원형」의 어순으로 쓴다.

서술형 9 want는 목적어로 to부정사를 쓰고, give up은 목적어로 동명사를 쓴다.

서술형 10 (1) '~하지 않을 수 없다'라는 의미의 can't help -ing를 쓴다.

(2) '~하기를 고대하다'라는 의미의 look forward to -ing를 쓴다.

해석 **A** 너 행복해 보인다. 좋은 소식이 있니?

B 응. 나는 웃지 않을 수 없어. Jane을 기억하니?

A 응. 그녀는 너의 가장 친한 친구였고, 2년 전에 프랑스로 이사갔잖아.

B 그녀가 다음 주에 한국을 방문할 예정이야. 나는 그녀를 다시 만나기를 고대하고 있어.

제 1 회 누적 TEST
pp. 59~60

01 ② **02** ④ **03** ②, ⑤ **04** ④ **05** ④

06 ⑤ **07** ① **08** ②

09 (1) rich enough to buy a car

(2) too steep for him to climb

10 (1) got to school, had already begun

(2) haven't eaten anything since

11 (1) don't have to get up (2) had better wear

(3) used to play

12 (1) remembers meeting

(2) didn't forget to have dinner

13 I should have studied hard yesterday.

14 (1) for → of (2) to talk → talk〔talking〕

15 how to play the guitar, looking forward to learning

01 '~해야 한다'라는 의무와 '~임에 틀림없다'라는 강한 추측을 나타낼 때는 must를 쓴다.

해석 • 너는 열이 난다. 너는 감기에 걸린 것이 틀림없다.

• 너는 외국에 갈 때 여권을 가져가야 한다.

02 기간을 나타내는 말 앞에는 전치사 for를 쓰고, 과거의 한 시점을 나타내는 말 앞에는 since를 쓴다.

해석 • 그는 세 시간 동안 컴퓨터 게임을 하고 있다.
• 나는 10살 이후로 제주도에 살고 있다.

03 ⓐ, ⓒ는 명사적 용법, ⓓ, ⓔ는 목적을 나타내는 부사적 용법, ⓑ는 형용사적 용법으로 쓰였다.

해석 ⓐ 나는 여기에 앉고 싶지 않다.

ⓑ 나는 앉을 의자가 필요하다.

ⓒ 그는 11시까지 여기에 있겠다고 약속했다.

ⓓ 그녀는 일찍 일어나기 위해 알람을 맞췄다.

ⓔ 나는 여행하기 위해 뉴욕에 갔다.

04 ④ 중국에 가서 돌아오지 않았다고 했으므로 '~에 가 버렸다'라는 의미를 나타내는 have gone to를 써야 한다.

해석 ① 너는 유럽을 여행한 적이 있니?

② 집에 도착했을 때, 우리 가족은 이미 저녁 식사를 마쳤다.

③ 나는 Jim의 집에 내 공책을 두고 온 것을 기억했다.

④ 나의 삼촌은 중국에 가 본 적이 있다. 그는 한국으로 돌아오지 않았다.

⑤ 그녀는 두 시간 동안 역사책을 읽고 있다.

05 이미 한 일을 기억한다는 의미를 나타낼 때는 목적어로 동명사를 쓴다.

해석 나는 내가 내 침실의 전등을 껐던 것을 기억한다.

06 '~할 필요가 없다'라는 의미를 나타낼 때는 don't have to를 쓴다.

07 so ~ that ... can't는 too ~ to로 바꿔 쓸 수 있다. 문장의 주어와 that절의 주어가 다를 경우, to부정사 앞에 「for+목적격」으로 의미상의 주어를 쓴다.

해석 날씨가 너무 추워서 우리는 하이킹을 갈 수 없었다.

08 목적격보어로 동사원형 come을 썼으므로 사역동사 make, let, have를 쓸 수 있다.

09 '~하기에 충분히 …하다'라는 의미를 나타낼 때는 enough to를 쓰고, '너무 ~해서 …할 수 없다'라는 의미는 too ~ to를 쓴다. 의미상의 주어는 「for+목적격」의 형태로 쓴다.

해석 (1) 그는 매우 부자라서 차를 살 수 있다.

(2) 이 언덕은 너무 가팔라서 그는 오를 수 없다.

10 (1) 과거의 한 시점 이전에 일어난 일을 나타낼 때는 과거완료를 쓴다.

(2) 과거부터 현재까지 계속되는 일은 현재완료를 쓰고, 시작 시점을 나타낼 때는 전치사 since를 쓴다.

11 (1) '~할 필요가 없다'라는 의미가 되도록 don't have to를 쓴다.

(2) '~하는 것이 좋겠다'라는 의미를 나타내는 had better를 쓴다.

(3) '~하곤 했다'라는 의미를 나타내는 used to를 쓴다.

해석 (1) 나는 오늘 수업이 없어서 일찍 일어날 필요가 없다.

(2) 밖이 춥다. 그들은 코트를 입는 것이 낫겠다.

(3) 나는 테니스를 많이 치곤 했지만, 지금은 많이 치지 않는다.

12 '~한 것을 기억하다'는 remember -ing로, '~할 것을 잊지 않다'는 「don't forget+to부정사」로 쓴다.

해석 (1) 그는 작년에 파리에서 Lisa를 만났다. 그는 그것을 기억한다.

(2) 나는 내 부모님과 저녁 식사를 하기로 약속했다. 나는 그것을 잊지 않았다.

13 과거의 일에 대한 후회를 나타내고 있으므로 should have p.p.를 사용하여 바꿔 쓴다.

해석 나는 오늘 수학 시험에서 좋은 성적을 받지 못했다. 나는 어제 열심히 공부하지 않았던 것을 후회한다.

14 (1) 성격을 나타내는 형용사 다음에 의미상의 주어는 「of+목적격」으로 쓴다.

(2) 지각동사의 목적격보어는 동사원형이나 현재분사를 쓴다.

15 '~하는 방법'은 「how+to부정사」로 나타내고, '~하기를 고대하다'는 look forward to -ing로 나타낸다.

해석 A 나는 기타를 연주하는 방법을 배우기로 결심했어.

B 훌륭해. 언제 시작하니?

A 강습은 다음 주 월요일에 시작해. 나는 정말 그것을 배우기를 고대하고 있어.

CHAPTER **05** 수동태

Unit **1** 수동태의 형태

✔ 바로 개념 확인하기   p.63

A 1 was cooked   2 turn off
   3 has been postponed

B 1 is being fixed   2 be looked after by
   3 has been solved by

C 1 with   2 of   3 with   4 at

1 has been released

2 is being repaired by

3 The story will be made

4 The light is turned on

5 He is worried about

6 was laughed at by everybody

7 was being painted by volunteers

8 will be written, by the author

9 have been loved (by people)

10 taken care → taken care of

11 will prepare → will be prepared

12 by → with   13 is being watched by

14 Seats can be booked   15 feet were covered with

Unit 2   4형식·5형식 문장의 수동태

✔ **바로 개념 확인하기**   p.66

A 1 to   2 for   3 for   4 to

B 1 was elected   2 were made happy

  3 was seen entering

C 1 to rewrite   2 singing   3 to marry

---

1 Chinese is taught to

2 A man was seen dancing

3 is called the city of canals

4 She was seen to take, by them

5 I was allowed to ride

6 for me   7 to leave

8 by his teacher   9 break

10 was called

11 was sent to me by her

12 was made to stay at home

13 was seen walking along the river

14 was told to wait

15 was asked some difficult questions by them

---

01 (1) was washed by me (2) is being used by Mia

02 (1) was put off (2) is taken care of

03 (1) worried about (2) crowded with

04 (1) will be sung by Ted Johnson

   (2) will be done by Beth Taylor

05 (1) was made for me by Ann

   (2) was allowed to play games by her

06 (1) was bought for her by them

   (2) Was a cake bought for her by them?

07 was given to him

08 ⓐ → Pasta was cooked for me by my brother.

   ⓑ → The street has just been cleaned by him.

09 (1) has been read by many children

   (2) is being built

10 made to clean

함정이 있는 문제

01 was turned off by my brother

02 The dog was named Bob by my family.

03 was seen playing(to play) the violin

01 (1) 수동태는 「be동사+p.p.+by+목적격」의 형태로 쓴다.
   (2) 진행형 수동태는 「be동사+being+p.p.」의 형태로 쓴다.

02 동사구를 포함한 문장을 수동태로 바꿀 때는 동사를 「be동사+p.p.」 형태로 바꾸고, 전치사나 부사는 그대로 쓴다.

03 (1) '~에 대해 걱정하다'라는 의미를 나타낼 때는 be worried about을 쓴다.
   (2) '~으로 붐비다'라는 의미를 나타낼 때는 be crowded with를 쓴다.

04 조동사를 포함한 수동태 문장은 「조동사+be p.p.」의 형태로 쓴다.

05 (1) 수여동사로 쓰인 make는 수동태로 쓸 때, 간접목적어 앞에 전치사 for를 쓴다.
   (2) allow는 목적격보어로 to부정사를 쓰므로 수동태 문장에서 그대로 to부정사 형태로 쓴다.

06 (1) buy는 수동태 문장으로 바꿀 때, 간접목적어 앞에 전치사 for를 쓴다.
   (2) 수동태의 의문문은 「Be동사+주어+p.p. ~?」의 어순으로 쓴다.

07 some money가 주어로 쓰였으므로 수동태를 써야 하고, 수여동사 give가 쓰였으므로 간접목적어 앞에 전치사 to를

써야 한다.

08 ⓐ cook은 수동태로 바꿀 때, 직접목적어만 주어로 쓸 수 있다.

ⓑ 완료형 수동태는 have been p.p.의 형태로 쓴다.

[해석] ⓒ 그의 발명은 사람들에게 비웃음을 받았다.

ⓓ 그 어린이들은 그녀에 의해 도움을 받고 있었다.

ⓔ 그들은 그들의 부모님에 의해 일찍 잠자리에 들도록 시켜졌다.

09 완료형 수동태는 have been p.p.의 형태로 쓰고, 진행형 수동태는 「be동사+being p.p.」의 형태로 쓴다.

10 사역동사가 있는 문장의 수동태에서 목적격보어는 to부정사 형태로 쓴다.

[해석] Jane 너는 왜 칠판을 닦았니?

Tom 나는 학교에 지각해서 Jones 선생님이 나에게 그것을 하도록 시켰어.

→ Tom은 학교에 늦어서 Jones 선생님에 의해 칠판을 닦도록 시켜졌다.

함정이 있는 문제

01 [해석] 내 남동생은 지난밤에 TV를 껐다.

02 [해석] 우리 가족은 그 개를 Bob이라고 이름 지었다.

03 [해석] 그녀는 John에 의해 바이올린을 연주하는 것이 목격되었다.

시험에 강해지는 실전 TEST   pp.70~72

01 ②   02 ⑤   03 ③   04 ②   05 ③   06 ⑤
07 ②, ⑤   08 ①   09 ①, ③, ⑤   10 ①

서술형 1 (1) These trees were planted by James.
(2) These trees were not planted by James.
(3) Were these trees planted by James?

서술형 2 (1) wasn't made
(2) has been taught (3) is being sung

서술형 3 (1) was given a teddy bear
(2) was given to me

서술형 4 going → to go

서술형 5 (1) was advised to exercise
(2) was made to go
(3) was seen picking

서술형 6 (1) These dogs should be looked after by us.
(2) This character has been loved by many people

서술형 7 (1) crowded with (2) filled with
(3) satisfied with

서술형 8 is called Choco

서술형 9 (1) the birds singing in the tree
(2) were heard singing in the tree

서술형 10 (1) was elected class president by his classmates
(2) was expected to arrive on time

01 조동사가 있는 수동태는 「조동사+be p.p.」의 형태로 쓴다.

02 ⑤는 완료형 수동태이므로 been이 들어간다. ①, ③, ④는 진행형 수동태이므로 being이 들어가야 하고, ②는 조동사가 있는 수동태이므로 be가 들어가야 한다.

[해석] ① 나는 내가 감시당하고 있다고 느꼈다.

② 다리가 곧 강에 지어질 것이다.

③ 다양한 과일이 시장에서 팔리고 있었다.

④ 그 부상 당한 사람은 병원에서 치료를 받고 있다.

⑤ 올리브 기름은 오랫동안 요리에 사용되고 있다.

03 ③에는 of가 들어가고, 나머지에는 모두 with가 들어간다.

[해석] ① 그녀의 눈은 눈물로 가득 찼다.

② 이 케이크는 생크림으로 덮여 있다.

③ 그는 그녀의 여행에 관한 그녀의 이야기에 싫증이 났다.

④ 이 장소는 겨울에 스키를 타는 사람들로 붐빈다.

⑤ Henry는 그의 새 휴대 전화에 매우 만족한다.

04 Many robots are being used in dangerous places.이므로 been은 쓰이지 않는다.

05 ③ 진행형 수동태는 「be동사+being p.p.」의 형태로 쓴다. making → made

06 수동태 문장에서 지각동사의 목적격보어는 현재분사형이나 to부정사로 쓰고, 사역동사의 목적격보어는 to부정사로 쓴다.

[해석] • 너는 공원에서 축구를 하는 것이 목격되었다.

• 나는 엄마에 의해 수학 시험을 위해 공부하도록 시켜졌다.

07 수여동사 give는 목적어가 두 개이므로 두 개의 수동태 문장이 가능하다. 직접목적어를 주어로 수동태 문장을 만드는 경우에는 간접목적어 앞에 전치사 to를 쓴다.

08 주어진 문장을 수동태로 바꾸면 They were allowed to stay in my house by me.이므로 네 번째로 오는 단어는 to이다.

09 ⓐ ran은 과거분사 형태인 run으로 써야 한다.

ⓑ of는 동사구의 전치사이므로 행위의 주체인 their parents 앞에는 전치사 by를 써야 한다.

ⓓ 수여동사 make는 수동태 문장에서 간접목적어 앞에 전치사 for를 쓴다.

[해석] ⓐ 내 강아지는 차에 치였다.

ⓑ 그 어린이들은 그들의 부모님에 의해 돌봐진다.

ⓒ 많은 돈이 한 사업가에 의해 양로원에 기부되었다.

ⓓ 아름다운 케이크가 그들에 의해 그들의 선생님을 위해 만들어졌다.

10 ① buy는 간접목적어를 주어로 하는 수동태를 만들 수 없다.

서술형 1 수동태는 「be동사+p.p.+by+목적격」의 형태로 쓴다. 수동태 문장의 부정문은 be동사 뒤에 not을 쓰고, 의문문은 주어와 be동사의 위치를 바꾼다.

> [해석] James는 이 나무들을 심었다.

서술형 2 (1) 과거시제의 수동태는 was, were를 쓰고, 부정은 be동사 다음에 not을 쓴다.

(2) 현재완료형의 수동태는 have been p.p.의 형태로 쓴다. 주어가 3인칭 단수이므로 has를 쓰는 것에 주의한다.

(3) 진행형 수동태는 「be동사+being p.p.」의 형태로 쓴다.

서술형 3 수여동사는 직접목적어와 간접목적어로 각각 수동태 문장을 만들 수 있다. 직접목적어를 주어로 할 때는 간접목적어 앞에 알맞은 전치사를 써야 한다.

서술형 4 목적격보어가 to부정사인 5형식 문장의 수동태에서는 to부정사를 그대로 쓴다.

> [해석] 나는 우리 엄마에 의해 외출하는 것을 허락받았다.

서술형 5 (1) 목적격보어가 to부정사이므로 수동태에서 그대로 to부정사로 쓴다.

(2) 사역동사 make의 목적격보어로 동사원형이 쓰였으므로 수동태에서는 to부정사로 쓴다.

(3) 지각동사 see의 목적격보어로 현재분사가 쓰였으므로 수동태에서 그대로 현재분사로 쓴다.

> [해석] (1) 의사는 그에게 규칙적으로 운동을 하라고 충고했다.
> (2) 그녀의 부모님은 그녀를 거기에 가도록 시켰다.
> (3) 우리는 그 남자아이가 쓰레기를 줍고 있는 것을 봤다.

서술형 6 (1) 동사구를 포함한 문장을 수동태로 바꿀 때는 동사를 「be동사+p.p.」 형태로 바꾸고 전치사나 부사는 그대로 쓴다.

(2) 완료형 수동태는 have been p.p.의 형태로 쓴다.

서술형 7 be crowded with, be filled with, be satisfied with로 by 이외의 전치사를 쓰는 동사들이다.

> [해석] 우리 가족은 일출을 보기 위해 새해 첫날에 산 정상에 올라갔다. 정상은 사방에서 온 사람들로 붐볐다. 태양이 떠올랐을 때, 모든 사람들의 얼굴은 기쁨으로 가득 찼다. 우리는 아름다운 일출에 매우 만족했다.

서술형 8 5형식 문장의 수동태에서 목적격보어가 명사일 경우에는 「be동사+p.p.」 다음에 명사를 그대로 쓴다.

> [해석] A 너희 개는 뭐라고 불리니?
> B 우리 개는 Choco라고 불려.

서술형 9 지각동사가 쓰인 문장을 수동태로 바꿀 때, 목적격보어가 현재분사형이면 그대로 현재분사형으로 쓴다.

서술형 10 5형식 문장을 수동태로 바꿀 때, 목적격보어가 명사나 to부정사인 경우에는 「be동사+p.p.」 다음에 그대로 쓴다.

CHAPTER 06 분사와 분사구문

Unit 1 분사의 쓰임

✔ 바로 개념 확인하기   p. 75

A 1 living   2 hidden   3 crying

B 1 the broken glass
   2 the girl playing the violin
   3 a novel written by Tolstoy

C 1 satisfying   2 boring   3 excited
   4 interested

서술형 기본 유형 익히기   pp. 75~76

1 photos taken in Europe

2 The boy flying a kite

3 a castle built in the 18th century

4 The confused people

5 made me feel embarrassed

6 surprised, surprising   7 exciting, excited

8 tired, tiring   9 using → used

10 satisfied → satisfying   11 singing → sung

12 news exciting → exciting news

13 the boy looking at us

14 the words written on the card

15 some surprising guest singers

✔ 바로 개념 확인하기   p.78

A 1 Arriving   2 Not having   3 Going

B 1 열심히 공부한다면   2 샤워를 하면서
　 3 상자를 열었을 때   4 아팠기 때문에

C 1 crossed   2 waving   3 turned

서술형 기본 유형 익히기   pp.78~79

1 Walking in the woods
2 Not finishing my homework
3 Needing some advice
4 While reading a newspaper
5 with the light turned on
6 Having enough time
7 Being busy
8 leaving for work
9 Because(As, Since) I was cold
10 If you do your best now
11 Feeling not → Not feeling
12 waved → waving
13 Sat → Sitting
14 with his eyes closed
15 with her arms folded

기출에서 뽑은 난이도별 서술형 문제   pp.80~81

01 (1) broken (2) shocking (3) falling
02 watching, excited
03 (1) filling → filled
　　(2) embarrassed → embarrassing
04 (1) Not wearing a coat (2) Feeling too scared
05 talking on the phone with her legs crossed
06 (1) boiled (2) saved (3) complaining
07 (1) confusing, confused (2) satisfying, satisfied
08 (1) Feeling tired, we stayed at home all day.
　　(2) Opening the door, I found the letter.
09 (1) When we heard the news
　　(2) If you turn right

---

(3) Because he didn't know how to use the machine

10 ⓑ → taken, ⓔ → exciting

함정이 있는 문제

01 (1) writing (2) written
02 Not being very hungry
03 with her eyes closed

01 현재분사는 능동, 진행의 의미를 나타내고, 과거분사는 수동, 완료의 의미를 나타낸다.
　해석 (1) 깨진 창문을 봐.
　(2) 너는 충격적인 소식을 들었니?
　(3) 우리는 떨어지는 별을 보고 소원을 빌었다.

02 분사구는 명사 뒤에서 명사를 수식하고 능동인 경우 현재분사를 쓴다. 소녀가 신나는 감정을 느끼는 것이므로 과거분사형을 쓴다.

03 (1) 병이 채워진 것이므로 수동의 의미를 나타내는 과거분사형태로 써야 한다.
　(2) 질문이 나를 당황하게 만드므로 embarrass는 현재분사형태로 써야 한다.
　해석 (1) 물로 가득 찬 병들은 선수들을 위한 것이다.
　(2) 나에게 묻는 질문들이 매우 당황스러웠다.

04 분사구문은 부사절의 접속사와 주어를 삭제한 후, 동사를 현재분사형으로 바꾼다. 분사구문의 부정은 not을 분사 앞에 쓴다.
　해석 (1) 코트를 입지 않아서 그는 추위를 느꼈다.
　(2) 너무 무서워서 나는 움직일 수 없었다.

05 '다리를 꼰 채로'라는 의미가 되도록 with one's legs crossed를 쓴다.

06 능동, 진행의 의미를 나타낼 때는 현재분사를 쓰고, 수동, 완료의 의미를 나타낼 때는 과거분사를 쓴다.
　해석 (1) 나는 아침 식사로 주로 삶은 달걀을 먹는다.
　(2) 화재에서 구조된 소년은 괜찮아 보였다.
　(3) 우리의 서비스에 대해 불평하는 몇몇 고객들이 있다.

07 주어가 감정을 느끼게 만들면 현재분사형을 쓰고, 감정을 느끼면 과거분사형을 쓴다.
　해석 (1) • 그 도로 표지판은 매우 혼란스러웠다.
　　• 나는 혼란스러워서 내비게이션을 켰다.
　(2) • 그 영화는 매우 만족스러웠다.
　　• 나는 특히 배우들의 연기에 만족했다.

08 분사구문은 부사절의 동사를 현재분사형으로 바꿔 만든다.

09 (1) '그 뉴스를 들었을 때'라는 의미이므로 시간을 나타내는 접속사 when을 쓴다.

(2) '왼쪽으로 돌면'이라는 의미이므로 조건을 나타내는 접속사 if를 쓴다.

(3) '사용법을 몰랐기 때문에'라는 의미이므로 이유를 나타내는 because를 쓴다.

해석 (1) 그 뉴스를 들었을 때, 우리는 놀랐다.

(2) 오른쪽으로 돌면 너는 은행을 찾을 수 있을 것이다.

(3) 그 기계를 어떻게 사용하는지 몰랐기 때문에, 그는 물어볼 누군가를 찾았다.

10 ⓑ 사진이 찍히는 것이므로 수동의 의미를 나타내는 과거분사형이 알맞다.

ⓔ 사진을 찍는 것이 흥미진진한 것이므로 현재분사형이 알맞다.

해석 나는 사진을 찍는 것에 관심이 있다. 여기 지난 주말에 찍은 사진이 몇 장 있다. 이것은 내 여동생이 구운 쿠키의 사진이고, 이것은 우리 엄마의 사진이다. 그녀는 내가 갑자기 문을 열었기 때문에 놀랐다. 나의 일상생활의 사진을 찍는 것은 매우 흥미진진하다.

함정이 있는 문제

02 해석 배가 많이 고프지 않아서 그는 아무것도 먹지 않았다.

시험에 강해지는 실전 TEST
pp.82~84

01 ② 02 ③ 03 ⑤ 04 ⑤ 05 ②, ④
06 ② 07 ③ 08 ④ 09 ② 10 ④

서술형 1 (1) exciting (2) surprising
(3) disappointed
서술형 2 (1) boiled (2) boiling
서술형 3 The boy walking a dog looked very bored.
서술형 4 waiting for BTS
서술형 5 (1) Playing soccer, he hurt his leg.
(2) Taking this medicine, you will feel better.
서술형 6 (1) Being very busy
(2) Not knowing her very well
서술형 7 attending this school are good at music
서술형 8 ⓐ, shouted → shouting
서술형 9 (1) with her eyes closed
(2) with his hand waving
서술형 10 (1) When he left the house
(2) Because we didn't have any problems

01 남자가 사진을 찍는 것이므로 능동의 의미를 나타내는 현재분사형을 써야 한다.

해석 그녀의 사진을 찍는 남자가 누구니?

02 (A) '감동적인'이라는 의미의 현재분사 moving이 들어가야 한다.

(B) '수입된 가방'이므로 과거분사 imported가 들어가야 한다.

(C) 남자가 체포된 것이므로 수동의 관계를 나타내는 과거분사 arrested가 들어가야 한다.

해석 • 나의 선생님은 우리에게 감동적인 이야기를 말씀해 주셨다.

• 그는 나에게 프랑스에서 수입된 가방을 사 주었다.

• 음주운전으로 체포된 남자는 그의 면허증을 잃을 것이다.

03 ⑤ '영화에 흥미를 느끼는 누구든지'의 의미이므로 과거분사형인 interested를 써야 한다.

해석 ① 그의 옆에서 걷고 있는 개는 귀여워 보인다.

② 하늘을 날고 있는 헬리콥터를 봐.

③ 소방관들이 불타고 있는 건물에서 사람들을 구조하고 있다.

④ 그가 시험에 떨어졌다는 뉴스는 실망스러웠다.

⑤ 영화에 관심이 있는 누구나 우리 동아리에 가입할 수 있다.

04 The student answering the question is my son.이므로 세 번째로 오는 단어는 answering이다.

05 ② 내 여동생이 걱정을 느끼므로 과거분사 worried가 되어야 한다.

④ 아기가 자고 있으므로 현재분사인 sleeping을 써야 한다.

해석 ① 그 가수의 의상은 충격적이었다.

② 내 여동생은 시험에 대해 걱정하는 것처럼 보였다.

③ 영어로 쓰인 책은 여기에서 팔지 않는다.

④ 침대에서 자고 있는 아기는 천사처럼 보인다.

⑤ 너는 외국인과 함께 이야기하고 있는 남자아이를 아니?

06 '팔짱을 낀 채로'의 의미를 나타낼 때는 with one's arms folded로 쓴다.

해석 그 선생님은 팔짱을 낀 채로 학생들을 바라보고 계셨다.

07 문맥상 '공항에 도착했을 때'라고 해석되므로, 시간을 나타내는 접속사 when이 가장 알맞다.

해석 공항에 도착했을 때, 나는 내 여권을 가져오지 않은 것을 깨달았다.

08 부사절을 분사구문으로 바꿀 때는 접속사와 주어를 생략하고, 동사를 현재분사 형태로 바꾼다. 분사구문의 부정은 분사 앞에 not을 쓴다.

해석 충분한 돈이 없어서 그는 새 자전거를 살 수 없었다.

09 ② '음악을 들으면서 숙제를 했다'는 의미이므로 동시동작을 나타내는 접속사 while을 써야 한다.

해석 ① 피곤하게 느껴서 그녀는 곧장 잠자리에 들었다.

② 음악을 들으면서 그는 숙제를 했다.

③ TV를 보고 있을 때, 그는 누군가 문을 두드리는 것을 들었다.

④ 배가 고팠지만, 나는 다이어트를 하는 것을 포기하지 않았다.

⑤ 옆집에 살아서 나는 그녀를 자주 본다.

10 첫 번째 문장은 우리가 만족감을 느낀 것이므로 과거분사인 satisfied를 써야 한다.

해석 ⓐ 우리는 그 여행에 만족을 느꼈다.

ⓑ 나는 너에게 놀라운 도시를 보여줄 것이다.

ⓒ 겁먹은 아이들이 하나씩 울기 시작했다.

ⓓ 학교 밖으로 걸어 나가는 남자는 내 영어 선생님이다.

서술형 1 주어가 감정을 일으키면 현재분사를 쓰고, 주어가 감정을 느끼면 과거분사를 쓴다.

해석 (1) 놀이공원에 있는 놀이기구들은 흥미진진해 보였다.

(2) 새로운 학급 친구에 관한 소식이 우리를 놀라게 했다.

(3) 우리는 새 식당에서 음식에 실망했다.

서술형 2 꾸며주는 명사와 능동의 관계일 때는 현재분사를 쓰고, 수동일 때는 과거분사를 쓴다. '삶아진 달걀'에는 과거분사형을, '끓고 있는 물'에는 현재분사형을 각각 쓴다.

해석 엄마는 끓는 물에서 매우 조심스럽게 삶은 달걀을 꺼냈다.

서술형 3 분사구는 명사의 뒤에서 수식한다. 남자아이가 지루한 감정을 느끼는 것이므로 과거분사형을 쓴다.

서술형 4 분사구는 명사 뒤에서 수식하고 능동의 관계일 때는 현재분사형을 쓴다.

해석 A 저기에 많은 기자들이 있다. 그들은 무엇을 하고 있는 중이니?

B 그들은 소년 그룹인 BTS를 기다리고 있어. 그들은 그 그룹 멤버들이 나타날 때까지 저기에 있을 거야.

→ BTS를 기다리는 기자들은 그 그룹이 나타날 때까지 저기에 머물 것이다.

서술형 5 분사구문은 동사를 현재분사 형태로 써서 부사절을 간단하게 표현한 것이다.

서술형 6 부사절을 분사구문으로 바꿀 때는 접속사와 주어를 생략하고, 동사를 현재분사 형태로 바꾼다. not은 현재분사 앞에 쓴다.

해석 (1) 매우 바빠서 그는 콘서트에 갈 수 없었다.

(2) 그녀를 매우 잘 알지는 못해서 나는 그녀를 초대하지 않았다.

서술형 7 분사구는 명사 뒤에서 수식하고, 능동의 관계일 때는 현재분사형을 쓴다.

서술형 8 ⓐ 남자가 소리를 지르는 능동의 관계이므로 현재분사형을 써야 한다.

해석 ⓐ 사람들을 향해 소리치는 남자는 매우 화가 나 보였다.

ⓑ 선생님의 설명은 혼란스러웠다.

ⓒ 빨간색으로 칠해진 표지판은 보통 경고의 메시지를 담고 있다.

서술형 9 (1) '눈을 감은 채로'의 의미를 나타낼 때는 with one's eyes closed를 쓴다.

(2) '손을 흔들면서'라는 의미를 나타낼 때는 with one's hand waving으로 쓴다.

서술형 10 (1) '집을 떠날 때'의 의미이므로 시간을 나타내는 접속사 when을 쓴다.

(2) '문제가 없었기 때문에'의 의미이므로 이유를 나타내는 접속사 because를 쓴다.

해석 (1) 집을 떠날 때, 그는 문을 잠갔다.

(2) 문제가 없어서, 우리는 일찍 프로젝트를 끝낼 수 있었다.

CHAPTER 07 비교

Unit 1 원급과 비교급

✔ 바로 개념 확인하기   p.87

A **1** bigger   **2** much   **3** eating

B **1** not as tall
  2 much more expensive than
  3 more and more interesting

C **1** four times faster
  2 The harder you study

서술형 기본 유형 익히기   pp.87~88

1 as important as other issues
2 These shoes are more expensive than
3 laugh as much as possible
4 The longer he waited, the more anxious
5 is getting more and more important
6 very → much(a lot, far, still, even)
7 big → bigger
8 popular and popular → more and more popular
9 play → playing
10 not as intelligent as

11 as early as he can

12 is four times longer than

13 The more, the more carefully

14 three times as heavy

15 four times older

Unit 2 최상급

✔ 바로 개념 확인하기   p. 90

A 1 saddest   2 in   3 runners

B 1 the most exciting cities   2 the busiest man

C 1 bigger than any other   2 as big
   3 bigger than

서술형 기본 유형 익히기   pp. 90~91

1 the smallest country in the world

2 best pizza that I have ever eaten

3 No other person, richer than

4 one of the oldest bridges in the city

5 most quickly of the four

6 baddest → worst   7 tip → tips

8 is not → is   9 members → member

10 the most boring movie that I have ever watched

11 No other player, as fast as

12 one of the nicest restaurants

13 No other man, richer than

14 the most diligent student

15 harder than any other subject

기출에서 뽑은 난이도별 서술형 문제   pp. 92~93

01 (1) worse (2) earlier (3) most popular

02 My house is not as big as Tony's.

03 the best, in

04 The higher, the colder

05 (1) hot and hot → hotter and hotter
   (2) older → old

06 (1) can run as fast as (2) is not as cold as
   (3) was as difficult as

07 most popular singers, the most beautiful
   voice, have ever heard

08 (1) three times as expensive as
   (2) three times more expensive than

09 the more often we go out for a walk

10 (1) more interesting than any other subject
   (2) as interesting as music

함정이 있는 문제

01 more and more tired

02 The more, the better you will understand him

03 No other girl, is as pretty as Alice

01 (1) '더 나빠지고 있다'의 의미이므로 bad의 비교급인
   worse를 쓴다.
   (2) 뒤에 than이 있으므로 비교급인 earlier를 쓴다.
   (3) popular는 앞에 most를 붙여 최상급을 만든다.
   해석 (1) 나는 약을 먹었지만, 내 감기는 더 나빠지고 있다.
   (2) 너는 오늘 늦었다. 내일 너는 오늘보다 더 일찍 와야 한다.
   (3) 모든 학생들이 Robinson 선생님을 좋아한다. 그는 학교
   에서 가장 인기 있는 선생님이다.

02 '~만큼 …하지 않다'라는 의미를 나타낼 때는 「not as+원
   급+as」를 쓴다.

03 최상급을 나타낼 때는 「the+최상급」을 쓰고, 비교 범위를
   나타낼 때는 전치사 in을 쓴다. good의 최상급은 best이다.

04 높이 올라갈수록 날씨가 추워지므로 「the+비교급 ~, the+
   비교급 …」을 쓴다.
   해석 네가 산을 더 높이 올라갈수록 날씨는 더 추워진다.

05 (1) '점점 더 ~한/하게'라는 의미를 나타낼 때는 「비교급
   +and+비교급」을 쓴다.
   (2) '~의 −배만큼 …한/하게'라는 의미를 나타낼 때는 「배
   수사+as+원급+as」를 쓴다.

06 '~만큼 …한/하게'라는 의미를 나타낼 때 「as+원급+as」
   를 쓴다.

07 '가장 ~한 … 중 하나'라는 의미를 나타낼 때는 「one of
   the+최상급+복수명사」를 쓰고, '지금껏 ~했던 중에서 가
   장 …한'이라는 의미를 나타낼 때는 「the+최상급+명사
   +that+주어+have ever p.p.」를 쓴다.
   해석 A 나는 어제 May의 콘서트에 갔었어.
   B 왜! 그녀는 지금 가장 인기 있는 가수 중에 하나 아니니?
   A 응. 나는 그녀의 목소리를 정말 좋아해. 그녀의 목소리는

내가 지금껏 들어 본 중에 가장 아름다운 목소리야.

08 빨간 가방이 파란 가방보다 세 배 더 비싸므로 「배수사＋as＋원급＋as」와 「배수사＋비교급＋than」을 써서 나타낸다.

09 「the＋비교급 ~, the＋비교급 ...」에서 비교급 다음에는 「주어＋동사」의 어순으로 쓴다.
> 해석 날씨가 더 따뜻해질수록 우리는 더 자주 산책하기 위해 나간다.

10 「비교급＋than any other＋단수명사」와 「부정주어 ~ as＋원급＋as」로 최상급의 의미를 나타낼 수 있다.

함정이 있는 문제

02 해석 네가 그와 더 많이 이야기할수록 너는 그를 더 잘 이해할 것이다.

03 해석 Alice는 우리 학교에서 가장 예쁜 여자아이다.

시험에 강해지는 실전 TEST   pp.94~96

01 ②　**02** ③　**03** ④　**04** ①　**05** ④
06 ③　**07** ②　**08** ②　**09** ④　**10** ②

서술형 **1** (1) is not as tall as
　　　　(2) is twice as expensive as
서술형 **2** (1) as often as　(2) faster and faster
서술형 **3** (1) prettier → pretty
　　　　(2) very → much(still, far, a lot, even)
서술형 **4** (1) the most diligent student
　　　　(2) more diligent than any other student
서술형 **5** as soon as you can
서술형 **6** (1) This is the most exciting ride that I have ever ridden.
　　　　(2) It is one of the most famous Korean movies.
서술형 **7** No other teacher in my school is as good
서술형 **8** (1) The more he talked, the more bored I became.
　　　　(2) The harder you practice, the better you will sing.
서술형 **9** ⓑ → expensive
서술형 **10** (1) three times more expensive than
　　　　(2) farther, cheaper

01 첫 번째 빈칸에는 '가능한 한 ~한/하게'라는 의미의 「as＋원급＋as possible」이 되도록 원급인 much가 알맞다. 두 번째 빈칸에는 「one of the＋최상급＋복수명사」이므로 복수형인 cities가 들어가야 한다.

> 해석 ・너는 가능한 한 많이 자야 한다.
> ・서울은 세계에서 가장 바쁜 도시 중 하나이다.

02 비교급을 강조할 때는 very를 쓸 수 없다.
> 해석 까마귀는 다른 새들보다 훨씬 더 똑똑하다.

03 채훈이의 말은 Mia의 키가 더 작다는 의미이므로 그림과 일치하지 않는다.
> 해석 채훈: Mia는 Sue만큼 키가 크지 않다.
> 기훈: Mia는 Sue보다 키가 더 크다.
> 미라: Sue는 Mia보다 키가 더 작다.
> 지민: Sue는 Mia만큼 키가 크지 않다.

04 ② 「배수사＋as＋원급＋as」이므로 longer → long
③ my school은 장소이므로 of → in
④ 비교 대상은 문법적으로 동등한 형태여야 하므로 her → hers(her hands)
⑤ 「one of the＋최상급＋복수명사」이므로 writer → writers
> 해석 ① 그녀는 James보다 훨씬 더 빨리 달릴 수 있다.
> ② 고양이는 사람의 두 배만큼 길게 잔다.
> ③ 수미는 우리 학교에서 가장 긴 머리를 가지고 있다.
> ④ 내 손은 그녀의 것보다 훨씬 더 크다.
> ⑤ 그는 한국에서 가장 유명한 작가 중 하나이다.

05 ④ 「the＋최상급＋명사＋that＋주어＋have ever p.p.」는 '지금껏 ~했던 중에서 가장 ~한'이라는 의미를 나타낸다.
> 해석 ④ 이것은 내가 읽었던 중에 가장 재미있는 소설이다.

06 |보기는 David가 가장 노래를 잘 부른다는 최상급의 의미를 나타낸다.
> 해석 |보기 우리나라의 어떤 가수도 David만큼 노래를 잘하지 않는다.
> ① David는 우리나라에서 가장 노래를 잘하는 가수 중 하나이다.
> ② David는 우리나라의 어떤 다른 가수만큼 노래를 잘한다.
> ③ David는 우리나라의 어떤 다른 가수보다 노래를 더 잘한다.
> ④ 우리나라의 어떤 다른 가수도 David보다 더 노래를 잘한다.
> ⑤ David는 우리나라의 어떤 다른 가수만큼 노래를 잘하지 않는다.

07 지수 < 민호 < 수빈 = 유민 < 세리의 순서로 키가 크므로 가장 키가 큰 사람은 세리이다.
> 해석 민호는 수빈이보다 키가 더 작다. 유민이는 수빈이만큼 키가 크다. 지수는 민호보다 더 키가 작다. 세리는 유민이보다 더 키가 크다. 수빈이는 세리만큼 키가 크지 않다. 다섯 명의 학생 중에 가장 키가 큰 사람은 누구인가?

08 ② useful 뒤에 as가 있으므로 빈칸에는 as가 들어가야 한다.

해석 ① 나는 영어를 수학보다 더 좋아한다.

② 그것은 휴대 전화만큼 유용하니?

③ 내가 더 많이 운동할수록 더 튼튼해진다.

④ 나는 시간이 돈보다 더 중요하다고 생각한다.

⑤ 그 아이들은 점점 더 흥분했다.

09 ⓒ happy의 비교급은 happier이므로 the happier로 써야 한다.

해석 ⓐ 다른 어떤 남자아이도 지호보다 더 친절하지 않다.

ⓑ 청중들은 점점 더 지루해졌다.

ⓒ 네가 더 열심히 공부할수록 너의 부모님은 더 기쁘게 느낀다.

10 (A) 비교 범위를 나타내는 말 앞에는 in이 알맞다.

(B) any other 다음에는 단수명사를 쓰므로 student가 알맞다.

(C) 「one of the+최상급+복수명사」이므로 players가 알맞다.

해석 **A** 너희 반에서 가장 키가 큰 사람은 누구니?

B 지원이가 다른 어떤 학생보다 더 커.

A 그는 농구를 하니?

B 응. 그는 우리 학교에서 최고의 선수 중 하나야.

서술형 1 (1) 수빈이는 호준이만큼 키가 크지 않으므로 「not as+원급+as」를 쓴다.

(2) 이 자전거가 두 배만큼 비싸므로 「배수사+as+원급+as」를 쓴다.

서술형 2 (1) '가능한 한 ~한/하게'라는 의미를 나타낼 때는 「as+원급+as+possible」을 쓴다.

(2) '점점 더 ~한/하게'라는 의미를 나타낼 때는 「비교급+and+비교급」을 쓴다.

서술형 3 (1) as와 as 사이에는 원급을 쓴다.

(2) 비교급을 강조할 때는 much, even, still, far, a lot을 쓴다.

서술형 4 '가장 ~한'의 최상급의 의미는 「the+최상급」이나 「비교급+than any other+단수명사」로 나타낼 수 있다.

서술형 5 as ~ as possible은 「as ~ as+주어+can」으로 바꿔 쓸 수 있다.

해석 가능한 한 빨리 나에게 결과를 알려줘라.

서술형 6 (1) '지금껏 ~했던 중에서 가장 …한'이라는 의미를 나타낼 때는 「the+최상급+명사+that+주어+have ever p.p.」를 쓴다.

(2) '가장 ~한 … 중 하나'라는 의미를 나타낼 때는 「one of the+최상급+복수명사」를 쓴다.

서술형 7 뒤에 as가 있으므로 「부정주어 ~ as+원급+as」를 사용하여 최상급의 의미를 나타낸다. in my school은 부정주어 다음에 쓴다.

서술형 8 '더 ~할수록 더 …한/하게'라는 의미를 나타낼 때는 「the+비교급 ~, the+비교급 …」을 쓴다.

해석 (1) 그가 더 많이 이야기할수록 나는 더 지루해졌다.

(2) 네가 더 열심히 연습할수록 노래를 더 잘할 것이다.

서술형 9 ⓑ 배수사 다음에 as가 있으므로 원급이 쓰여야 한다.

해석 **A** 이 운동화는 얼마인가요?

B 60달러입니다.

A 저것은요?

B 그것은 이것의 두 배만큼 비싸고, 우리 가게에서 가장 비싼 운동화랍니다.

서술형 10 (1) R석은 B석보다 세 배 더 비싸므로 「배수사+비교급+than」을 쓴다.

(2) 무대에서 멀어질수록 티켓 가격이 싸지므로 「the+비교급 ~, the+비교급 …」을 쓴다.

해석 (1) R석은 B석보다 세 배 더 비싸다.

(2) 좌석이 무대로부터 더 멀수록 티켓 가격은 더 싸진다.

CHAPTER 08 접속사

Unit 1 부사절을 이끄는 접속사

✔ **바로 개념 확인하기**   p.99

A 1 because   2 since   3 While   4 unless

B 1 leave   2 is   3 because of

C 1 unless   2 Though(Although)

서술형 기본 유형 익히기   pp.99~100

1 While my parents were cooking

2 until they call your names

3 since he entered university

4 Although it started to rain

5 so that everybody could hear him

6 when he arrives

7 Although(Though) she knew the truth

8 If we want to arrive in time

9 that → so that

10 Unless → If 또는 don't need → need

11 will be → is

12 because → because of

13 Unless you try harder

14 though(although) I had a lot to say

15 so that you can focus during class

Unit **2** 상관접속사, 간접의문문

✔ **바로 개념 확인하기** p.102

A **1** either **2** not only **3** nor **4** dancing

B **1** are **2** like **3** is

C **1** where she lives **2** if Judy speaks
3 he is honest

서술형 기본 유형 익히기 pp.102~103

1 Both Jane and Susan are

2 Either my mom or dad is going to come

3 when he will arrive

4 wondered if they could help

5 Where do you think they will go

6 Not only his sister but also his parents are

7 neither interesting nor moving

8 for both children and adults

9 if(whether) he arrived safely

10 how much the car is

11 if(whether) you can go to the concert

12 Why do you think she said

13 want → wants

14 should I → I should **15** play → playing

기출에서 뽑은 난이도별 서술형 문제 pp.104~105

01 (1) If you get up
(2) Though(Although) he is ninety

02 (1) Although it was raining

---

(2) since the luggage was very heavy

03 (1) Both Cindy and I like
(2) not only soccer but also basketball

04 will stop → stops

05 (1) why she was late (2) if you can help us

06 (1) He studied English hard so that he could
study in the United States.
(2) He studied English so hard that he could
study in the United States.

07 if he comes home early

08 (1) Neither Jack nor Lily can swim.
(2) Both Jane and her sister are good at sports.

09 (1) what time it is
(2) if (whether) James is a math teacher

10 ⓑ → Do you know where he went after school?

함정이 있는 문제

01 (1) is (2) will be

02 run → running

03 Who do you think made this bag?

01 (1) 조건을 나타낼 때는 if를 쓰고, 조건의 부사절에서는 미래를 나타낼 때 현재시제를 쓴다.
(2) 양보를 나타낼 때는 though(although)를 쓴다.

02 (1) 양보의 의미를 나타낼 때는 although를 쓴다.
(2) 이유를 나타내는 since를 쓸 수 있다.
해석 (1) 비가 내리고 있었지만 우리는 여행을 갔다.
(2) 그 짐이 너무 무거워서 Amy는 도움을 요청했다.

03 'A와 B 둘 다'는 both A and B를 쓰고, 'A 뿐만 아니라 B도'는 not only A but also B로 나타낸다.

04 when이 시간의 부사절을 이끌고 있으므로 현재시제가 미래를 대신한다.
해석 비가 그치면, 우리는 밖으로 나갈 것이다.

05 간접의문문은 의문사가 있는 의문문일 때는 「의문사+주어+동사」의 어순으로 쓰고, 의문사가 없는 의문문일 때는 「if(whether)+주어+동사」의 어순으로 쓴다.
해석 (1) 너는 그녀가 왜 늦었는지 아니?
(2) 우리는 네가 우리를 도울 수 있는지 궁금하다.

06 so that 구문은 '~하기 위해서'라는 의미로 목적을 나타내고, so ~ that 구문은 '매우 ~해서 …하다'라는 의미로 결과를 나타낸다.
해석 (1) 그는 영어를 열심히 공부했다. 그는 미국에서 공부할 수 있기를 바랐다.

(2) 그는 영어를 열심히 공부했다. 그 결과, 그는 미국에서 공부할 수 있었다.

07 조건을 나타내는 if절에서는 현재시제가 미래를 대신한다.

08 'A도 B도 아닌'이라는 의미를 나타낼 때는 neither A nor B를 쓰고, 'A와 B 둘 다'라는 의미를 나타낼 때는 both A and B를 쓴다.

09 의문사가 있는 문장의 간접의문문은 「의문사＋주어＋동사」의 어순으로, 의문사가 없는 문장은 「if〔whether〕＋주어＋동사」의 어순으로 쓴다.

〔해석〕 (1) **지나** Tom, 몇 시니?

Tom 10시 30분이야.

→ 지나는 몇 시인지 알고 싶어 한다.

(2) **세훈** James가 수학 선생님이니?

Lena 응, 그래.

→ 세훈이는 Lena에게 James가 수학 선생님인지 묻는다.

10 ⓑ 주절의 동사가 think, believe, guess, imagine 등인 경우에만 의문사가 문장의 맨 앞으로 이동한다.

〔해석〕 **A** 학교에서 민호를 봤니?

B 응. 우리는 함께 점심을 먹었을 뿐만 아니라 점심 식사 후에 축구도 했어.

A 그가 방과 후에 어디로 갔는지 아니?

B 아니, 모르겠어. 그가 곧장 집으로 갔는지는 확신할 수 없어.

함정이 있는 문제

01 〔해석〕 (1) 내일 화창하면 나는 축구를 할 것이다.

(2) 나는 내일 화창할지 확신할 수 없다.

02 〔해석〕 그는 수영뿐만 아니라 달리기도 즐긴다.

시험에 강해지는 **실전 TEST** pp.106~108

| 01 ① | 02 ④ | 03 ② | 04 ⑤ | 05 ③ |
| 06 ④ | 07 ② | 08 ③ | 09 ③ | 10 ③ |

서술형 **1** (1) Though he was young

(2) while my brother was reading a book

서술형 **2** (1) has studied English since she entered elementary school

(2) find his house since I have been there before

서술형 **3** (1) doesn't rain → rains 또는 Unless → If

(2) will get → gets

서술형 **4** (1) as well as an actress

(2) Unless you follow the traffic rules

서술형 **5** He spoke loudly so that everyone could hear him.

서술형 **6** (1) either chicken or pizza

(2) both the violin and the piano

서술형 **7** to jog → jogging

서술형 **8** (1) Do you know when this class ends?

(2) I don't know if〔whether〕he returned the book.

서술형 **9** Who do you guess will become the next president?

서술형 **10** (1) baby geese always followed their mother

(2) they saw her first

01 첫 번째 빈칸에는 '~인지 아닌지'라는 의미로 명사절을 이끄는 if나 whether를 쓸 수 있고, 두 번째 빈칸에는 '만약 ~한다면'이라는 의미로 조건의 부사절을 이끄는 if를 써야 한다.

〔해석〕 • 나는 불을 껐는지 기억나지 않는다.

• 우리가 다시 늦는다면, 선생님은 화가 나실 것이다.

02 ④ '해가 비치고 있지만, 바깥이 그리 덥지는 않다.'라는 의미가 자연스러우므로 양보를 나타내는 접속사 though, although, even though 등이 알맞다.

〔해석〕 ① 그는 스무 살이었을 때 이후로 혼자 살고 있다.

② 너는 먼저 숙제를 끝내지 않는다면 나갈 수 없다.

③ 소스가 타지 않도록 계속 저어라.

⑤ 이 선생님은 제일 어리지만 가장 좋은 선생님이다.

03 (A)에는 '~하는 동안'이라는 의미의 While이 알맞고, (B)에는 이유를 나타내는 As, (C)에는 양보를 나타내는 Though가 알맞다.

〔해석〕 • 아기가 자고 있는 동안 엄마는 점심을 요리했다.

• 비가 많이 내리고 있어서 우리는 집에 머무는 것이 좋겠다.

• 그녀는 많은 돈을 벌지는 못하지만 그녀의 직업에 만족한다.

04 ⑤는 '언제'라는 의미를 나타내는 의문사이고, 나머지는 모두 '~할 때'라는 의미로 시간을 나타내는 부사절을 이끄는 접속사로 쓰였다.

〔해석〕 ① 내 다리를 만질 때 아프다.

② 더울 때 나는 수영을 하러 간다.

③ 너는 한가할 때 무엇을 하니?

④ 우리가 밖으로 나왔을 때, 비가 오고 있었다.

⑤ Jane은 사고가 언제 일어났는지 기억하지 못한다.

05 상관접속사가 연결하는 A와 B는 문법적으로 동등한 형태여야 한다. not only 다음에 to부정사가 쓰였으므로 but also 다음에도 to부정사를 쓴다.

〔해석〕 그는 목표를 달성하기 위해서 뿐만 아니라 그의 부모님을 기쁘게 하기 위해서 열심히 공부했다.

06 ④ 「in order to+동사원형」은 '~하기 위해서'라는 의미로 목적을 나타내므로 접속사 so that으로 바꿔 쓸 수 있다.

[해석] 나는 입학 시험에 합격하기 위해서 최선을 다했다.

07 'A도 B도 아닌'이라는 의미를 나타낼 때는 neither A nor B를 쓴다. 이미 부정의 의미를 포함하고 있으므로 not을 쓸 필요가 없다.

08 간접의문문의 의문사가 문장의 맨 앞에 쓰였으므로 think, guess, believe, imagine 등의 동사를 쓸 수 있다.

09 ⓒ B as well as A가 주어로 쓰인 경우, 동사는 B에 일치시키므로 올바른 문장이다.

[해석] ⓐ Peter와 Erin 중 한 명이 거기에 가야 한다.
ⓑ Mike뿐만 아니라 그의 여동생도 노래를 잘한다.
ⓒ 우리뿐만 아니라 Ron도 주말마다 캠핑을 간다.
ⓓ Amy도 그녀의 친구들도 영화 보는 것을 좋아하지 않는다.
ⓔ 내 남동생과 Eric 둘 다 기타 치는 것을 즐긴다.

10 ③ because는 이유를 나타내는 부사절을 이끌기 때문에 wonder의 목적어로 쓸 수 없다.

서술형 1 (1) 상반되는 내용을 연결할 때는 양보를 나타내는 접속사 though를 쓴다.
(2) '~하는 동안'이라는 의미를 나타낼 때는 접속사 while을 쓴다.

[해석] (1) 그는 어리지만, 항상 어려운 사람들을 돕는다.
(2) 나는 숙제를 했다. 내 남동생은 그때 책을 읽고 있었다.

서술형 2 since는 '~이래로'라는 의미로 시간의 부사절을 이끌기도 하고, '~ 때문에'라는 의미로 이유의 부사절을 이끌기도 한다.

서술형 3 (1) unless는 '~하지 않으면'이라는 의미로 not과 함께 쓰지 않는다.
(2) when이 시간의 부사절을 이끌고 있으므로 미래시제 대신 현재시제를 쓴다.

[해석] (1) 내일 비가 오지 않으면 나는 자전거를 타러 갈 것이다.
(2) 그는 집에 도착하면 너에게 전화할 것이다.

서술형 4 (1) not only A but also B는 B as well as A로 바꿔 쓸 수 있다.
(2) if ~ not은 '만약 ~하지 않으면'이라는 의미의 unless로 바꿔 쓸 수 있다.

[해석] (1) 그녀는 배우일 뿐만 아니라 영화감독이다.
(2) 만약 네가 교통 규칙을 따르지 않으면 사고가 날 수 있다.

서술형 5 so that은 '~하기 위해서'라는 의미로 목적을 나타내는 접속사이다.

서술형 6 'A나 B 둘 중 하나'는 either A or B를 쓰고, 'A와 B 둘 다'는 both A and B로 나타낸다.

서술형 7 상관접속사가 연결하는 A와 B의 문법적 형태는 동일

해야 한다. enjoy는 동명사만을 목적어로 취할 수 있다.

[해석] 지호는 건강에 좋은 음식을 먹는 것뿐만 아니라 매일 조깅하는 것을 즐긴다.

서술형 8 간접의문문은 의문사가 있는 경우 「의문사+주어+동사」의 어순으로 쓰고, 의문사가 없는 경우에는 「if〔whether〕+주어+동사」의 어순으로 쓴다.

서술형 9 주절이 think, guess, believe, imagine 등의 동사가 쓰인 의문문일 경우에는 의문사를 문장의 맨 앞에 쓴다.

서술형 10 (1) 의문사가 있는 간접의문문이므로 「의문사+주어+동사」의 어순으로 쓴다.
(2) 이유를 나타내는 부사절이므로 새끼 거위들이 어미를 따라다니는 이유를 쓴다.

[해석] Tom은 엄마 거위와 새끼 거위들을 키웠다. 그는 새끼 거위들이 그들의 엄마를 따라가는 것을 봤을 때 의문이 생겼다. "왜 새끼 거위들이 항상 그들의 엄마를 따라다니지?" 그는 그 답을 찾기로 결심했다. 그는 새로운 새끼 거위들이 알에서 부화할 때 그들을 관찰했다. 그들은 처음 Tom을 봤고 그를 따르기 시작했다.
→ Tom은 왜 새끼 거위들이 항상 그들의 엄마를 따라다니는지 궁금했고 새끼 거위들이 그녀를 처음 봤기 때문에 그들의 엄마를 따라다닌다는 것을 배웠다.

제 2 회 누적 TEST pp.109~110

01 ⑤　**02** ④　**03** ⑤　**04** ④　**05** ③
06 ③　**07** ④　**08** ②

09 (1) is being built by my father
(2) was covered with snow

10 ⓑ → Not having enough time, I couldn't have dinner.

11 with the TV turned on

12 Mr. Johnson always uses easy English so that students can understand him.

13 (1) not as tall as　(2) the tallest student of

14 (1) Tom and Sue like cooking
(2) Tom nor Sue likes math

15 (1) is much bigger than　(2) is twice as old as
(3) is three times heavier than

01 첫 번째 문장은 남동생이 태어난 것이므로 수동태로 쓰고, 시제가 과거이므로 be동사의 과거형을 쓴다. 두 번째 문장은 운동화가 세탁되는 것이므로 수동태로 쓴다.

[해석] • 내 남동생은 작년에 태어났다.
• 그의 운동화는 매달 그의 엄마에 의해 세탁된다.

02 if ~ not은 '~하지 않으면'이라는 의미의 unless로 바꿔 쓸 수 있다.

해석 필요하지 않으면 늦게 그에게 전화하지 마라.

03 I want to know what country he is from.이므로 접속사 whether는 쓰이지 않는다. whether는 의문사가 없는 의문문을 간접의문문으로 만들 때 사용한다.

04 ⓐ, ⓑ, ⓓ는 모두 세리가 학급에서 가장 성실하다는 의미를 나타낸다. ⓒ는 세리가 다른 학생들만큼 성실하지 않다는 의미를 나타낸다.

해석 ⓐ 세리는 반의 어떤 다른 학생보다 더 성실하다.

ⓑ 반의 어떤 다른 학생도 세리만큼 성실하지 않다.

ⓒ 세리는 반의 다른 학생들만큼 성실하지 않다.

ⓓ 세리는 반에서 가장 성실한 학생이다.

05 「one of the+최상급+복수명사」 구문이므로 authors가 되어야 한다.

해석 ① 오늘은 어제보다 훨씬 더 덥다.

② 가능한 한 자주 손을 씻어라.

③ 그는 세계에서 가장 유명한 작가 중 하나이다.

④ 네가 비행기표를 더 빨리 살수록 돈을 덜 낸다.

⑤ 책이 매년 점점 더 비싸지고 있다.

06 ③은 주어가 감정을 느끼는 것이므로 과거분사형을 쓰고, 나머지는 모두 현재분사형을 쓴다.

해석 ① 이 소설은 정말 감동적이다.

② 그 결과는 실망스러웠다.

③ 학생들은 방과 후에 피곤했다.

④ 선생님의 이야기는 흥미로웠다.

⑤ 그는 당황하게 하는 질문을 했다.

07 부사절을 분사구문으로 바꿀 때는 접속사와 주어를 삭제하고 동사를 현재분사형으로 바꾼다.

해석 그는 바빠서 우리와 함께 캠핑을 갈 수 없었다.

08 ⓐ buy는 간접목적어를 주어로 하여 수동태를 만들 수 없는 동사이다.

ⓒ cook은 수동태로 쓸 때 간접목적어 앞에 for를 쓰는 동사이다.

ⓓ 사역동사의 수동태에서는 목적격보어가 to부정사로 바뀐다.

09 (1) 진행형 수동태는 「be동사+being p.p.」의 형태로 쓴다.

(2) '~로 덮여 있다'를 나타낼 때는 be covered with를 쓴다.

10 ⓑ 분사구문의 부정은 부정어 not을 분사 앞에 쓴다.

해석 ⓐ 화가 나서 그는 문을 걷어찼다.

ⓑ 시간이 충분하지 않아서 나는 저녁을 먹을 수 없었다.

ⓒ 외국인이지만 그는 한국에서 편안함을 느낀다.

11 'TV를 켠 채로'라는 의미를 나타낼 때는 with the TV

turned on을 쓴다.

12 접속사 so that은 '~하기 위해서, ~하도록'이라는 의미로 목적을 나타낸다.

13 (1) 인호는 수빈이보다 키가 크지 않으므로 「not as+원급+as」를 쓴다.

(2) 수빈이는 셋 중에 가장 키가 크므로 최상급을 쓴다.

14 both A and B는 'A와 B 둘 다'를 의미하고, neither A nor B는 'A도 B도 아닌'이라는 의미를 나타낸다. both A and B가 주어로 쓰일 때는 복수동사를 쓰고, neither A nor B가 주어로 쓰일 때는 동사를 B에 일치시킨다.

15 (1) 비교급을 강조하는 much는 비교급 앞에 쓴다.

(2) Milky가 Coco보다 두 배 더 나이가 많으므로 「배수사+as+원급+as」를 쓴다.

(3) Coco가 Milky보다 세 배 더 무거우므로 「배수사+비교급+than」을 쓴다.

해석 나는 Milky와 Coco, 두 마리 개가 있다. Coco는 Milky보다 훨씬 더 크다. Milky는 Coco의 두 배만큼 나이가 많다. Coco는 Milky보다 세 배 더 무겁다. 그들은 매우 달라 보이지만, 좋은 친구이다.

CHAPTER **09** 관계사 Ⅰ

Unit 1 관계대명사의 종류

✔ 바로 개념 확인하기   p.113

A 1 목적격   2 주격   3 목적격   4 소유격

B 1 whose   2 are   3 is

C 1 whose name is   2 a friend who(that) is

3 that I like

서술형 기본 유형 익히기   pp.113~114

1 a girl who wants to be a painter

2 the singer whom she likes most

3 The books which I bought yesterday are

4 a country whose history is very long

5 the movie you saw last weekend

6 like the story which(that) you wrote

7 The boys who(that) are playing with a dog are

8 helped the family whose dog was lost

9 which(that) I saw last night is about a genius scientist

10 who → whose   11 was → were

12 is → are

13 (which(that)) we caught yesterday

14 who(that) lives next door

15 whose father is a famous chef

Unit 2   that, what, 계속적 용법

✔ 바로 개념 확인하기   p.116

A   1 that   2 what   3 which

B   1 what   2 that   3 what   4 is

C   1 who   2 which   3 which   4 who

서술형 기본 유형 익히기   pp.116~117

1 the only movie that I saw

2 What she told her parents was

3 what we learned in class

4 the first thing that you do

5 which was the capital of Silla

6 are → is   7 what → that(which)

8 that → who   9 which → that

10 everything that he knew

11 What he needed was

12 who is a famous American writer

13 what I wanted to give you

14 were late for PE class, which started

15 Mr. Brown, who taught English to me

기출에서 뽑은 난이도별 서술형 문제   pp.118~119

01 (1) which had (2) whose car

02 (1) What he told me was really shocking.

(2) showed me what she bought at the mall

03 (1) a cat which(that) was sleeping on the sofa

(2) a boy and a dog that were playing together

04 (1) was (2) is

05 (1) who works at the zoo, is my best friend

(2) who works at the zoo is my best friend

06 (1) which(that) Danny took in Busan

(2) whose parents are doctors

07 (1) This is different from what I expected.

(2) I will ask Jane, who knows a lot about Korean songs.

08 is → are

09 (1) The red car was the only thing that we saw there.

(2) I went to Kelly's birthday party, which was fun.

10 ⓔ → that

함정이 있는 문제

01 are, are

02 that → what

03 which made me tired

01 (1) 선행사가 a book으로 사물이므로 관계대명사 which를 쓴다.

(2) 관계대명사가 소유격 역할을 하므로 whose를 쓴다.

02 관계대명사 what은 '~하는 것'이라는 의미로 선행사를 포함하고 있고, 문장에서 주어나 목적어로 쓰일 수 있다.

03 선행사가 동물일 때는 관계대명사 which나 that을 쓰고, 사람과 동물일 때는 that을 쓴다.

04 (1) 주격 관계대명사절 내의 동사는 선행사의 인칭과 수에 일치시킨다.

(2) 선행사가 주어로 쓰인 경우, 주절의 동사는 선행사에 일치시킨다.

해석 (1) 이것이 네 남동생이 쓴 그 책이니?

(2) 안경을 쓰고 있는 그 남자아이는 친절하다.

05 계속적 용법은 관계대명사 앞에 콤마(,)를 쓰고, 선행사에 대해 추가 설명을 할 때 쓴다.

06 (1) The pictures를 지칭하는 목적어 them을 대신하는 목적격 관계대명사 which나 that을 쓴다.

(2) 소유격 Her를 대신하는 소유격 관계대명사 whose를 쓴다.

07 (1) the thing which는 관계대명사 what으로 바꿔 쓸 수

있다.

(2) 부가적인 설명을 덧붙이는 경우에는 관계대명사 앞에 콤마(,)를 쓴다.

해석 (1) 이것은 내가 기대했던 것과 다르다.

(2) 나는 Jane에게 물어볼 것인데, 그녀는 한국 노래에 대해 많은 것을 알고 있다.

08 선행사인 The men이 문장의 주어로 쓰였으므로 문장의 동사는 복수동사를 써야 한다.

해석 이 마을에 사는 남자들은 매우 친절하다.

09 (1) 선행사에 the only가 있으므로 관계대명사 that을 쓴다.

(2) 계속적 용법은 관계대명사 앞에 콤마(,)를 쓰고, 선행사가 사람이 아니므로 which를 쓴다.

10 ⓔ는 앞에 something이라는 선행사가 있으므로 관계대명사 that을 써야 한다.

해석 우리는 주로 우리가 기억하는 것이 실제로 일어났던 것이라고 믿는다. 하지만, 이것이 항상 사실은 아니다. 우리는 쉽게 우리가 본 것을 잊는다. 또한, 우리가 기억하는 것은 때때로 단지 우리가 상상했던 무언가이다.

함정이 있는 문제

01 **해석** 무대 위에서 춤추고 있는 여자아이들은 내 학급친구들이다.

02 **해석** 그들은 내가 알고 싶어 했던 것을 나에게 말하지 않았다.

03 **해석** 나는 지난밤에 잠을 잘 잘 수 없었다. 그것이 나를 피곤하게 만들었다.

시험에 강해지는 실전 TEST pp.120~122

01 ③	02 ④	03 ④	04 ⑤	05 ⑤
06 ①	07 ⑤	08 ②	09 ⑤	10 ①, ④

서술형 1 (1) whose dream is to be a webtoon artist

(2) who(that) is from Australia is very nice

서술형 2 (1) What you do today can change the world.

(2) Can I read the poem you wrote at school?

서술형 3 (1) who → whose (2) who → that

서술형 4 (1) who(that) is playing the piano

(2) who(m)(that) John is talking with

서술형 5 ⓐ what ⓑ that(which) ⓒ that(which)

서술형 6 (1) What you heard yesterday is true.

(2) He ate everything that she cooked.

서술형 7 whose name is Mini

서술형 8 He decided to eat a lot of vegetables, which was a good idea.

서술형 9 which

서술형 10 whom I met in the library yesterday, teaches science

01 주격 관계대명사는 관계대명사절 안에서 주어 역할을 하며 선행사를 수식한다. 선행사가 the dog이므로 which를 쓴다.

02 (A)에는 선행사를 포함하는 관계대명사 what이 들어가고, (B)에는 목적격 관계대명사 which나 that이 들어가야 한다. (C)에는 '엄마의 전공'이라는 의미가 되어야 하므로 소유격 관계대명사 whose가 들어가야 한다.

해석 • 제 아들이 당신에게 했던 것에 죄송합니다.

• 그가 잡은 물고기는 매우 컸다.

• 나의 엄마는 전공이 음악인데, 아이들에게 피아노 치는 법을 가르치신다.

03 ④ 목적격 관계대명사는 생략할 수 있다.

해석 ① 심각하게 다친 그 개를 봤니?

② 너는 네 삶에 중요한 것을 알아야 한다.

③ 그녀는 TV 방송국에서 일하는 친구가 있다.

④ 네가 극장에서 본 가장 최근 영화가 뭐니?

⑤ 나는 엄마가 수학 선생님인 한 남자아이를 만났다.

04 계속적 용법은 관계대명사 앞에 콤마(,)를 쓰고, 선행사가 사물이므로 which를 쓴다.

해석 우리는 비엔나를 방문했고, 그곳은 음악의 도시로 알려져 있다.

05 ⑤는 명사절을 이끄는 접속사로 쓰였고, 나머지는 모두 관계대명사로 쓰였다.

해석 ① 그녀는 내가 TV에서 봤던 의사이다.

② 이것은 엄마가 만든 그 가방이다.

③ 많은 주머니가 있는 내 배낭은 매우 유용하다.

④ 이것은 내가 가 본 중에 최고의 멕시코 음식점이다.

⑤ 내 아들은 항상 학교생활이 신난다고 말한다.

06 첫 번째 문장에는 선행사가 사람이고 목적격이므로 who(m) 또는 that을 써야 한다. 두 번째 문장은 빈칸 앞에 콤마(,)가 있으므로 계속적 용법이고 주격 관계대명사를 써야 하므로 who가 알맞다.

해석 • 나는 런던에서 만난 남자아이와 함께 영어를 공부했다.

• C. S. Lewis는 많은 어린이 책을 썼는데, 전 세계적으로 유명하다.

07 ⑤ 선행사 the woman이 있으므로 목적격 관계대명사 who(m) 또는 that을 쓴다. 나머지에는 모두 선행사를 포함하는 관계대명사인 what이 들어가야 한다.

해석 ① 어린이들은 그들이 하고 싶은 것만 한다.

② 그 아이들은 그녀가 그들을 위해 가져온 것을 사랑했다.

③ 이 퀴즈 쇼는 우리 가족이 매주 보는 것이다.

④ 이것들은 우리가 삶에서 성공하기 위해 따라야 하는 것이다.

⑤ Tom이 파티에 초대했던 그 여자의 이름이 뭐니?

08 ⓑ the news가 선행사이므로 what → which(that)

ⓒ 주어가 The boy이므로 주절의 동사 are → is

해석 ⓐ 이것은 지난주에 내가 산 자전거이다.

ⓑ 너는 그가 우리에게 말했던 뉴스를 믿을 수 있니?

ⓒ 빨간 운동화를 신은 남자아이는 Nick이다.

ⓓ 그 문제를 푼 첫 번째 학생은 누구였니?

09 ⑤ 계속적 용법일 때는 관계대명사 that을 쓸 수 없다.

해석 ① 그는 토핑이 많은 피자를 좋아한다.

② 이것은 내가 찾고 있었던 바로 그 책이다.

③ 이것은 나의 할머니가 연주하곤 하셨던 피아노이다.

④ 우리가 지난밤에 봤던 그 남자와 그 말이 지금 여기에 있다.

⑤ Ann은 내 여동생과 함께 같은 학교를 다녔는데, 어제 나에게 전화를 했다.

10 ⓐ 앞에 선행사가 없으므로 선행사를 포함하는 관계대명사 what을 써야 한다.

ⓑ 선행사가 -thing으로 끝나므로 관계대명사 that을 써야 한다.

해석 ⓐ Tim은 오늘 그가 한 것에 대해 행복을 느꼈다.

ⓑ 여기에 전시된 무엇이든지 만지지 마라.

서술형 1 (1) 소유격 Her를 대신하는 소유격 관계대명사 whose를 쓴다.

(2) 주어 He를 대신하는 주격 관계대명사 who나 that을 쓴다.

서술형 2 (1) 선행사를 포함하는 관계대명사 what이 주어로 쓰인 문장이 되도록 배열한다.

(2) 목적격 관계대명사 which(that)가 생략되어 있는 문장이므로 선행사 다음에 관계대명사절의 주어가 오도록 배열한다.

서술형 3 (1) '그 소녀의 머리카락'이라는 의미이므로 소유격 관계대명사 whose를 써야 한다.

(2) 선행사에 사람과 동물이 같이 있을 때는 관계대명사 that을 쓴다.

해석 (1) 그는 머리가 금발인 그 여자아이를 좋아한다.

(2) 길을 건너고 있는 시각 장애인과 그의 개를 봐라.

서술형 4 (1) '피아노를 치고 있는 여자아이'이므로 주격 관계대명사 who 또는 that을 쓴다.

(2) 'John이 이야기하고 있는 남자'이므로 목적격 관계대명사 who(m) 또는 that을 쓴다.

서술형 5 ⓐ에는 선행사가 없으므로 선행사를 포함하는 관계대명사 what을 써야 한다. ⓑ, ⓒ에는 각각 선행사 The food, the vitamins가 있고 이어지는 절에 목적어가 없으므로 목적격 관계대명사 that이나 which를 써야 한다.

해석 너의 몸은 네가 필요한 것을 안다. 네가 먹고 싶은 음식은 네 몸이 필요로 하는 비타민을 가지고 있을지도 모른다.

서술형 6 (1) 관계대명사 what은 '~하는 것'이라는 의미로 명사절을 이끈다.

(2) 선행사가 everything일 때는 관계대명사 that을 쓴다.

서술형 7 소유격 관계대명사는 관계대명사절 안에서 명사의 소유격 역할을 하며 whose를 쓴다.

해석 A Donald는 애완동물이 있니?

B 응, 그는 개 한 마리가 있어. 그 개의 이름은 Mini야.

서술형 8 It은 앞 문장 전체를 가리키므로 앞 문장 전체를 선행사로 하는 계속적 용법의 관계대명사 which를 쓴다.

해석 그는 많은 야채를 먹기로 결심했다. 그것은 좋은 생각이었다.

서술형 9 첫 번째 빈칸에는 선행사가 사물인 주격 관계대명사 which나 that을 쓸 수 있다. 두 번째와 세 번째 빈칸에는 계속적 용법이므로 관계대명사 which를 쓴다.

해석 다른 언어에서 온 많은 영어 단어들이 있다. 예를 들면, 샴푸는 원래 "마사지하다"라는 의미인데, 실제로 힌디어이다. 유사하게, 케첩은 전 세계 사람들이 감자튀김에 부어 먹는 것을 좋아하는데, 원래 중국어이다.

서술형 10 Brown 선생님에 대한 추가 설명을 하고 있으므로 계속적 용법으로 쓰고 목적격 관계대명사 whom을 써야 한다.

Unit 1 전치사＋관계대명사, 관계부사

✔ 바로 개념 확인하기   p.125

A 1 ②   2 ①   3 ③
B 1 where   2 when   3 why   4 how
C 1 on which   2 on which   3 for which

서술형 기본 유형 익히기   pp.125~126

1 the reason why he didn't come
2 the song to which you are listening
  또는 the song which you are listening to
3 The girl whom they are waiting for
  또는 The girl for whom they are waiting
4 the place where I used to play soccer
5 The girl you are looking at
6 the day on which the incident happened
  the day when the incident happened
7 at which my parents first met
  where my parents first met
8 the reason for which you didn't call me
  the reason why you didn't call me
9 that → whom
10 how → when
11 the way how → the way 또는 how
12 where → which 또는 stayed in → stayed
13 to whom Jane spoke
14 a restaurant where you can have
15 the girl Sam is singing with

Unit 2 복합관계사

✔ 바로 개념 확인하기   p.128

A 1 네가 어느 것을 선택하든지
   2 이 영화를 볼 때는 언제나   3 집에 가고 싶은 누구든지

B 1 whatever   2 is   3 However rich he is
C 1 Anyone who   2 No matter what
   3 No matter where

서술형 기본 유형 익히기   pp.128~129

1 Whatever he wants to do
2 Whoever sees this
3 Wherever he goes
4 however difficult it is
5 Whoever you are
6 Who → Whoever
7 whatever → whenever
8 however it is cheap → however cheap it is
9 Whoever finishes first
10 whatever you say
11 however hard he tried
12 whenever we are ready
13 wherever she goes
14 However tired you are
15 Whatever he says

기출에서 뽑은 난이도별 서술형 문제   pp.130~131

01 (1) to whom I spoke
   (2) for which Dad is looking
02 (1) that → which (2) who → whom
03 (1) where I can read a book
   (2) why you were absent
04 (1) when Dad brought a puppy home
   (2) why he got angry
05 whenever I visit New York
06 (1) in which I study (2) where I study
07 (1) Is that the factory where they are working?
   (2) We don't know the reason why he left.
08 (1) This is the house where he has lived for ten years.
   (2) I still remember the day when we first met each other.
09 (1) Whoever wants them
   (2) No matter what you choose

10 (1) however cheap they are

(2) wherever you want

함정이 있는 문제

01 whom I wrote in my letter

02 the town which my father was born in

또는 the town in which my father was born

03 However tired she is

---

01 관계대명사가 전치사의 목적어인 경우 전치사를 관계대명사 앞에 쓸 수 있다. 전치사를 관계대명사 앞에 쓰는 경우에는 관계대명사 who나 that을 쓸 수 없다.

02 (1) 관계대명사 that을 쓴 경우에는 전치사를 관계대명사 앞에 쓸 수 없다.

(2) 전치사를 관계대명사 앞에 쓴 경우에는 목적격 관계대명사로 who를 쓸 수 없다.

03 선행사가 장소인 경우는 관계부사 where를 쓰고, 이유인 경우는 why를 쓴다.

04 「전치사+관계대명사」는 관계부사로 바꿔 쓸 수 있다. 선행사가 시간일 때는 관계부사 when, 이유일 때는 why를 쓴다.

해석 (1) 그날은 아빠가 집에 강아지 한 마리를 데려왔던 내 생일이었다.

(2) 나는 그가 화가 난 이유를 모르겠다.

05 at any time when은 '~할 때는 언제나'라는 의미로 whenever로 바꿔 쓸 수 있다.

해석 내가 뉴욕을 방문할 때는 언제나 그의 집에 머문다.

06 장소를 나타내므로 전치사는 in을 쓰고, 관계부사는 where를 쓴다.

07 선행사가 장소인 경우는 관계부사 where를 쓰고, 이유인 경우는 why를 쓴다.

08 선행사가 장소인 경우는 관계부사 where를 쓰고, 시간인 경우는 when을 쓴다.

09 (1) '그것을 원하는 사람은 누구든지'의 의미가 되도록 복합관계대명사 whoever를 쓴다.

(2) '무엇을 고르든지'라는 의미가 되도록 no matter what을 쓴다.

해석 (1) A 이 책들은 공짜예요. 그것들을 원하는 누구든지 그것들을 가져갈 수 있어요.

B 와! 저에게 하나 주세요.

(2) A 네가 무엇을 고르든지, 나는 그것을 너를 위해 사 줄 거야.

B 고마워요, 아빠!

10 (1) '아무리 싸더라도'의 의미이므로 복합관계부사 however를 쓰고, however 다음에는 형용사나 부사를 쓴다.

(2) '원하는 어디든지'의 의미이므로 복합관계부사 wherever를 쓴다.

해석 (1) 아무리 싸더라도, 너에게 필요하지 않은 것을 사지 마라.

(2) 너는 네가 원하는 어디든지 앉을 수 있다.

함정이 있는 문제

01 해석 이 사람은 내가 편지에 썼던 그 여자아이다.

시험에 강해지는 **실전 TEST**   pp.132~134

01 ③   02 ②, ③   03 ③   04 ①, ②   05 ⑤

06 ⑤   07 ⑤   08 ④   09 ⑤   10 ②

서술형 1 (1) about whom you often talk

(2) at which Kevin works

서술형 2 (1) in which he was interested

(2) with whom I share my house

(3) to which we went yesterday

서술형 3 (1) why you were late

(2) when I take a vacation

서술형 4 (1) where, which(that) (2) when, which

서술형 5 the way how → the way 또는 how

선행사 the way와 관계부사 how는 함께 쓰지 않는다.

서술형 6 (1) which(that) my father visits every year

(2) where my father reads books every day

서술형 7 Whoever finishes the project will win the prize.

서술형 8 (1) anything that (2) No matter what

서술형 9 However easy the problem looks, you should think carefully.

서술형 10 (1) simple words whenever you speak

(2) whoever is in the room can hear you

---

01 선행사가 이유인 경우에는 관계부사 why를 쓰고, 장소인 경우에는 where를 쓴다. 관계사절이 완전한 구조이므로 관계대명사는 쓸 수 없다.

해석 • 나는 그가 나에게 그 꽃을 준 이유를 모르겠다.

• 이곳은 내 아들이 태어난 병원이다.

02 선행사가 the park로 장소이므로 관계부사 where나 in which를 쓸 수 있다.

03 ③ 선행사 the house가 장소이므로 관계부사 where를 써야 한다.

해석 ① 아무도 그가 오지 않았던 이유를 모른다.

② 이것은 나의 엄마가 이 김치를 만든 방법이다.

③ 나는 어린 시절을 보냈던 그 집으로 이사했다.

④ 너는 기차가 도착하는 정확한 시간을 아니?

⑤ 그녀는 처음으로 그를 만났던 장소를 기억한다.

04 방법을 나타내는 관계부사 how는 선행사 the way와 함께 쓰지 않는다.

[해석] 너는 그가 그 일을 그렇게 빨리 끝낼 수 있었던 <u>방법</u>을 아니?

05 ⑤ ⓒ는 관계대명사가 목적어 역할을 하므로 take care of의 목적어인 them을 없애야 한다.

[해석] ⓐ 이것은 내가 너에게 말했던 책이다.
ⓑ 세훈이는 내가 찾고 있던 남자아이다.
ⓒ 이것들은 지금부터 네가 돌봐야 하는 식물들이다.

06 '아무리 ~해도'라는 의미의 복합관계부사 however는 「however+형용사+주어+동사」의 어순으로 쓴다.

07 no matter where는 복합관계부사 wherever로 바꿔 쓸 수 있다.

[해석] 네가 어디를 가든지, 그는 너를 따라갈 것이다.

08 l보기와 ④의 whatever는 양보의 부사절로 쓰였고, 나머지는 모두 명사절로 쓰였다.

[해석] l보기 그 결정이 무엇이든지, 나는 그것을 존중할 것이다.
① 우리는 우리가 원하는 무엇이든 할 수 있다.
② 나의 가족은 내가 요리한 무엇이든지 좋아한다.
③ 그녀가 말한 무엇이든 전혀 사실이 아니다.
④ 네가 무엇을 하기를 원하든지, 나는 너를 지지할 것이다.
⑤ 그 부유한 남자는 그가 원하는 무엇이든지 살 수 있다.

09 첫 번째에는 선행사가 시간이므로 관계부사 when, 두 번째에는 선행사가 이유이므로 관계부사 why, 세 번째에는 선행사가 miss의 목적어이므로 관계대명사 which 또는 that, 네 번째에는 전치사 in이 있으므로 관계대명사 which가 들어가야 한다.

[해석] • 그녀의 생일은 내가 결혼했던 날이다.
• 나는 그녀가 그녀의 직장을 그만둔 이유를 안다.
• 한국은 Bill이 항상 그리워하는 나라이다.
• 너는 네가 자란 마을을 기억하니?

10 ⓐ 전치사를 관계대명사 앞에 쓴 경우에는 관계대명사를 생략할 수 없다.
ⓒ 관계부사는 부사구를 대신하기 때문에 관계부사절에는 전치사를 쓸 수 없다.
ⓔ 관계대명사 that을 쓴 경우에는 전치사를 관계대명사 앞에 쓸 수 없다.

[해석] ⓐ 그녀가 보고 있는 그림은 아름다웠다.
ⓑ 내가 함께 일하는 남자는 매우 다정하다.
ⓒ 나는 내 조부모님이 사시는 도시를 방문할 것이다.
ⓓ 그는 내가 막 앉으려던 의자에 앉았다.

ⓔ Tom은 그의 누나가 졸업한 대학에 다닌다.

서술형 1 전치사를 관계대명사 앞에 쓰는 경우 관계대명사 whom과 which만 쓸 수 있다.

서술형 2 전치사를 관계대명사 앞에 쓰는 경우, 관계대명사는 whom과 which만 쓸 수 있다.

서술형 3 (1) 선행사가 이유이므로 관계부사 why로 바꾼다.
(2) 선행사가 the month로 시간이므로 관계부사 when으로 바꾼다.

[해석] (1) 네가 늦은 이유를 나에게 말해라.
(2) 12월은 내가 휴가를 가는 달이다.

서술형 4 (1) 첫 번째 문장은 선행사가 관계사절의 부사구이므로 장소를 나타내는 관계부사 where를 써야 하고, 두 번째 문장은 선행사가 관계사절의 목적어이므로 관계대명사 which나 that을 써야 한다.
(2) 첫 번째 문장은 관계사절의 전치사가 없으므로 관계부사 where를 쓰고, 두 번째 문장은 빈칸 앞에 전치사가 있으므로 관계대명사 which를 써야 한다.

서술형 5 [해석] 내가 그 프린터를 고쳤던 방법을 너에게 보여 줄게.

서술형 6 (1) visit는 목적어가 필요한 타동사이므로 목적격 관계대명사 which(that)를 쓴다.
(2) 선행사가 관계사절의 부사구이므로 관계부사 where를 쓴다.

서술형 7 whoever는 '~하는 누구든지'의 의미로 명사절을 이끈다.

서술형 8 복합관계대명사 whatever는 '~하는 무엇이든지'를 뜻하는 명사절을 이끌면 anything that으로, '무엇이[을] ~할지라도'를 뜻하는 양보 부사절을 이끌면 no matter what으로 바꿔 쓸 수 있다.

[해석] (1) 그들은 네가 결정하는 무엇이든 따를 것이다.
(2) 사람들이 뭐라고 말했든, 그녀는 그녀의 꿈을 포기하지 않았다.

서술형 9 however 다음에는 형용사나 부사가 바로 나와 '아무리 ~하더라도'라는 의미를 나타낸다.

[해석] 그 문제가 아무리 쉬워 보여도, 너는 주의 깊게 생각해야 한다.

서술형 10 '~할 때마다'라는 의미를 나타낼 때는 whenever를 쓰고, '~하는 누구든지'라는 의미를 나타낼 때는 whoever를 쓴다.

[해석] 너는 훌륭한 화자가 되고 싶니? 여기에 몇 가지 조언이 있다. 천천히 그리고 정확히 말해라. 말할 때마다 단순한 단어들을 사용해라. 너의 청중들이 네가 말했던 것을 생각할 수 있도록 몇 초 동안 쉬어라. 방 안에 있는 누구든지 당신의 목소리를 들을 수 있는지 확인해라. 이 간단한 것들을 따른다면, 너는 좋은 연설을 할 것이다.

CHAPTER 11 가정법

Unit 1 가정법 과거

✔ 바로 개념 확인하기   p.137

A   1 가정법   2 조건문   3 가정법

B   1 were   2 might be   3 lived
    4 would buy

C   1 am, can't play   2 don't have, can't go

서술형 기본 유형 익히기   pp.137~138

1 had, would learn   2 saw, would take
3 were not, would leave
4 were, would be
5 didn't have, could watch
6 If he were you, wouldn't do
7 If I were the teacher, would give
8 If she had, might put
9 If they lived closer, we would see
10 If we knew the password, could open the door
11 If they had, they might win
12 If he were, could make friends
13 will → would
14 knows → knew   15 have → had

Unit 2 가정법 과거완료

✔ 바로 개념 확인하기   p.140

A   1 had practiced   2 had had
    3 have solved

B   1 had not made, have won
    2 had cleaned, have been

C   1 If it had snowed yesterday
    2 If I lived near the beach
    3 If she had worn a coat

서술형 기본 유형 익히기   pp.140~141

1 had been, have spent
2 had come, have seen
3 had listened, would not have been
4 had not fallen, would not have broken
5 had had, have finished
6 If he had run, would have caught
7 had been quiet, wouldn't have woken up
8 he had called, would have been
9 had not come late, might have met
10 arrive → have arrived
11 were → had been
12 had → had had
13 had not been busy, could have come
14 had practiced, would have won
15 had not rained, could have played

Unit 3 I wish 가정법, as if 가정법

✔ 바로 개념 확인하기   p.143

A   1 were   2 had not been   3 were
    4 had not slept

B   1 I don't have my own room.
    2 It rained heavily yesterday.
    3 Judy isn't a superstar.

C   1 were   2 had passed   3 had been

서술형 기본 유형 익히기   pp.143~144

1 wish I could meet you
2 wish you had come
3 wish it were sunny
4 talks as if she had seen
5 act as if they had done nothing
6 I could go shopping
7 I had told my parents
8 I had been there
9 as if she had lived in Japan

10 as if she were my close friend

11 as if he had been in class

12 have → had   **13** is → were

14 went → had gone   **15** has → had

---

01 (1) had (2) became

02 (1) had known, would have joined
(2) had invited, would have gone

03 (1) If he were not sick, could go
(2) If I were tall, could be
(3) If I had enough money, could buy

04 (1) wish I went to school only three times a week
(2) wish you had told them about it

05 (1) she were a teacher
(2) he had seen the accident

06 (1) liked, would go
(2) had been, would have sent

07 (1) exercised, would stay healthy
(2) had not gone to bed, could have watched

08 ⓐ → had been

09 (1) Harris were my boyfriend
(2) I had read the book

10 knew

함정이 있는 문제

01 had had more time, could have finished my project

02 would be → were

03 wish she had kept the promise

01 주절이 「조동사의 과거형+동사원형」으로 가정법 과거이므로 if절에는 동사의 과거형을 쓴다.
해석 (1) 나에게 나는 카페트가 있다면, 나는 전 세계를 여행할 수 있을 텐데.
(2) 네가 우리나라의 대통령이 된다면, 가장 먼저 무엇을 할 거니?

02 가정법 과거완료는 과거 사실에 반대되는 일이나 실현되지 못했던 일을 가정할 때 사용하며, 「If+주어+had p.p. ~, 주어+조동사의 과거형+have p.p. .....」의 형태로 쓴다.

03 직설법 현재 문장을 가정법으로 바꿀 때는 동사를 가정법 과거로 바꾸고, 긍정은 부정으로, 부정은 긍정으로 바꾼다.
해석 (1) 그는 아파서 영화를 보러 갈 수 없다.
→ 그가 아프지 않다면, 영화를 보러 갈 수 있을 텐데.
(2) 나는 키가 크지 않아서 모델이 될 수 없다.
→ 내가 키가 크다면, 모델이 될 수 있을 텐데.
(3) 나는 충분한 돈이 없어서 새 자전거를 살 수 없다.
→ 내가 충분한 돈이 있다면, 나는 새 자전거를 살 텐데.

04 현재 사실의 반대를 소망할 때는 「I wish+가정법 과거」를 쓰고, 과거 사실의 반대를 소망할 때는 「I wish+가정법 과거완료」를 쓴다.

05 현재 상황과 반대될 때는 「as if+가정법 과거」를 쓰고, 과거 상황과 반대될 때는 「as if+가정법 과거완료」를 쓴다.

06 가정법 과거는 「If+주어+동사의 과거형/were ~, 주어+조동사의 과거형+동사원형 .....」으로 쓰고, 가정법 과거완료는 「If+주어+had p.p. ~, 주어+조동사의 과거형+have p.p. .....」로 쓴다.

07 (1) 직설법 현재 문장을 가정법으로 바꿀 때는 동사를 가정법 과거로 바꾸고, 긍정은 부정으로, 부정은 긍정으로 바꾼다.
(2) 직설법 과거 문장을 가정법으로 바꿀 때는 동사를 가정법 과거완료로 바꾸고, 긍정은 부정으로 부정은 긍정으로 바꾼다.
해석 (1) 그들은 매일 운동을 하지 않기 때문에 건강하지 않다.
→ 그들이 매일 운동을 한다면, 그들은 건강할 텐데.
(2) 나는 지난밤에 일찍 잠자리에 들었기 때문에 그 음악 쇼를 볼 수 없었다.
→ 내가 지난밤에 일찍 잠자리에 들지 않았다면, 나는 그 음악 쇼를 볼 수 있었을 텐데.

08 과거 사실에 반대되는 일을 가정할 때는 가정법 과거완료를 쓰는데, if절에는 had p.p.를 쓴다.
해석 어제 날씨가 좋았다면, 우리는 캠핑을 갔을 텐데. 하지만 하루 종일 비가 엄청 왔다. 우리는 집에서 지루한 시간을 보냈다.

09 현재 사실의 반대를 소망할 때는 「I wish+가정법 과거」를 쓰고, 과거 사실의 반대를 소망할 때는 「I wish+가정법 과거완료」를 쓴다.

10 그 남자를 모른다고 했으므로 현재 사실의 반대를 가정하는 가정법 과거를 쓴다.
해석 **A** Mia 옆에 있는 남자를 아니?
B 아니.
A 정말? 너는 마치 그를 아는 것처럼 행동하고 있어.
B 난 그저 그에게 친절하려고 노력했을 뿐이야. 그게 다야.

02 해석 내가 배가 고프면, 그것들을 먹을 수 있을 텐데. 나는 막 점심을 먹었다.

시험에 강해지는 **실전 TEST**   pp.148~150

| 01 ④ | 02 ③ | 03 ② | 04 ③ | 05 ①, ③ |
| 06 ② | 07 ⑤ | 08 ⑤ | 09 ① | 10 ② |

서술형 **1** (1) isn't, can't help
　　　　(2) had, would not feel

서술형 **2** If I were you, would not buy

서술형 **3** I had listened to my parents

서술형 **4** (1) have → had (2) be → have been

서술형 **5** (1) she knew everything
　　　　(2) nothing had happened

서술형 **6** He talks as if he had done all the work alone.

서술형 **7** (1) I had many friends
　　　　(2) I did well in school
　　　　(3) I could speak English well
　　　　(4) I were good at sports

서술형 **8** had not played, would not have been

서술형 **9** would have had, had been

서술형 **10** had not had, could have gone

01 현재 사실의 반대를 가정하고 있으므로 가정법 과거를 써야 한다. if절에는 were를 쓰고, 주절에는 조동사의 과거형을 쓴다.
해석 내가 어린 남자아이라면, 나는 하루 종일 친구들과 놀 텐데.

02 '~했더라면 좋을 텐데'라는 의미로 과거의 일에 대한 소망을 나타낼 때는 「I wish+가정법 과거완료」를 쓴다.

03 ② 주절이 미래시제이므로 조건문이고, 조건절에서는 미래시제 대신 현재시제를 쓴다. 나머지는 모두 가정법 과거이므로 동사의 과거형이나 were를 쓴다.
해석 ① 그가 지금 나와 함께 여기 있다면 좋을 텐데.
② 그들이 빨리 달리면, 그들은 버스를 잡을 것이다.
③ 네가 복권에 당첨되면, 무엇을 할 거니?
④ 그녀가 휴대 전화가 있다면, 우리는 그녀에게 연락할 수 있을 텐데.
⑤ TV에 재미있는 프로그램이 있다면, 나는 지루하지 않을 텐데.

04 현재 사실의 반대를 소망할 때는 「I wish+가정법 과거」를 쓰는데, be동사인 경우 were를 쓴다.

05 가정법 과거는 현재 사실의 반대를 가정하므로 Mike는 아파서 파티에 가지 못한다는 것을 알 수 있다.
해석 Mike가 아프지 않으면, 그는 파티에 갈 텐데.

06 ② 가정법 과거는 현재 사실의 반대를 나타내므로 긍정은 부정으로, 부정은 긍정으로 바꾼다. → As I have class, I don't watch TV all day.
해석 ① 내가 남자친구가 있으면 좋을 텐데.
　 = 내가 남자친구가 없어서 유감이다.
② 오늘 수업이 없다면, 하루 종일 TV를 볼 텐데.
　 ≠ 나는 수업이 없어서 하루 종일 TV를 볼 것이다.
③ 그는 마치 그 축구 경기를 봤던 것처럼 말한다.
　 = 사실, 그는 그 축구 경기를 보지 못했다.
④ 그가 너의 메시지를 읽었다면, 그는 너에게 전화했을 텐데.
　 = 그가 너의 메시지를 읽지 못해서 너에게 전화하지 않았다.
⑤ 그것이 유리였다면, 떨어졌을 때 깨졌을 텐데.
　 = 그것이 유리가 아니어서 떨어졌을 때 깨지지 않았다.

07 현재 사실의 반대이므로 가정법 과거를 써야 하고 주절은 「조동사의 과거형+동사원형」을 쓴다.
해석 네 할아버지가 지금 살아계시면, 너를 자랑스러워하실 텐데.

08 '~였던 것처럼'의 의미로 과거 사실에 대해 가정하고 있으므로 가정법 과거완료를 써야 한다.
해석 A Gary를 아니?
B 응, 나는 오랫동안 그를 알고 지냈어.
A Gary가 전에 가수였니?
B 아니, 그렇지 않아. 왜?
A 그는 그가 가수였던 것처럼 말해.

09 ⓒ if절이 가정법 과거완료이므로 be → have been
ⓓ if절이 가정법 과거의 형태이고, 의미상 현재 사실의 반대이므로 have done → do
해석 ⓐ 우리 팀이 농구 경기에서 이겼다면 좋을 텐데.
ⓑ 그는 매우 부자인 것처럼 많은 돈을 쓴다.
ⓒ 그녀가 거짓말을 하지 않았다면, 우리는 좋은 친구가 되었을 텐데.
ⓓ 네가 나라면 이런 상황에서 무엇을 하겠니?

10 ② 현재 사실의 반대이므로 가정법 과거를 써야 한다.
→ didn't use
해석 나는 우리가 요즘 너무 많은 쓰레기를 만들어 내고 있다고 생각한다. 우리가 플라스틱 포장 용기를 사용하지 않는다면, 쓰레기를 줄일 수 있을 텐데. 우리가 쓰레기를 줄이면, 지구는 훨씬 더 깨끗할 것이다.

서술형 **1** 가정법 과거는 현재 사실의 반대를 가정하므로 직설법 문장이 긍정이면 부정으로, 부정이면 긍정으로 바꾼다.
해석 (1) David가 여기 있다면, 그는 나를 도울 수 있을 텐데.

→ David가 여기 없어서 그는 나를 도울 수 없다.

(2) 그는 형제자매가 없어서 외로움을 느낀다.

→ 그에게 형제자매가 있다면, 그는 외롭게 느끼지 않을 텐데.

서술형 2 가정법 과거는 「If+주어+동사의 과거형/were ~, 주어+조동사의 과거형+동사원형 ....」으로 쓴다.

서술형 3 과거 사실에 대한 후회를 나타내고 있으므로 「I wish +가정법 과거완료」를 쓴다.

해석 내가 어렸을 때 부모님의 말씀을 듣지 않았던 것이 유감이다.

서술형 4 (1) 현재 사실의 반대를 가정할 때는 가정법 과거를 쓰고 if절에 동사의 과거형을 쓴다.

(2) 과거 사실의 반대를 가정할 때는 가정법 과거완료를 쓰고, 주절에 「조동사의 과거형+have p.p.」를 쓴다.

해석 (1) 우리 집에는 정원이 없다. 지금 우리 집에 정원이 있다면, 나는 채소를 키울 수 있을 텐데.

(2) 나는 어제 그녀를 만나지 않았다. 내가 그녀를 만났다면, 나는 행복했을 텐데.

서술형 5 as if 가정법에서 현재 사실의 반대를 가정할 때는 가정법 과거를 쓰고, 과거 사실의 반대를 가정할 때는 가정법 과거완료를 쓴다.

해석 (1) 그녀는 나에 대해 모든 것을 아는 것처럼 말한다. 사실, 그녀는 아무것도 모른다.

(2) 그는 지난밤에 아무 일도 일어나지 않았던 것처럼 행동하지만, 그는 창문을 깼다.

서술형 6 '마치 ~했던 것처럼'이라는 의미로 과거의 일에 대해 말할 때는 「as if+가정법 과거완료」를 쓴다.

서술형 7 현재 사실의 반대를 소망할 때는 「I wish+가정법 과거」를 쓴다.

해석 마음씨가 따뜻한 선생님께,

저는 친구가 많지 않아요. 저는 학교에서 잘하지 못해요. 저는 영어를 잘 말하지 못해요. 저는 운동을 잘 못해요. 제가 뭘 해야 할까요?

서술형 8 과거 사실에 반대되는 일을 가정할 때는 가정법 과거완료를 쓰고, 「If+주어+had p.p. ~, 주어+조동사의 과거형+have p.p. ....」의 형태로 쓴다.

해석 진호는 게임을 하느라 늦게까지 깨어 있었고 그 다음 날 아침에 늦게 일어났다. 그는 학교에 지각했고, 선생님에게 꾸중을 들었다. 그는 지난밤 너무 오래 게임을 했던 것을 후회했다.

→ 진호가 밤에 늦게까지 게임을 하지 않았다면, 그는 학교에 지각하지 않았을 텐데.

서술형 9 과거 사실에 반대되는 일을 가정하므로 가정법 과거완료를 쓰고 「If+주어+had p.p. ~, 주어+조동사의 과거형+have p.p. ....」의 형태로 쓴다.

해석 **A** 하이킹은 어땠니? 즐거웠니?

B 신났었지만, 우리는 도중에 비를 맞았어. 날씨가 더 좋았다면, 우리는 더 즐거웠을 텐데.

서술형 10 어제의 일을 이야기하고 있으므로 가정법 과거완료가 되도록 「If+주어+had p.p. ~, 주어+조동사의 과거형+have p.p. ....」의 형태로 쓴다.

해석 어제는 수진이의 생일이었다. 수진이는 John을 그녀의 생일 파티에 초대했지만, 그는 그의 프로젝트 작업을 해야 해서 파티에 갈 수 없었다.

John 내가 프로젝트 작업이 없었다면, 나는 그녀의 생일 파티에 갈 수 있었을 텐데.

CHAPTER **12** 화법과 특수구문

Unit **1** 화법 전환

✔ 바로 개념 확인하기   p.153

A 1 told   2 to come   3 if

B 1 was   2 me   3 what

C 1 would get up
    2 if(whether) I could play
    3 them to stand

서술형 **기본 유형 익히기**   pp.153~154

1 told me that he could help
2 if we planned to go
3 why they were so tired
4 asked him to open the windows
5 advised us not to worry
6 told me that she had no money
7 asked me where I was
8 asked him if(whether) he could play basketball
9 him to stop smoking
10 not to use our phones
11 told me that it was not raining then

12 needs → needed 13 that → if(whether)

14 bring → to bring 15 is → was

강조, 도치

✔ 바로 개념 확인하기 p.156

A 1 chocolate 2 in 1969 3 send

B 1 is science that

 2 does speak

 3 was Helen that made

 4 was on the bus that

C 1 is a teddy bear 2 comes the train

 3 am I 4 does John

서술형 기본 유형 익히기 pp.156~157

1 It was this app that he recommended

2 Down the street ran

3 sings well, So does my brother

4 doesn't play games, Neither do I

5 comes our bus

6 It was this letter that she wrote yesterday.

7 It was John that arrived here late.

8 It was last Sunday that I met her at the park.

9 did stay at home

10 stood two little boys

11 the river walked the girls

12 was → were

13 her → she

14 wrote → write

15 the bus goes → goes the bus

기출에서 뽑은 난이도별 서술형 문제 pp.158~159

01 (1) he had (2) would buy, the next day

02 (1) where we were from

 (2) if(whether) I could help her

 (3) what fruit he liked most

03 go → to go

---

04 (1) It was at the bus stop that

 (2) It was his strong will that

05 (1) Over our heads flew a drone.

 (2) Around the kids were lots of toys.

06 (1) that she would invite us to her new house

 (2) what day it was (3) not to touch anything

07 (1) It was Ryan that bought a T-shirt at this store.

 (2) It was a T-shirt that Ryan bought at this store.

 (3) It was at this store that Ryan bought a T-shirt.

08 (1) I do know what happened last night.

 (2) The boys did believe the news.

09 (1) So did (2) Neither does

10 ⓒ → Under the tree is a small gift box.

함정이 있는 문제

01 do → does

02 Neither was I

03 he loved me so much

---

01 (1) 말하는 사람이 he이므로 I는 he로 바꾸고, 주절이 과거시제이므로 동사는 과거시제로 쓴다.

(2) 주절이 과거시제이므로 will은 would로 쓰고, tomorrow는 the next day로 쓴다.

02 의문문을 간접화법으로 바꿀 때는 「주어+동사」의 어순으로 쓰며, 의문사가 없는 경우에는 if나 whether를 추가한다.

03 명령문을 간접화법으로 바꿀 때는 명령문의 동사원형을 to부정사로 바꾼다.

04 It is / was ~ that 강조 구문은 강조하고 싶은 말을 It is / was와 that 사이에 쓴다. 과거시제일 때는 was를 쓴다.

해석 (1) 나는 그 소년을 버스 정류장에서 봤다.

(2) 그의 굳은 의지는 그를 성공하게 만들었다.

05 장소, 방향의 부사구가 문장 앞으로 나오면 주어와 동사가 도치된다.

해석 (1) 드론이 내 머리 위를 날았다.

(2) 많은 장난감들이 아이들 주변에 있었다.

06 평서문을 간접화법으로 바꿀 때는 전달하는 문장의 인칭 대명사와 시제 변화를 전달자에 맞춰 바꾼다. 의문문의 경우에는 어순에 주의하고, 부정명령문인 경우에는 명령문을 「not+to부정사」로 바꾼다.

07 It is / was ~ that 강조 구문은 강조하고 싶은 말을 It is /

was와 that 사이에 쓰고, that 다음에 나머지 문장을 쓴다. 과거시제이므로 was를 쓴다.

08 동사를 강조할 때는 「do/does/did+동사원형」의 형태로 쓴다.
해석 (1) 나는 어젯밤에 무슨 일이 일어났는지 안다.
(2) 그 남자아이들은 그 뉴스를 믿지 않았다.

09 긍정의 말에 동의할 때는 「so+동사+주어」를 쓰고, 부정의 말에 동의할 때는 「neither+동사+주어」를 쓴다.
해석 (1) A 나는 "Blue Dolphins"가 이길 거라고 생각했어.
B 나도 그랬어. 나는 그들이 질 거라고 절대 상상할 수도 없었어.
(2) A 내 여동생은 절대 당근을 먹지 않아.
B 정말? 내 남동생도 먹지 않아. 그는 그 맛을 좋아하지 않아.

10 ⓒ 장소 부사구를 문장 앞에 써서 강조하는 경우, 주어와 동사가 도치된다.
해석 ⓐ 여기 선생님이 오신다.
ⓑ 커다란 눈덩이가 내려온다.
ⓒ 그 나무 아래에 작은 선물 상자 하나가 있다.
ⓓ 내 앞에 내가 좋아하는 가수가 나타났다.

시험에 강해지는 **실전 TEST**　　　　pp.160~162

| 01 ④ | 02 ⑤ | 03 ③ | 04 ⑤ | 05 ① |
| 06 ③ | 07 ② | 08 ① | 09 ③ | 10 ② |

서술형 1 (1) told me that he needed my help
(2) asked him if he knew Sue
서술형 2 (1) You made a big mistake
(2) Where are my glasses
서술형 3 ⓓ → his
서술형 4 He did believe what they said.
서술형 5 (1) It was this morning that I met Jenny.
(2) It is your parents that love you most.
서술형 6 not to make any noise
서술형 7 (1) so have I (2) neither can
서술형 8 (1) the corner is a big ice-cream shop
(2) came a lot of snow last night
서술형 9 is her wallet that she is looking for
서술형 10 (1) what she was doing
(2) she had to finish her homework
(3) not to stay up too late

01 말하는 사람이 she이므로 I는 she가 되고, 주절이 과거시제이므로 동사는 과거시제로 쓴다.

02 의문문을 간접화법으로 바꿀 때 의문사가 없는 경우에는 if 나 whether를 추가하고, 「주어+동사」의 어순으로 쓴다.

03 부정명령문을 간접화법으로 바꿀 때는 명령문을 「not+to 부정사」의 형태로 쓴다.

04 ⑤ 간접화법으로 바꿀 때, 부사 now는 then으로 바뀐다.

05 ① 직접화법에서 you는 간접화법에서 목적어와 일치시켜야 하므로 he로 써야 한다. → I asked him if he was busy then.

06 동사를 강조할 때는 「do/does/did+동사원형」의 형태로 쓴다.
해석 A Sam, 나에게 이메일을 보낸 것이 확실하니?
B 나는 확실히 보냈어. 나는 그것을 어젯밤에 정말 보냈어.

07 ②의 It은 가주어이고 that은 진주어 that절이다. 나머지는 모두 It ~ that 강조 구문이다.
해석 ① 내가 어제 만났던 사람은 바로 Kate였다.
② 그가 이 책을 쓴 것은 확실하다.
③ 내가 내 가방을 두고 온 곳은 바로 버스였다.
④ 내가 빌리고 싶었던 것은 바로 그 책이었다.
⑤ 네가 돌봐야 할 것은 바로 이 개다.

08 It is/was ~ that 강조 구문은 강조하고 싶은 말을 It is/was와 that 사이에 쓰고, 문장의 나머지 부분을 that 다음에 쓴다. 동사를 강조할 때는 「do/does/did+동사원형」으로 쓴다. ① 문장의 주어 Ben을 강조하고 있으므로 that 다음에는 주어를 쓸 수 없다. → he 삭제
해석 Ben은 어젯밤에 그의 침대 아래에서 그의 잃어버린 휴대 전화를 발견했다.

09 ③ 부정의 말에 동의할 때는 「neither+동사+주어」를 쓴다. → Neither have I.
해석 ① A Mike는 춤을 잘 춰.
B 나도 그래.
② A 나는 스페인에 가 본 적이 있어.
B Grace도 그래.
③ A 나는 아직 저녁을 먹지 못했어.
B 나도 못 먹었어.
④ A 나는 이 국수를 다 먹을 수 없어.
B 나도 먹을 수 없어.
⑤ A 나는 어제 TV에 나왔어.
B 호진이와 지나도 그랬어.

10 ⓓ 장소, 방향의 부사구가 문장의 앞으로 나온 경우, 주어와 동사가 도치되기 때문에 동사는 뒤에 나오는 주어에 일치시킨다. were → was
ⓔ neither는 이미 부정의 의미를 포함하기 때문에 부정어 not과 함께 쓰지 않는다. neither can't → neither can
해석 ⓐ 여기 버스가 온다.
ⓑ 네 왼쪽에 큰 나무가 있다.

ⓒ Tina는 이 기계를 사용하는 법을 정말 알고 있다.

ⓓ 나무 사이에 아름다운 벤치가 있었다.

ⓔ Matt는 한국어를 하지 못하고 그의 여동생도 못한다.

서술형 1 (1) 주절이 과거시제이므로 전달하는 문장의 과거시제는 간접화법 문장에서 과거완료로 쓴다.

(2) 의문문을 간접화법으로 바꿀 때는 어순에 주의하며, 의문사가 없는 경우에는 if나 whether를 추가한다.

서술형 2 간접화법 문장을 직접화법으로 바꿀 때는 전달하는 문장의 인칭대명사와 시제 변화에 주의하고, 의문문을 직접화법으로 바꿀 때는 전달하는 문장의 어순에 주의한다.

[해석] (1) 그녀는 나에게 내가 큰 실수를 했다고 말했다.

(2) 아빠는 나에게 그의 안경이 어디 있는지 물었다.

서술형 3 직접화법에서 '나'는 말하는 사람을 가리키므로 my는 간접화법에서 his로 바꿔야 한다.

서술형 4 동사를 강조할 때는 「do/does/did+동사원형」의 형태로 쓴다.

서술형 5 It is/was ~ that 강조 구문은 강조하고 싶은 말을 It is/was와 that 사이에 쓰고, that 다음에 나머지를 쓴다.

서술형 6 부정명령문을 간접화법으로 바꿀 때는 명령문을 「not+to부정사」의 형태로 쓴다.

[해석] 한 직원이 그 어린이들에게 소음을 내지 말라고 말했다.

서술형 7 「so+동사+주어」는 '~도 또한 그렇다'라는 의미이며, 「neither+동사+주어」는 '~도 또한 그렇지 않다'라는 의미이다.

[해석] (1) 지나는 이탈리아에 가 본 적이 있고, 나도 그렇다. 나는 3년 전에 이탈리아를 방문했다.

(2) Alex는 중국어를 잘 말할 수 없고, Jane도 할 수 없다. 그녀는 지난주에 막 중국어를 공부하기 시작했다.

서술형 8 장소나 위치의 부사(구)를 문장 앞에 쓰는 경우, 주어와 동사가 도치된다.

서술형 9 강조하고 싶은 말을 It is와 that 사이에 쓰고 문장의 나머지 부분은 that 다음에 그대로 쓴다.

[해석] A 그녀는 열쇠를 찾고 있니?

B 아니, 그녀가 찾고 있는 것은 바로 지갑이야.

서술형 10 (1) 의문사가 있는 의문문은 간접화법으로 쓸 때 「의문사+주어+동사」의 어순으로 쓴다.

(2) 평서문을 바꿀 때는 인칭대명사와 시제 변화에 주의한다.

(3) 부정명령문을 간접화법으로 바꿀 때는 명령문을 「not+to부정사」의 형태로 쓴다.

[해석] A Jenny, 밤 1시야. 뭐 하고 있니?

B 나는 내 숙제를 끝내야 해요. 거의 다 했어요, 아빠.

A 늦게까지 깨어 있지 마라.

B 알겠어요, 안 그럴게요.

→ 밤 1시경에 Jenny의 아버지는 Jenny의 방에 와서 그녀에게 무엇을 하고 있는지 물으셨다. Jenny는 그에게 그녀의 숙제를 끝내야만 한다고 말했다. Jenny의 아버지는 그녀에게 너무 늦게까지 깨어 있지 말라고 조언하셨다.

제 **3** 회 누적 TEST
pp.163~164

01 ③　　02 ⑤　　03 ④　　04 ①　　05 ④

06 ②　　07 ⑤　　08 ③

09 who lives next door, is very friendly

10 (1) This is the park in which a famous actor jogs every morning.

(2) This is the park where a famous actor jogs every morning.

11 (1) whose dream is to climb Mt. Everest

(2) why many people visit there

12 However busy he is

13 (1) If I had enough time

(2) would not have hurt his leg

14 (1) were the class president

(2) I had brought my swimsuit

15 (1) It was last year that Mia wrote a novel.

(2) Mia did write a novel last year.

01 첫 번째 빈칸에는 목적격 관계대명사 which나 that을 쓸 수 있고, 두 번째 빈칸에는 장소를 나타내는 관계부사 where를 써야 한다.

[해석] • 주원이가 가입한 뮤지컬 동아리는 학생들 사이에서 매우 인기가 있었다.

• 우리가 훌륭한 멕시코 음식을 먹을 수 있는 식당이 있니?

02 ⑤에는 the place를 수식하는 목적격 관계대명사 that 또는 which가 들어가고, 나머지는 모두 선행사를 포함하는 관계대명사 what이 들어간다.

[해석] ① 중요한 것은 최선을 다하는 것이다.

② 네가 믿는 것이 항상 진실은 아니다.

③ 나는 내가 먹을 것을 고를 수 있는 권리가 있다.

④ 너는 네가 할 수 있는 것에 대해 생각할 필요가 있다.

⑤ 나는 그가 정기적으로 방문하는 장소를 안다.

03 ④ whatever가 부사절을 이끌 때는 no matter what으로 바꿔 쓸 수 있다.

[해석] ① 나의 부모님은 항상 내가 말하는 것을 들으신다.

② 나는 여전히 우리가 처음 만났던 날을 기억한다.

③ 아무리 추울지라도, 그녀는 항상 치마를 입는다.

④ 내가 무엇을 꿈꾸든지, 나는 그것을 이룰 수 있다.

⑤ 나는 너에게 책을 한 권 줄 것인데, 그것이 너의 질문에 대답해 줄 것이다.

04 ①은 '~할 때'라는 의미로 부사절을 이끄는 접속사로 쓰였고, 나머지는 모두 시간을 나타내는 선행사를 꾸며 주는 관계부사로 쓰였다.

해석 ① 나는 피곤할 때 따뜻한 물로 목욕을 한다.
② 봄은 꽃이 피는 계절이다.
③ 나는 내가 개를 잃어버렸던 그날을 잊을 수가 없다.
④ 7월은 내가 태어난 달이다.
⑤ 너는 그가 어젯밤에 돌아온 시간을 아니?

05 ④ 가정법 과거완료이므로 has run → had run
해석 ① 내가 춤을 잘 추면 좋을 텐데.
② 내가 아이였을 때 많은 친구가 있었다면 좋을 텐데.
③ 네가 내 입장이라면, 너는 무엇을 할 거니?
④ 그녀가 좀 더 빨리 달렸다면, 그녀는 경기에서 우승했을지도 모를 텐데.
⑤ 시원이는 그 사고에 대해 아무것도 모르는 것처럼 말한다.

06 직설법 현재를 가정법 과거로 바꿀 때는 동사를 과거형으로 쓰고, 긍정은 부정으로, 부정은 긍정으로 쓴다.

07 의문사가 없는 의문문을 간접화법으로 바꿀 때는 접속사 if 나 whether를 쓰고, 시제와 인칭을 일치시킨다.

08 ⓐ 동사를 강조하는 do는 인칭과 시제에 따라 형태가 바뀐다. do → does
ⓓ It is/was ~ that 강조 구문에서 that 다음에는 강조하는 부분이 빠진 나머지 문장을 쓴다. he 삭제

09 관계대명사의 계속적 용법은 관계대명사 앞에 콤마(,)를 쓰고, 선행사에 대한 추가 설명을 할 때 쓴다.

10 관계대명사가 전치사의 목적어로 쓰이면 전치사를 관계대명사 앞에 쓸 수 있으며, 「전치사+관계대명사」는 관계부사로 바꿔 쓸 수 있다. 선행사가 장소이므로 관계부사 where를 쓴다.

11 (1) dream의 소유격이 필요하므로 소유격 관계대명사 whose를 쓴다.
(2) 선행사가 이유(a reason)이므로 관계부사 why를 쓴다.

12 no matter how는 복합관계부사 however로 바꿔 쓸 수 있고, however 다음에는 형용사가 바로 이어지는 것에 유의한다.
해석 아무리 그가 바쁘더라도, 그는 파티에 올 것이다.

13 가정법 과거는 「If+주어+동사의 과거형/were ~, 주어+조동사의 과거형+동사원형 .....」으로 쓰고, 가정법 과거완료는 「If+주어+had p.p. ~, 주어+조동사의 과거형+have p.p. .....」로 쓴다.
해석 (1) 나에게 시간이 충분하다면, 나는 나의 부모님을 도울 수 있을 텐데.
(2) 그가 더 주의를 기울였다면, 그는 다리를 다치지 않았을 텐데.

14 (1) as if 가정법은 '마치 ~인 것처럼'이라는 의미로 사실과 반대되는 내용을 나타낸다.
(2) 「I wish+가정법 과거완료」는 '~했더라면 좋을 텐데'라는 의미로 과거 사실에 대한 아쉬움을 나타낸다.
해석 (1) A Paul은 학급 회장이니?
　　B 아니, 그렇지 않아. 하지만 그는 항상 그가 학급 회장인 것처럼 행동해.
(2) A 해변을 봐! 정말 아름답다! 너는 수영복을 가져왔니?
　　B 아니. 내가 수영복을 가져왔더라면 좋을 텐데.

15 (1) It is/was ~ that 강조 구문은 강조하고 싶은 말을 It is/was와 that 사이에 쓴다.
(2) 동사를 강조할 때에는 「do/does/did+동사원형」의 형태로 쓴다.

WORKBOOK ANSWERS

CHAPTER 01 완료형과 완료진행형

Unit 1 현재완료   p.2

A 1 I have not(haven't) met him before.
2 He has never learned taekwondo.
3 Has Judy gone to New York?
4 Have you lost your dog?
5 They have never been to Seoul.

B 1 have just finished
2 has lived
3 have been
4 have seen
5 Have you already arrived
6 has not(hasn't) started yet

Unit 2 과거완료, 완료진행형   p.3

A 1 had already left
2 had not(hadn't) had, until 2019
3 had waited for him for two hours
4 had lived there for 20 years
5 had missed the train
6 had never been

B 1 have been watching the movie for
2 has been raining since
3 have been waiting for the bus for 30 minutes
4 has been working at the library since last year
5 has been doing his homework for two hours

CHAPTER 02 조동사

Unit 1 조동사   p.4

A 1 used to swim
2 would rather leave
3 have to cross
4 doesn't have to get up
5 had better set

B 1 You had better not go out now.
2 I would rather not stay at home.
3 He has to go there.
4 You ought not to use your cell phone in class.
5 They are able to play the flute well.

Unit 2 조동사+have p.p.   p.5

A 1 can't have stolen
2 may(might) have known
3 can't have met
4 may(might) have been
5 should have bought
6 must have forgotten

B 1 should have asked
2 must have left
3 must have been
4 should have taken
5 should not(shouldn't) have lied

CHAPTER 03 to부정사 Ⅰ

Unit 1 to부정사의 용법 p.6

A 1 It is important to exercise regularly.
  2 His dream is to travel around the world.
  3 The dog needs some water to drink.
  4 Linda couldn't get a house to live in.
  5 Jenny practiced hard to become a dancer.
  6 The movie is not easy to understand.

B 1 It is fun to learn a foreign language.
  2 It is impossible to do it by myself.
  3 The girl didn't know where to go.
  4 I can't decide what to buy for her.
  5 He was happy to meet his old friend.

Unit 2 to부정사 구문 p.7

A 1 It is rude of you to say so.
  2 The road was safe for me to drive on.
  3 It was dangerous for her to climb the mountain alone.
  4 It is not wise of them to stay here.

B 1 She is too young to see the movie.
  2 John is smart enough to fix the computer.
  3 This bench is long enough to hold five people.
  4 Your shoes are too small for me to put on.
  5 You seem to know a lot of people.
  6 He seems to be at home.

CHAPTER 04 to부정사 Ⅱ

Unit 1 다양한 형태의 목적격보어 p.8

A 1 to meet
  2 walk(walking)
  3 wash
  4 to change
  5 read(reading)
  6 carry(to carry)

B 1 made me clean my room
  2 felt the building shaking
  3 had his dog treated
  4 let me ride his bicycle
  5 wants me to go shopping

Unit 2 to부정사와 동명사 p.9

A 1 to see   2 playing
  3 to read   4 smoking
  5 buying   6 to lose

B 1 forgot to lock
  2 tried to solve
  3 remembered calling
  4 are looking forward to working
  5 spend too much time playing
  6 can't help feeling
  7 am used to wearing

CHAPTER 05 수동태

Unit 1 수동태의 형태 p.10

A 1 was built by
2 is being treated
3 should be looked after by
4 were laughed at by
5 will be made into a movie
6 has already been fixed

B 1 is covered with
2 was surprised at
3 am tired of
4 was crowded with
5 am satisfied with

Unit 2 4형식·5형식 문장의 수동태 p.11

A 1 was called Tim
2 was taught to us
3 was cooked for me
4 was made to go there
5 was allowed to go to
6 was seen crossing the road

B 1 was bought for me
2 was sent to you
3 was asked of me
4 was given a baseball glove
5 were made to sing

CHAPTER 06 분사와 분사구문

Unit 1 분사의 쓰임 p.12

A 1 broken 2 sitting
3 painted 4 touching
5 written 6 running
7 burning 8 built

B 1 be moving
2 was surprised
3 was excited
4 was disappointing
5 is confusing
6 was bored

Unit 2 분사구문, with+명사+분사 p.13

A 1 Being tired
2 Hearing the song
3 Getting up late
4 Not having money
5 Watching TV
6 being nearly 80
7 going to bed

B 1 with his legs crossed
2 with his arms folded
3 with her eyes shining
4 with my eyes closed

Unit 1 원급과 비교급 p.14

A 1 busier than
2 as beautiful as
3 not as heavy as
4 much(far, even, a lot, still) more expensive than

B 1 as soon as possible
2 bigger and bigger
3 twice as large as
4 three times bigger than
5 The more, the better
6 The more tired, the harder

Unit 1 부사절을 이끄는 접속사 p.16

A 1 because it was raining hard
2 since we were in elementary school
3 If you are not satisfied with it
4 so that we can catch the train
5 While you were sleeping
6 Although I didn't like him

B 1 because he was tired
2 Although he is old
3 when I arrive at home
4 Unless it rains tomorrow

Unit 2 최상급 p.15

A 1 the worst experience of her life
2 one of the nicest actresses
3 the saddest movie that I have ever seen
4 other place in this city is better than
5 is more expensive than any other model

B 1 the best time
2 one of the greatest writers
3 the nicest boy that I have ever met
4 One of the most popular foods
5 more interesting than any other movie
6 No other girl, as pretty as

Unit 2 상관접속사, 간접의문문 p.17

A 1 Either you or I have to
2 not only French but also Chinese
3 neither surprised nor worried
4 both speed and strength
5 Both Tom and I are

B 1 what her name is
2 if(whether) you finished your homework
3 if(whether) you met Linda last night
4 Where do you think we should go?
5 Do you know how old that lady is?

CHAPTER 09 관계사 Ⅰ

Unit 1 관계대명사의 종류   p.18

A 1 which(that) Ted made
  2 whose roof was green
  3 which(that) can talk
  4 who(that) entered the building
  5 whom(who, that) I want to meet
  6 whose mother is a famous artist

B 1 which(that) was on the table
  2 whose name is Elsa
  3 which(that) I bought yesterday
  4 who(that) lives in that house is
  5 is an actor whom(who, that) I like so much

Unit 2 that, what, 계속적 용법   p.19

A 1 that they said
  2 what you need
  3 what she should do
  4 who lives in London
  5 which made my parents upset

B 1 anything that I need to know
  2 what Ted taught to her
  3 What I want to buy is
  4 Rome, which is a historic city in Europe

CHAPTER 10 관계사 Ⅱ

Unit 1 전치사+관계대명사, 관계부사   p.20

A 1 for whom Tom is looking
  2 at which she buys coffee
  3 where I had dinner
  4 how I make chicken soup
  5 why they didn't invite us
  6 on which we first met

B 1 the time when the department store opens
  2 the reason why he is upset
  3 the way you made this paper boat
  4 a place where you can cook

Unit 2 복합관계사   p.21

A 1 Whoever breaks this law
  2 whatever we like
  3 however cold it is
  4 whenever you want
  5 wherever he goes

B 1 Whoever works hard
  2 whenever you have a problem
  3 however much she eats
  4 Whatever you say
  5 Wherever you are

CHAPTER 11 가정법

Unit 1 가정법 과거   p.22

A 1 had, would watch
   2 were, would not(wouldn't) tell
   3 didn't like, would not(wouldn't) call
   4 were not, could play
   5 had, would buy
   6 lived, could visit

B 1 knew her email address, could send these pictures
   2 didn't have a lot of work to do, could go camping
   3 were not busy, could attend my school play
   4 had more time, could help you
   5 were not expensive, could buy it

Unit 2 가정법 과거완료   p.23

A 1 had bought, could have gone
   2 had been, would have had
   3 had arrived, would not(wouldn't) have missed
   4 had been, would have studied
   5 had not fallen, would not(wouldn't) have broken
   6 had had, would have gone

B 1 had exercised hard, would have lost weight
   2 had been in Korea, could have traveled with me
   3 had done my homework, would not(wouldn't) have been upset
   4 had come home early, would have gone out to dinner
   5 had had enough time, would have finished my project

Unit 3 I wish 가정법, as if 가정법   p.24

A 1 were interested in   2 had more free time
   3 had not bought these jeans
   4 had helped the injured man
   5 she knew the fact
   6 he had met me before

B 1 Mia were here now   2 you listened to me
   3 I had studied hard
   4 as if she were a famous model
   5 as if he had seen the movie

CHAPTER 12 화법과 특수구문

Unit 1 화법 전환   p.25

A 1 that he was so hungry
   2 that he was doing his homework then
   3 that she had bought that book for me
   4 that his sister was sick
   5 that we were going to take a test the next day

B 1 where I was going then
   2 if(whether) she was tired
   3 what he had done the day before
   4 if(whether) I could lend him some money
   5 to pass him the salt   6 not to give up

Unit 2 강조, 도치   p.26

A 1 It was a new smartphone that my father bought for me.
   2 It is on Monday that I have to go there.
   3 It was first prize that she won in the piano contest.
   4 It was the teacher that helped me yesterday.
   5 She did miss the boy who moved to Busan.

B 1 were my friends   2 comes the taxi.
   3 is a new restaurant   4 so can I
   5 Neither did he.   6 So has Amy.

서술형에

더 강해지는

중학 영문법

문장 쓰기
WORKBOOK

LEVEL **3**

동아출판

서술형에 더 강해지는 중학 영문법

문장 쓰기
WORKBOOK
LEVEL 3

Unit **1** 현재완료

| **A** ⠿ | 현재완료의 의문문과 부정문 쓰기 |

1 I have met him before. (부정문으로 쓸 것)

→ _____

2 He has learned taekwondo. (never를 사용하여 부정문으로 쓸 것)

→ _____

3 Judy has gone to New York. (의문문으로 쓸 것)

→ _____

4 You have lost your dog. (의문문으로 쓸 것)

→ _____

5 They have been to Seoul. (never를 사용하여 부정문으로 쓸 것)

→ _____

| **B** ⠿ | 주어진 말 활용하여 현재완료 문장 쓰기 |

1 나는 막 수학 숙제를 끝냈다. (finish, just)

→ I _____ my math homework.

2 Eric은 6개월 동안 런던에 살고 있다. (live)

→ Eric _____ in London for six months.

3 우리는 지난여름 이후로 친구로 지내 왔다. (be)

→ We _____ friends since last summer.

4 나는 그 영화를 세 번 봤다. (see)

→ I _____ that movie three times.

5 너는 이미 지하철역에 도착했니? (arrive, already)

→ _____ at the subway station?

6 그 야구 경기는 아직 시작하지 않았다. (start, yet)

→ The baseball game _____ .

Unit **2** 과거완료, 완료진행형

A 주어진 말 활용하여 과거완료 문장 쓰기

1 우리가 도착했을 때 버스는 이미 떠났다. (leave, already)

→ The bus _____ when we arrived.

2 그녀는 2019년까지 남자친구가 없었다. (have, until)

→ She _____ a boyfriend _____.

3 그가 왔을 때 우리는 두 시간 동안 그를 기다려 왔었다. (wait for, two hours)

→ We _____ when he came.

4 그녀의 어머니가 돌아가셨을 때 그녀는 20년 동안 거기에 살아 왔었다. (live there, for)

→ She _____ when her mother died.

5 그녀는 기차를 놓쳤기 때문에 결혼식에 늦었다. (miss, the train)

→ She was late for the wedding because she _____.

6 그는 일본에 가 본 적이 없다고 내게 말했다. (be, never)

→ He told me that he _____ to Japan.

B 완료진행형을 사용하여 한 문장으로 쓰기

1 They started to watch the movie an hour ago. They are still watching the movie.

→ They _____ an hour.

2 It started raining at lunchtime. It is still raining.

→ It _____ lunchtime.

3 We started to wait for the bus 30 minutes ago. We are still waiting.

→ We _____.

4 She started to work at the library last year. She is still working there.

→ She _____.

5 Jason began to do his homework two hours ago. He is still doing it.

→ Jason _____.

Unit **1** 조동사

A 알맞은 조동사 골라 문장 완성하기 (필요한 경우, 형태를 바꿀 것)

| |보기| | used to | have to | would rather | had better | don't have to |

1 우리는 그 호수에서 수영을 하곤 했다. (swim)

→ We _____ in the lake.

2 나는 차라리 이 도시를 떠나겠다. (leave)

→ I _____ this city.

3 너는 파란불에 길을 건너야 한다. (cross)

→ You _____ the street at the green light.

4 Silvia는 주말에 일찍 일어날 필요가 없다. (get up)

→ Silvia _____ early on weekends.

5 너는 알람을 맞춰 놓는 것이 좋겠다. (set)

→ You _____ your alarm.

B 지시에 맞게 바꿔 쓰기

1 You had better go out now. (부정문으로 바꿔 쓸 것)

→ _____

2 I would rather stay at home. (부정문으로 바꿔 쓸 것)

→ _____

3 He must go there. (have to를 사용하여 의미가 같도록 바꿔 쓸 것)

→ _____

4 You should not use your cell phone in class. (ought to를 사용하여 의미가 같도록 바꿔 쓸 것) *not의 위치 주의

→ _____

5 They can play the flute well. (be able to를 사용하여 의미가 같도록 바꿔 쓸 것)

→ _____

Unit **2** 조동사+have p.p.

| **A** | 알맞은 조동사 사용하여 「조동사+have p.p.」 문장 쓰기 |

1 그가 그녀의 아이디어를 훔쳤을 리가 없다. (steal)

→ He ＿＿＿＿＿＿＿＿＿＿＿＿＿＿＿＿＿ her idea.

2 Sue는 그 사건에 대해 알고 있었을지도 모른다. (know)

→ Sue ＿＿＿＿＿＿＿＿＿＿＿＿＿＿＿＿＿ about the accident.

3 그녀가 Tom을 만났을 리가 없다. (meet)

→ She ＿＿＿＿＿＿＿＿＿＿＿＿＿＿＿＿＿ Tom.

4 아버지는 매우 바빴을지도 모른다. (be)

→ My father ＿＿＿＿＿＿＿＿＿＿＿＿＿＿＿ very busy.

5 나는 그 콘서트 티켓을 샀어야 했는데. (buy)

→ I ＿＿＿＿＿＿＿＿＿＿＿＿＿＿＿＿＿ the concert ticket.

6 그는 전등을 끄는 것을 잊었던 것이 틀림없다. (forget)

→ He ＿＿＿＿＿＿＿＿＿＿＿＿＿＿＿＿＿ to turn off the light.

| **B** | 의미가 같도록 「조동사+have p.p.」 구문으로 바꿔 쓰기 |

1 I regret that I didn't ask her address.

→ I ＿＿＿＿＿＿＿＿＿＿＿＿＿＿＿＿＿ her address.

2 It is certain that he left his phone in the taxi.

→ He ＿＿＿＿＿＿＿＿＿＿＿＿＿＿＿＿＿ his phone in the taxi.

3 I am sure that they were at the party last night.

→ They ＿＿＿＿＿＿＿＿＿＿＿＿＿＿＿ at the party last night.

4 I regret that I didn't take your advice.

→ I ＿＿＿＿＿＿＿＿＿＿＿＿＿＿＿＿＿ your advice.

5 I am sorry that he lied to me.

→ He ＿＿＿＿＿＿＿＿＿＿＿＿＿＿＿＿＿ to me.

Unit **1** to부정사의 용법

A ┇ 주어진 말 배열하여 to부정사 문장 쓰기

1 규칙적으로 운동하는 것은 중요하다. (important, exercise, it, to, regularly, is)

→ _____

2 그의 꿈은 세계를 여행하는 것이다. (is, travel, to, the world, his dream, around)

→ _____

3 그 개는 마실 물이 필요하다. (to, needs, drink, some water, the dog)

→ _____

4 Linda는 살 집을 구하지 못했다. (Linda, a house, get, live, couldn't, to, in)

→ _____

5 Jenny는 무용가가 되기 위해 열심히 연습했다. (a dancer, Jenny, hard, to, practiced, become)

→ _____

6 그 영화는 이해하기에 쉽지 않다. (easy, is, not, to, the movie, understand)

→ _____

B ┇ 의미가 같도록 지시에 맞게 문장 쓰기

1 To learn a foreign language is fun. (가주어 it을 사용할 것)

→ _____

2 To do it by myself is impossible. (가주어 it을 사용할 것)

→ _____

3 The girl didn't know where she should go. (to부정사를 사용할 것)

→ _____

4 I can't decide what I should buy for her. (to부정사를 사용할 것)

→ _____

5 He was happy because he met his old friend. (to부정사를 사용할 것)

→ _____

Unit **2** to부정사 구문

A to부정사의 의미상의 주어 넣어 문장 다시 쓰기

1 It is rude to say so. (you)

→ _____

2 The road was safe to drive on. (I)

→ _____

3 It was dangerous to climb the mountain alone. (she)

→ _____

4 It is not wise to stay here. (they)

→ _____

B 알맞은 표현 골라 의미가 같도록 문장 바꿔 쓰기

|보기|	too ~ to	enough to	seem to

1 She is so young that she can't see the movie.

→ _____

2 John is so smart that he can fix the computer.

→ _____

3 This bench is so long that it can hold five people.

→ _____

4 Your shoes are so small that I can't put them on.   *의미상의 주어를 쓸 것

→ _____

5 It seems that you know a lot of people.

→ _____

6 It seems that he is at home.

→ _____

Unit **1** 다양한 형태의 목적격보어

| **A** | 주어진 말을 알맞은 목적격보어 형태로 쓰기 |

1 아빠는 내가 밤에 친구들을 만나는 것을 허락하지 않으신다. (meet)

→ My dad doesn't allow me _____ my friends at night.

2 나는 Tom이 거리에서 강아지를 산책시키고 있는 것을 보았다. (walk)

→ I saw Tom _____ the dog on the street.

3 그녀는 내가 설거지를 하도록 시켰다. (wash)

→ She made me _____ the dishes.

4 Judy는 그가 마음을 바꾸도록 했다. (change)

→ Judy got him _____ his mind.

5 선생님은 아이들이 책을 읽는 것을 들었다. (read)

→ The teacher listened to the children _____ their books.

6 그는 그녀가 그녀의 짐을 나르는 것을 도왔다. (carry)

→ He helped her _____ her luggage.

| **B** | 주어진 말 배열하여 문장 완성하기 |

1 엄마는 내가 매일 내 방을 청소하도록 시키셨다. (me, clean, made, my room)

→ My mom _____ every day.

2 그는 건물이 흔들리는 것을 느꼈다. (the building, shaking, felt)

→ He _____.

3 Tom은 그의 개를 동물병원에서 치료받게 했다. (had, treated, his dog)

→ Tom _____ at an animal hospital.

4 그는 내가 그의 자전거를 타게 했다. (me, ride, let, his bicycle)

→ He _____.

5 그녀는 내가 그녀와 함께 쇼핑을 가기를 원한다. (wants, me, go, shopping, to)

→ She _____ with her.

Unit **2** to부정사와 동명사

A	목적어를 to부정사와 동명사 중 알맞은 형태로 쓰기

1   I want _____ my uncle in Busan. (see)

2   Tom enjoys _____ soccer on weekends. (play)

3   I decided _____ three books a month. (read)

4   He should give up _____ . (smoke)

5   She is considering _____ a car. (buy)

6   Many people promise _____ weight. (lose)

B	주어진 말 활용하여 문장 완성하기

1   Mike는 문을 잠그는 것을 잊었다. (forget, lock)

→ Mike _____ the door.

2   나는 그 문제를 풀기 위해 노력했다. (try, solve)

→ I _____ the problem.

3   그는 그녀에게 전화했던 것을 기억했다. (remember, call)

→ He _____ her.

4   그들은 너와 함께 일하기를 고대하고 있다. (forward, work) *현재진행형으로 쓸 것

→ They _____ with you.

5   너는 컴퓨터 게임을 하는 데 너무 많은 시간을 쓴다. (spend, too much time, play)

→ You _____ computer games.

6   나는 외로움을 느끼지 않을 수 없다. (help, feel)

→ I _____ lonely.

7   나는 안경을 쓰는 데 익숙하다. (used, wear)

→ I _____ glasses.

Unit **1** 수동태의 형태

A	수동태 문장으로 바꿔 쓰기

1 My grandfather built this house.

→ This house _____ my grandfather.

2 The doctor is treating my brother.

→ My brother _____ by the doctor.

3 I should look after the kids.

→ The kids _____ me.

4 He laughed at us.

→ We _____ him.

5 They will make the webtoon into a movie.

→ The webtoon _____ by them.

6 He has already fixed my car. *already의 위치 주의

→ My car _____ by him.

B	알맞은 전치사 추가하여 수동태 문장 완성하기

1 그의 책상은 책들로 덮여 있다. (cover)

→ His desk _____ books.

2 모두가 그 뉴스에 놀랐다. (surprise)

→ Everybody _____ the news.

3 나는 바쁜 도시 생활에 싫증이 난다. (tire)

→ I _____ the busy city life.

4 버스는 관광객들로 붐볐다. (crowd)

→ The bus _____ tourists.

5 나는 내 일에 만족한다. (satisfy)

→ I _____ my work.

Unit **2** 4형식·5형식 문장의 수동태

| **A** | 주어진 말 배열하여 수동태 문장 쓰기 |

1 가장 어린 아들은 Tim이라 불렸다. (called, was, Tim)

→ The youngest son _____ .

2 수영은 John에 의해 우리에게 가르쳐졌다. (taught, to, was, us)

→ Swimming _____ by John.

3 파스타가 그녀에 의해 나를 위해 만들어졌다. (was, for, cooked, me)

→ Pasta _____ by her.

4 그는 그 선생님에 의해 그곳에 가도록 시켜졌다. (made, go, there, was, to)

→ He _____ by the teacher.

5 나는 나의 아빠에 의해 그의 생일 파티에 가는 것이 허락되었다. (allowed, to, was, go, to)

→ I _____ his birthday party by my dad.

6 James가 길을 건너는 것이 나에 의해 목격되었다. (the road, was, seen, crossing)

→ James _____ by me.

| **B** | 4형식·5형식 문장 수동태로 바꿔 쓰기 |

1 My mom bought me a cute doll.

→ A cute doll _____ by my mom.

2 I sent you a message.

→ A message _____ by me.

3 She asked me a question.

→ A question _____ by her.

4 Eric gave me a baseball glove.

→ I _____ by Eric.

5 He made them sing on the stage.

→ They _____ on the stage by him.

Unit **1** 분사의 쓰임

| **A** | 주어진 말을 알맞은 분사 형태로 바꿔 쓰기 |

1   She cut her hand on the _____ glass. (break)

2   Do you know the lady _____ on the bench? (sit)

3   Snoopy lives in the house _____ in red. (paint)

4   BTS made a _____ speech at the UN. (touch)

5   He is reading a novel _____ by Hemingway. (write)

6   The boy _____ on the playground is my brother. (run)

7   The brave man went into the _____ house to save a girl. (burn)

8   The hotel _____ on the top of the hill looks wonderful. (build)

| **B** | 주어진 말을 알맞은 분사 형태로 바꿔 문장 완성하기 |

1   그 영화는 감동적임에 틀림없다. (move)
    → The movie must _____.

2   그는 그 뉴스를 들었을 때 놀랐다. (surprise)
    → He _____ when he heard the news.

3   나는 캠핑을 가서 들떴다. (excite)
    → I _____ to go camping.

4   그 축구 경기의 결과는 실망스러웠다. (disappoint)
    → The result of the soccer game _____.

5   이 기계의 설명서는 혼란스럽다. (confuse)
    → The manual of this machine _____.

6   Jane은 할 일이 없어서 지루했다. (bore)
    → Jane _____ because she had nothing to do.

Unit **2** 분사구문, with＋명사＋분사

A 부사절을 분사구문으로 바꿔 쓰기

1 Because he was tired, he went to bed early.

→ _____, he went to bed early.

2 When I heard the song, I was touched.

→ _____, I was touched.

3 If you get up late, you may not have time for breakfast.

→ _____, you may not have time for breakfast.

4 As he didn't have money, he couldn't buy a new smartphone.

→ _____, he couldn't buy a new smartphone.

5 While she watched TV, she had dinner.

→ _____, she had dinner.

6 Although he is nearly 80, he is still very active.

→ Although _____, he is still very active.

7 Before she goes to bed, she brushes her teeth.

→ Before _____, she brushes her teeth.

B 「with＋명사＋분사」 구문 사용하여 문장 완성하기

1 그는 다리를 꼰 채로 거실에 앉아 있었다. (legs, cross)

→ He sat in the living room _____.

2 내 남동생은 팔짱을 낀 채로 나를 쳐다봤다. (arms, fold)

→ My brother looked at me _____.

3 그녀는 눈을 반짝이며 그녀의 꿈에 대해 이야기했다. (eyes, shine)

→ She talked about her dream _____.

4 나는 눈을 감은 채로 음악을 듣고 있었다. (eyes, close)

→ I was listening to music _____.

Unit **1** 원급과 비교급

| **A** | 알맞은 단어 골라 비교하는 문장 완성하기 |

| |보기| | expensive | heavy | beautiful | busy |

1 오늘은 어제보다 바쁘다.

→ Today is _____ yesterday.

2 장미는 백합만큼 아름답다.

→ Roses are _____ lilies.

3 Linda는 Dave만큼 무겁지는 않다.

→ Linda is _____ Dave.

4 이 가방은 너의 것보다 훨씬 더 비싸다. *수식어 주의

→ This bag is _____ yours.

| **B** | 주어진 말 활용하여 문장 완성하기 |

1 가능한 한 빨리 너의 숙제를 해라. (soon, possible)

→ Do your homework _____.

2 그 도시는 점점 더 커지고 있다. (big, and)

→ The city is getting _____.

3 그녀의 방은 Tom의 방의 두 배만큼 크다. (twice, large)

→ Her room is _____ Tom's.

4 그 배는 타이타닉호보다 세 배 더 크다. (three times, big)

→ The ship is _____ the Titanic.

5 네가 더 많이 연습할수록 너는 더 잘 하게 될 것이다. (much, well)

→ _____ you practice, _____ you will do.

6 네가 더 피곤할수록 집중하기가 더 어렵다. (tired, hard)

→ _____ you are, _____ it is to concentrate.

Unit **2** 최상급

A ⋮ 주어진 말 배열하여 최상급 문장 완성하기

1 그것은 그녀의 일생에서 가장 최악의 경험이었다. (her life, experience, the, of, worst)

→ It was _____.

2 그녀는 한국에서 가장 멋진 여배우들 중 하나이다. (the, actresses, one, of, nicest)

→ She is _____ in Korea.

3 그것은 내가 이제껏 봤던 중에 가장 슬픈 영화였다. (saddest, that, the, I, ever, have, movie, seen)

→ It was _____.

4 이 도시에서 다른 어떤 장소도 이 공원보다 더 좋지 않다. (better, this city, other, is, in, than, place)

→ No _____ this park.

5 이 스마트폰은 다른 어떤 모델보다 더 비싸다. (expensive, is, than, any other, more, model)

→ This smartphone _____.

B ⋮ 주어진 말 활용하여 최상급 문장 완성하기

1 조깅하기 가장 좋은 때가 언제니? (good, time)

→ When is _____ to jog?

2 Jane Austen은 가장 훌륭한 작가들 중 한 명으로 알려져 있다. (great, writer)

→ Jane Austen is known as _____.

3 너는 내가 만났던 중에 가장 친절한 남자아이다. (nice, meet)

→ You are _____.

4 한국에서 가장 인기 있는 음식들 중 하나는 떡볶이이다. (popular, food)

→ _____ in Korea is *tteokbokki*.

5 그 영화는 어떤 다른 영화보다도 더 재미있었다. (interesting, other)

→ The movie was _____.

6 나의 학급에 다른 어떤 여자아이도 Lisa만큼 예쁘지는 않다. (girl, pretty)

→ _____ in my class is _____ Lisa.

Unit **1** 부사절을 이끄는 접속사

| **A** | 주어진 말 배열하여 부사절 완성하기 |

1 비가 많이 와서 그는 비옷을 입었다. (raining, because, it, was, hard)

→ He put on his raincoat _____.

2 나는 우리가 초등학생 때부터 그녀를 알아 왔다. (elementary school, we, since, in, were)

→ I have known her _____.

3 그것이 마음에 들지 않는다면 우리는 환불해 줄 것이다. (if, are, not, you, with, it, satisfied)

→ _____, we will refund your money.

4 우리는 기차를 타기 위해 일찍 떠날 것이다. (so, catch, can, the train, we, that)

→ We are going to leave early _____.

5 네가 자고 있는 동안에 나는 내 숙제를 끝마쳤다. (you, while, sleeping, were)

→ _____, I finished my homework.

6 나는 그를 좋아하지 않았지만 그를 내 파티에 초대했다. (didn't, although, I, him, like)

→ _____, I invited him to my party.

| **B** | 알맞은 접속사 골라 주어진 말 활용하여 문장 완성하기 |

|보기|	when	because	although	unless

1 그는 피곤해서 집중을 할 수 없었다. (tired)

→ He couldn't concentrate _____.

2 비록 그는 늙었지만 아주 힘이 세다. (old)

→ _____, he is quite strong.

3 내가 집에 도착할 때 너에게 전화할 것이다. (arrive at) *시제 주의

→ I will call you _____.

4 내일 비가 오지 않으면 우리는 축구를 할 것이다. (rain, tomorrow) *시제 주의

→ _____, we will play soccer.

Unit **2** 상관접속사, 간접의문문

| **A** | 알맞은 상관접속사 골라 문장 완성하기 |

|보기|	both ~ and	either ~ or
	not only ~ but also	neither ~ nor

1 너와 나 둘 중 하나는 설거지를 해야 한다. (you, I, have to)

→ _____ wash the dishes.

2 그녀는 프랑스어뿐만 아니라 중국어도 한다. (French, Chinese)

→ She speaks _____.

3 Tommy는 놀란 것처럼도 걱정하는 것처럼도 보이지 않았다. (surprised, worried)

→ Tommy looked _____.

4 수영은 스피드와 힘이 둘 다 필요하다. (speed, strength)

→ Swimming needs _____.

5 Tom과 나는 둘 다 같은 동아리에 있다. (Tom, I, be)

→ _____ in the same club.

| **B** | 간접의문문 사용하여 한 문장으로 바꿔 쓰기 |

1 I don't know. + What is her name?

→ I don't know _____.

2 I wonder. + Did you finish your homework?

→ I wonder _____.

3 I don't care. + Did you meet Linda last night?

→ I don't care _____.

4 Do you think? + Where should we go? *의문사의 위치 주의

→ _____

5 Do you know? + How old is that lady? *어순 주의

→ _____

Unit **1** 관계대명사의 종류

A : 관계대명사 사용하여 문장 완성하기 (관계대명사를 생략하지 말 것)

1 Ted가 만든 샌드위치는 매우 맛이 있었다. (make)

→ The sandwich _____ was very delicious.

2 Ann은 지붕이 초록색인 집에 살았다. (roof, green)

→ Ann lived in a house _____.

3 앵무새는 말을 할 수 있는 새이다. (can talk)

→ A parrot is a bird _____.

4 그 건물로 들어간 남자는 검은 재킷을 입고 있었다. (enter, the building) *시제 주의

→ The man _____ was wearing a black jacket.

5 그는 내가 만나고 싶은 가수이다. (want, meet)

→ He is the singer _____.

6 저 애가 엄마가 유명한 예술가인 그 남자아이니? (mother, a famous artist)

→ Is that the boy _____?

B : 관계대명사 사용하여 한 문장으로 바꿔 쓰기 (관계대명사를 생략하지 말 것)

1 Where is the magazine? It was on the table.

→ Where is the magazine _____?

2 I met a girl. Her name is Elsa.

→ I met a girl _____.

3 These are the sneakers. I bought them yesterday.

→ These are the sneakers _____.

4 The woman is a famous writer. She lives in that house.

→ The woman _____ a famous writer.

5 Tom is an actor. I like him so much.

→ Tom _____.

Unit **2** that, what, 계속적 용법

| A | 알맞은 관계대명사 골라 문장 완성하기 (관계대명사를 생략하지 말 것) |

|보기|	which	that	what	who

1 그들이 말했던 모든 것은 사실이었다. (say) *시제 주의

→ Everything _____ was true.

2 네가 필요한 것을 나에게 말해라. (need)

→ Tell me _____ .

3 그녀는 오늘 그녀가 해야 할 것을 안다. (should, do)

→ She knows _____ today.

4 내 친구 Jake는 런던에 사는데, 우리를 방문할 것이다. (live, London)

→ My friend Jake, _____ , will visit us.

5 나는 내 남동생과 싸웠는데, 그것이 부모님을 화나게 만들었다. (my parents, make, upset)

→ I had a fight with my brother, _____ .

| B | 주어진 말 배열하여 문장 쓰기 |

1 내가 알아야 할 것이 있나요? (I, anything, need, that, know, to)

→ Is there _____ ?

2 그녀는 Ted가 그녀에게 가르쳐 주었던 것을 기억한다. (to, taught, what, her, Ted)

→ She remembers _____ .

3 내가 사고 싶은 것은 새 스마트폰이다. (what, want, is, I, buy, to)

→ _____ a new smartphone.

4 우리는 로마를 방문했는데, 그곳은 유럽에 있는 역사적인 도시이다. *문장부호를 정확히 쓸 것

(Rome, in Europe, which, is, a historic city)

→ We visited _____ .

Unit **1** 전치사+관계대명사, 관계부사

| **A** | 「전치사+관계대명사」 또는 관계부사 사용하여 문장 쓰기 |

1 That is the girl. Tom is looking for the girl. (「전치사+관계대명사」를 사용할 것)

→ That is the girl _____.

2 This is the café. She buys coffee every morning at the café. (「전치사+관계대명사」를 사용할 것)

→ This is the café _____ every morning.

3 They are in the restaurant. I had dinner there last night. (관계부사를 사용할 것)

→ They are in the restaurant _____ last night.

4 Jenny wants to know the way. I make chicken soup in the way. (관계부사를 사용할 것)

→ Jenny wants to know _____.

5 We know the reason. They didn't invite us for the reason. (관계부사를 사용할 것)

→ We know the reason _____.

6 I remember the day. We first met on the day. (「전치사+관계대명사」를 사용할 것)

→ I remember the day _____.

| **B** | 주어진 말 배열하여 문장 완성하기 |

1 너는 백화점이 문을 여는 시간을 아니? (the time, opens, when, the department store)

→ Do you know _____?

2 나는 그가 화가 난 이유를 모른다. (is, why, he, the reason, upset)

→ I don't know _____.

3 네가 이 종이배를 만든 방법을 나에게 말해 줘. (this paper boat, the way, you, made)

→ Tell me _____.

4 부엌은 네가 요리를 할 수 있는 장소이다. (where, a place, can, you, cook)

→ The kitchen is _____.

Unit **2** 복합관계사

| **A** | 알맞은 복합관계사 골라 문장 완성하기 |

| |보기| | whatever | however | whenever | wherever | whoever |

1 이 법을 어기는 사람은 누구든지 벌을 받을 것이다. (break this law)

→ _____ will be punished.

2 엄마는 우리가 좋아하는 것은 무엇이든지 우리에게 만들어 줄 것이다. (like)

→ My mom will make us _____.

3 아무리 춥더라도 우리는 창문을 열어야 한다. (it, cold)

→ We have to open the window _____.

4 너는 네가 원할 때는 언제든지 우리 집에 올 수 있다. (want)

→ You can come to my house _____.

5 그는 어디에 가든지 항상 그의 카메라를 가지고 다닌다. (go)

→ He always carries his camera _____.

| **B** | 두 문장의 뜻이 같도록 복합관계사를 사용하여 바꿔 쓰기 |

1 Anyone who works hard will succeed.

→ _____ will succeed.

2 You can tell us at any time when you have a problem.

→ You can tell us _____.

3 Amy doesn't gain weight no matter how much she eats.

→ Amy doesn't gain weight _____.

4 No matter what you say, I trust him.

→ _____, I trust him.

5 No matter where you are, he can find you.

→ _____, he can find you.

Unit **1** 가정법 과거

A 주어진 말 활용하여 가정법 과거 문장 쓰기

1 내가 수업이 없다면, 나는 하루 종일 TV를 볼 텐데. (have, watch)

→ If I _____ no class, I _____ TV all day.

2 내가 너라면, 그녀에게 거짓말을 하지 않을 텐데. (be, tell)

→ If I _____ you, I _____ a lie to her.

3 그가 너를 좋아하지 않는다면, 그는 매일 너에게 전화하지 않을 텐데. (like, call)

→ If he _____ you, he _____ you every day.

4 밖에 비가 내리고 있지 않다면, 우리는 야구를 할 수 있을 텐데. (be, play) *조동사 주의

→ If it _____ raining outside, we _____ baseball.

5 내가 충분한 돈을 가지고 있다면, 엄마를 위한 선물을 살 텐데. (have, buy)

→ If I _____ enough money, I _____ a present for my mom.

6 그가 더 가까이 산다면, 나는 그를 더 자주 방문할 수 있을 텐데. (live, visit) *조동사 주의

→ If he _____ closer, I _____ him more often.

B 주어진 문장을 가정법 문장으로 바꿔 쓰기

1 As I don't know her email address, I can't send these pictures.

→ If I _____, I _____.

2 As Tom has a lot of work to do, he can't go camping.

→ If Tom _____, he _____.

3 As my mother is busy, she can't attend my school play.

→ If my mother _____, she _____.

4 As they don't have more time, they can't help you.

→ If they _____, they _____.

5 As this bag is expensive, I can't buy it.

→ If this bag _____, I _____.

Unit **2** 가정법 과거완료

A ⋮⋮ 주어진 말 활용하여 가정법 과거완료 문장 쓰기

1 그들이 텐트를 샀다면, 그들은 캠핑을 갈 수 있었을 텐데. (buy, go) *조동사 주의

→ If they _____ a tent, they _____ camping.

2 우리가 같은 반이었다면, 우리는 같이 점심을 먹었을 텐데. (be, have)

→ If we _____ in the same class, we _____ lunch together.

3 그가 역에 제시간에 도착했다면, 그는 기차를 놓치지 않았을 텐데. (arrive, miss)

→ If he _____ at the station on time, he _____ the train.

4 그녀가 나의 선생님이었다면, 나는 더 열심히 공부했을 텐데. (be, study)

→ If she _____ my teacher, I _____ harder.

5 네가 굴러 떨어지지 않았다면, 너는 다리가 부러지지 않았을 텐데. (fall, break)

→ If you _____ down, you _____ your leg.

6 나에게 여자친구가 있었다면, 나는 그 파티에 갔을 텐데. (have, go)

→ If I _____ a girlfriend, I _____ to the party.

B ⋮⋮ 주어진 문장을 가정법 문장으로 바꿔 쓰기 (조동사는 would나 could를 쓸 것)

1 As she didn't exercise hard, she didn't lose weight.

→ If she _____, she _____.

2 As he wasn't in Korea, he couldn't travel with me.

→ If he _____, he _____.

3 As I didn't do my homework, my teacher was upset.

→ If I _____, my teacher _____.

4 As my father didn't come home early, we didn't go out to dinner.

→ If my father _____, we _____.

5 As I didn't have enough time, I didn't finish my project.

→ If I _____, I _____.

Unit **3** I wish 가정법, as if 가정법

> **A** ⋮ [주어진 말 활용하여 I wish 가정법 또는 as if 가정법 쓰기]

1 네가 클래식 음악에 관심이 있다면 좋을 텐데. (be interested in)

→ I wish you _____ classical music.

2 내가 자유 시간이 더 있다면 좋을 텐데. (have more free time)

→ I wish I _____.

3 그녀가 이 청바지를 사지 않았으면 좋을 텐데. (buy these jeans) *부정어 주의

→ I wish she _____.

4 그가 그 부상당한 사람을 도왔으면 좋을 텐데. (help the injured man)

→ I wish he _____.

5 그녀는 그 사실을 알고 있는 것처럼 말한다. (know the fact)

→ She talks as if _____.

6 그는 마치 전에 나를 만났던 것처럼 행동한다. (meet me before)

→ He acts as if _____.

> **B** ⋮ [의미가 같도록 I wish 가정법 또는 as if 가정법으로 바꿔 쓰기]

1 I am sorry that Mia isn't here now.

→ I wish _____.

2 I am sorry that you don't listen to me.

→ I wish _____.

3 I am sorry that I didn't study hard.

→ I wish _____.

4 In fact, she isn't a famous model.

→ She acts _____.

5 In fact, he didn't see the movie.

→ He talks _____.

Unit **1** 화법 전환

A 평서문을 간접화법으로 바꿔 쓰기

1 My brother said to my mother, "I am so hungry."

→ My brother told my mother _____.

2 He said to us, "I am doing my homework now."

→ He told us _____.

3 Sally said to me, "I bought this book for you."

→ Sally told me _____.

4 He said to me, "My sister is sick."

→ He told me _____.

5 Ms. Brown said to us, "You are going to take a test tomorrow."

→ Ms. Brown told us _____.

B 의문문, 명령문을 간접화법으로 바꿔 쓰기

1 Tom asked me, "Where are you going now?"

→ Tom asked me _____.

2 I asked her, "Are you tired?"

→ I asked her _____.

3 I asked him, "What did you do yesterday?"

→ I asked him _____.

4 John asked me, "Can you lend me some money?"

→ John asked me _____.

5 He said to her, "Pass me the salt."

→ He told her _____.

6 She said to me, "Don't give up."

→ She told me _____.

Unit **2** 강조, 도치

| **A** | 밑줄 친 부분을 강조하는 문장으로 바꿔 쓰기 |

1 My father bought a new smartphone for me.

→ _____

2 I have to go there on Monday.

→ _____

3 She won first prize in the piano contest.

→ _____

4 The teacher helped me yesterday.

→ _____

5 She missed the boy who moved to Busan.

→ _____

| **B** | 주어진 말 활용하여 문장 완성하기 |

1 저기에 내 친구들이 있었다. (my friends, be) *시제 주의

→ Over there _____.

2 여기 택시가 온다. (the taxi, come)

→ Here _____.

3 모퉁이에 새 식당이 있다. (a new restaurant, be)

→ Around the corner _____.

4 내 여동생은 수영을 할 수 있고, 나도 할 수 있다. (so, I)

→ My sister can swim, and _____.

5 나는 그 쿠키를 먹지 않았다. 그도 먹지 않았다. (he)

→ I didn't eat the cookies. _____

6 나는 멕시코에 가 본 적이 있다. Amy도 그렇다. (so) *동사 주의

→ I have been to Mexico. _____

MEMO